Scriitori contemporani, voci şi tendinţe noi
în literatura universală de azi.

Colecţia BIBLIOTECA POLIROM este coordonată de Bogdan-Alexandru Stănescu.

Elif Shafak, *The Three Daughters of Eve*

www.polirom.ro

Editura POLIROM
Iaşi, B-dul Carol I nr. 4; P.O. BOX 266, 700506
Bucureşti, Splaiul Unirii nr. 6, bl. B3A,
sc. 1, et. 1, sector 4, 040031, O.P. 53

Descrierea CIP a Bibliotecii Naţionale a României:

SHAFAK, ELIF

Cele trei fiice ale Evei / Elif Shafak; trad. din lb. engleză şi note de Ada Tanasă. – Iaşi: Polirom, 2017

ISBN: 978-973-46-6991-1

I. Tanasă, Ada (trad.) (note)

821.512.161

Printed in ROMANIA

Elif Shafak

Cele trei fiice ale Evei

Traducere din limba engleză şi note
de Ada Tanasă

POLIROM
2017

Tu, Doamne, ce te faci de mor?
De mă zdrobesc? (îți sunt urcior).
Și de mă stric? (și băutură-ți sunt).
Sunt meșteșugu-ți și veșmânt,
Cu mine rostul tău dispare.[1]

R.M. Rilke, *Ceaslovul*

Ai veni dacă cineva te-ar striga
cu alt nume?
Am plâns fiindcă ani buni
nu s-a lăsat îmbrățișat;
Dar într-o noapte mi s-a dezvăluit o taină;
Poate că numele cu care îl strigi pe Domnul
nu e de fapt al Lui.
Poate că-i doar un nume de-mprumut.

Rabia, prima sfântă sufită,
secolul al VIII-lea, Irak

1. Trad. de Mihail Nemeș, în volumul Rainer Maria Rilke, *Opera poetică*, ed. îngrijită și prefață de Dan Flonta, ediția a II-a, Editura Paralela 45, București, 2011, p. 89.

PARTEA ÎNTÂI

Geanta

Istanbul, 2016

Era o zi de primăvară obișnuită în Istanbul, o după-amiază lungă și plumburie ca atâtea altele, când a descoperit, cu un gol în stomac, că se simțea în stare să ucidă. Bănuise mereu că până și cele mai liniștite și mai blânde femei erau predispuse, în condiții de stres, la izbucniri violente. Cum nu se considera nici liniștită, nici blândă, apreciase că potențialul ei de a-și pierde controlul era considerabil mai mare decât al lor. Totuși „potențial" e un cuvânt înșelător. Mai demult, toată lumea spunea că Turcia are mare „potențial" – și uite ce ieșise din asta. Așa că s-a mângâiat cu gândul că nici de potențialul ei întunecat n-o să se aleagă nimic până la urmă.

Și, din fericire, Soarta – acea plăcuță bine păstrată pe care e gravat tot ce se întâmplă și ce are să se întâmple – o cruțase, în general, de-a săvârși vreo ticăloșie. În toți anii ăia dusese o viață decentă. Nu făcuse rău nici unuia dintre semenii ei, cel puțin nu cu bună știință, cel puțin nu în ultima vreme, în afară de faptul că uneori mai bârfise sau mai cârtise, ceea ce n-ar trebui să conteze. La urma urmei, toată lumea face asta – și de-ar fi fost un păcat așa de grav, hăurile iadului ar fi dat pe-afară. Dacă pricinuise vreo suferință cuiva, acela era Dumnezeu și, deși adesea greu de mulțumit și grozav de năzuros, Dumnezeu nu era deloc rănit. Să rănești și să fii rănit – o trăsătură tipic umană.

În ochii familiei și prietenilor, Nazperi Nalbantoğlu – Peri, cum îi spuneau toți – era un om *bun*. Susținea asociații caritabile, le vorbea celorlalți despre riscurile Alzheimerului și strângea bani pentru familiile nevoiașe; se oferea voluntară la azilurile de bătrâni, unde lua parte la concursuri de table, pierzând dinadins; căra mereu în geantă bunătăți pentru miriadele de pisici vagaboande din Istanbul și din când în când le castra pe propria cheltuială; supraveghea îndeaproape cum se descurcau copiii ei la școală; găzduia petreceri elegante pentru șeful și colegii de serviciu ai soțului ei; postea în primele și în ultimele zile ale Ramadanului, însă înclina să le sară pe cele din mijloc; aducea jertfă o oaie vopsită cu henna de fiecare Eid[1]. Niciodată nu arunca gunoaie pe stradă, nu se băga în față la coadă la supermarket sau nu ridica vocea – nici măcar când fusese tratată nepoliticos. Era o soție, o mamă, o gospodină, o cetățeană și o musulmană modernă minunată.

Timpul, ca un croitor iscusit, prinsese laolaltă fără cusur cele două țesături care îmbrăcau viața lui Peri: ceea ce credeau oamenii despre ea și ceea ce credea ea însăși. Impresia pe care o lăsa asupra celorlalți și percepția pe care o avea despre sine fuseseră cusute într-un tot atât de desăvârșit, încât nu mai era în stare să spună cât anume din zi dedica lucrurilor pe care le doreau alții și cât lucrurilor pe care și le dorea cu-adevărat. Adesea îi venea să pună mâna pe o găleată cu apă și săpun și să frece străzile, piețele, guvernul, parlamentul, birocrații și, dacă tot se apucase, să spele cu săpun și câteva guri. Era atâta mizerie de curățat; erau atâtea cioburi de lipit, atâtea greșeli de îndreptat. În fiecare dimineață când ieșea din casă scotea un oftat scurt, de parcă ar fi putut risipi dintr-o suflare rămășițele zilei de ieri. Deși punea lumea la îndoială fără greș și nu era femeia care să rămână tăcută în fața nedreptăților, Peri hotărâse cu niște ani în urmă să se mulțumească cu ce avea. Tocmai de aceea o și surprinse ca, într-o zi obișnuită, la treizeci și cinci de ani, cunoscută și respectată, să se trezească holbându-se la golul din sufletul ei.

---

1. Eid al-Adha (Sărbătoarea Sacrificiului) – are loc în ultima lună a calendarului islamic și durează patru zile, fiind prilej de bucurie, iertare și împăcare; musulmanii înstăriți sacrifică în a treia zi un animal pe care îl împart între rude, vecini și nevoiași.

Totul era din cauza traficului, avea să-și spună mai târziu. Huruituri, mugete, scrâșnituri de metal pe metal precum strigătele a o mie de războinici. Tot orașul era un șantier uriaș. Istanbulul se mărise haotic și continua să se extindă – un peștișor de aur umflat care nu-și dădea seama că înghițise mai mult decât putea mistui și se uita în jur după alte și alte bucățele savuroase. Privind în urmă la acea după-amiază fatidică, Peri avea să ajungă la concluzia că, dacă n-ar fi fost ambuteiajul fără speranță în care erau prinse, șirul de evenimente ce trezise o parte de mult adormită a memoriei ei nu s-ar fi pus niciodată în mișcare.

Iată-le târându-se pe o stradă cu două benzi blocată de un camion răsturnat, captive între vehicule de toate mărimile. Peri bătea darabana pe volan, schimbând posturile la radio la fiecare câteva minute, în timp ce fiica ei stătea pe scaunul de-alături, cu căștile în urechi și cu o mină plictisită. Ca o baghetă magică în mâinile nepotrivite, traficul preschimba minutele în ore, oamenii în brute și orice urmă de judecată sănătoasă în nebunie pură. Istanbulul nu părea deranjat. Timp, brute și nebunie avea din belșug. O oră în plus, o oră în minus, o brută în plus, un nebun în minus – de la un punct nici nu mai conta.

Nebunia alerga pe străzile orașului ca un drog amețitor prin vene. Zilnic, milioane de istanbuliți luau încă o doză, fără să-și dea seama că devin din ce în ce mai dezechilibrați. Oameni care nu voiau să împartă o bucată de pâine împărțeau în schimb nebunia. E mereu ceva enigmatic cu nebunia colectivă: dacă îndeajuns de mulți ochi au aceeași halucinație, aceasta devine realitate; dacă îndeajuns de mulți oameni râd de aceeași nenorocire, aceasta devine o glumiță amuzantă.

— Of, nu-ți mai roade unghiile! izbucni Peri dintr-odată. De câte ori trebuie să-ți spun?

Încet, foarte încet, Deniz își scoase căștile din urechi, lăsându-le să atârne în jurul gâtului.

— Sunt unghiile *mele*, răspunse ea, apoi luă o înghițitură dintr-un pahar de carton așezat între scaune.

Înainte să pornească la drum se opriseră la Star Börek – un lanţ de cafenele turcesc ce fusese dat în judecată în repetate rânduri de Starbucks pentru că îi folosea logoul, meniul şi o versiune distorsionată a numelui, dar care datorită chichiţelor legale funcţiona încă – şi luaseră două băuturi: un latte degresat pentru Peri şi un frappuccino dublu cu cremă şi fulgi de ciocolată pentru fiica sa. Peri o terminase pe-a ei, însă Deniz se lungea la nesfârşit, sorbind cu grijă, ca o pasăre rănită. Afară, soarele dispărea la orizont, ultimele raze pictând acoperişurile maghernițelor, domurile moscheilor şi ferestrele zgârie-norilor în aceeaşi nuanţă stinsă de ruginiu.

— Şi asta e maşina *mea*, mormăi Peri. Împrăştii pieliţe pe jos.

Nici nu-i ieşiră bine vorbele din gură, că le şi regretă. *Maşina mea!* Ce lucru groaznic să i-l spui copilului tău – sau oricui, de fapt. Oare ajunsese una dintre nebunele alea materialiste a căror întreagă conştiinţă a sinelui şi spaţiului stă în lucrurile pe care le au? Spera că nu.

Fiică-sa nu păru uimită; ridică în schimb din umerii firavi, se uită pe geam şi începu să-şi roadă cu furie unghia de la următorul deget.

Maşina porni brusc, numai ca să se oprească iar cu un scrâşnet de cauciucuri. Era un Range Rover într-o nuanţă de albastru numită Monte Carlo Blue, după catalogul dealerului. Mai existau şi alte opţiuni de culoare în broşură: Davos White, Oriental Dragon Red, Saudi Desert Pink, Ghana Police Gloss Blue sau Indonesian Army Matt Green.[1] Peri şi-i închipui, strângând din buze şi clătinând din cap, pe tipii frivoli de la marketing care născoceau asemenea nume şi se întrebă dacă şoferii îşi dădeau seama că maşinile de superfiţe în care se afişau erau asociate cu poliţia sau cu armata sau cu furtunile de nisip din Peninsula Arabică.

---

1. În traducere: Albastru de Monte-Carlo, Alb de Davos, Roşu-dragon oriental, Roz-deşert saudit, Albastru lucios poliţia din Ghana, Verde mat armata indoneziană.

De orice culoare ar fi fost ele, Istanbulul gemea de mașini luxoase, deși multe păreau nelalocul lor, ca niște câini cu pedigri născuți în puf care, cu toate că fuseseră hărăziți unei vieți de huzur, se pierduseră cine știe cum și rătăceau prin sălbăticie. Decapotabile rapide ce mugeau de frustrare fiindcă nu aveau unde să prindă viteză, mașini de teren care, în ciuda celor mai abile manevre, nu puteau fi strecurate în locuri de parcare minuscule – dacă se întâmpla să fie vreunul liber – și sedanuri scumpe proiectate pentru șosele largi care nu existau decât în ținuturi îndepărtate și în reclamele de la televizor.

— Am citit că a fost cotat printre cele mai proaste din lume, zise Peri.

— Ce?

— Traficul. Suntem pe primul loc. E mai prost decât cel din Cairo, închipuie-ți. Chiar și decât cel din Delhi!

Nu c-ar fi fost vreodată la Cairo sau la Delhi. Dar, ca mulți istanbuliți, Peri avea convingerea fermă că orașul ei e mai civilizat decât locurile alea îndepărtate, primitive și aglomerate – cu toate că „îndepărtat" este un concept relativ și atât „primitiv", cât și „aglomerat" sunt niște epitete cu care Istanbulul e etichetat frecvent. Totuși orașul se afla la porțile Europei. Apropierea asta trebuia să însemne ceva. Era uluitor de aproape, astfel că Turcia vârâse un picior prin deschizătura dintre porți și încercase să se aventureze înainte cu toate forțele – doar ca să descopere că aceasta era atât de strâmtă, încât restul corpului său nu izbutea să se strecoare înăuntru oricât s-ar fi zvârcolit și s-ar fi zbătut. Nici faptul că între timp Europa își închidea porțile nu-i era deloc de ajutor.

— Ce tare! exclamă Deniz.

— Tare? repetă Peri cu îndoială.

— Mda. Măcar suntem pe primul loc la ceva.

Așa stătea treaba cu fiica ei: în ultima vreme, orice părere ar fi exprimat ea, în legătură cu orice subiect, Deniz adopta o poziție contrară. Orice remarcă ar fi făcut ea, indiferent cât de pertinentă sau de rezonabilă, fiica ei o întâmpina cu o dușmănie vecină cu ura. Peri era conștientă că, ajungând la delicata vârstă de doisprezece ani și jumătate, Deniz trebuia să se desprindă de autoritatea părinților – mai ales a mamei. Înțelegea lucrul ăsta. Ce nu reușea să priceapă era de ce întregul proces implica atâta furie. Fiica ei fierbea de o furie clocotitoare, pe care Peri n-o încercase niciodată în viață, nici măcar în adolescență. Ea navigase prin adolescență cu o zăpăceală nevinovată, aproape cu naivitate. Cât de diferită fusese în comparație cu fiica ei, cu toate că maică-sa nu era nici măcar pe jumătate la fel de grijulie și de înțelegătoare ca ea. Indirect, cu cât suferea mai tare din cauza izbucnirilor întâmplătoare ale fiică-sii, cu atât îi era mai ciudă pe ea însăși că nu fusese destul de furioasă pe maică-sa mai demult.

— Când o să ajungi la vârsta mea, n-o să mai ai deloc răbdare cu orașul ăsta, murmură Peri.

— *Când o să ajungi la vârsta mea...*, o maimuțări Deniz cu amărăciune. Înainte nu vorbeai așa.

— E din cauză că lucrurile merg tot mai rău!

— Nu, mamă, e din cauză că tu te crezi bătrână. Felul cum vorbești e de vină. Și uită-te la tine cu ce ești îmbrăcată!

— Ce are rochia mea?

Tăcere.

Peri se uită la rochia ei de mătase mov și la jacheta din șifon cu broderii și mărgele. Cumpărase compleul de la un butic dintr-un nou centru comercial luxos cuibărit în inima altui centru comercial mai mare, care parcă tocmai dăduse naștere celui dintâi. Era prea scump. Când obiectase în legătură cu prețul, vânzătorul nu zisese nimic, însă un zâmbet abia perceptibil i se ivise în colțul gurii. *Dacă nu ți-l permiți, cucoană, ce cauți aici?* părea să spună zâmbetul. Condescendența lui o jignise pe Peri. „Îl iau", se auzise zicând. Abia acum simțea că o strânge și vedea cât de puțin o prinde culoarea. Movul acela care păruse îndrăzneț și încrezător sub strălucirea neoanelor din magazin arăta țipător și pretențios la lumina zilei.

O îngrijorare inutilă, fiindcă oricum nu avea timp să se întoarcă acasă și să se schimbe. Deja întârziau la cina de la conacul de pe malul mării al unui om de afaceri care făcuse o avere fabuloasă în ultimii ani – nu că ar fi fost ceva neobișnuit. Istanbulul avea din belșug săraci învechiți și nou-îmbogățiți și inși care tânjeau să ajungă din prima categorie în cealaltă dintr-un salt rapid.

Peri detesta dineurile alea care se prelungeau până târziu în noapte și îi lăsau o migrenă cumplită a doua zi. Ar fi preferat să stea acasă și la ora vrăjitoarelor să fie adâncită în vreun roman – cititul fiind felul ei de-a intra în legătură cu universul. Dar singurătatea e un privilegiu rarisim în Istanbul. Mereu se ivea vreun eveniment important la care era musai să iei parte sau vreo obligație socială urgentă, ca și cum cultura, asemenea unui copil care se teme să rămână singur, s-ar fi asigurat că fiecare se afla neîncetat în compania cuiva. Atâtea râsete și feluri de mâncare. Atâtea strategii politice și trabucuri. Pantofi și rochii, însă mai presus de orice, genți de designer. Femeile își etalau gențile ca pe niște trofee câștigate în bătălii îndepărtate. Și știau dintr-o privire care erau originale și care contrafăcute. Doamnele din clasa de mijloc-spre-sus, care nu doreau să fie văzute cumpărând lucruri contrafăcute, în loc să umble prin tot felul de magazine dubioase din și de pe lângă Marele Bazar, îi invitau pe proprietari să le viziteze acasă. Furgonete pline de genți Chanel, Louis Vuitton și Bottega Veneta, cu geamuri fumurii și plăcuțele cu numărul murdare de noroi (deși restul vehiculului era absolut imaculat), se plimbau încolo și-ncoace prin cartierele înstărite și li se permitea chiar să intre în garajele particulare ale vilelor pe porțile din spate, ca într-un film *noir* sau unul de spionaj. Plățile se făceau cash, nu se emiteau facturi, nu se puneau alte întrebări. La următoarea reuniune socială, aceleași doamne cercetau pe furiș gențile celorlalte nu doar ca să identifice brandul de lux, ci și ca să aprecieze dacă erau originale sau nu – ori de ce calitate era imitația. Asta cerea un mare efort. Un mare efort vizual.

Femeile se holbau. Scanau, scrutau și cercetau, vânând întruna defectele celorlalte, deopotrivă aparente și ascunse. Ojă sărită, kilograme în plus, burți lăsate, buze umflate cu Botox, vene varicoase, celulită încă vizibilă după liposucție, rădăcini decolorate, un coș sau un rid ascuns sub straturi de pudră... Nu exista nimic pe care privirea lor pătrunzătoare să nu-l poată detecta și descifra. Oricât de lipsite de griji ar fi fost înainte de-a ajunge la petrecere, prea multe invitate deveneau încet-încet și victime, și făptașe. Cu cât Peri se gândea mai mult la seara care o aștepta, cu atât se îngrozea mai tare.

— Tre' să-mi dezmorțesc picioarele, anunță Deniz dându-se jos din mașină.

Peri își aprinse imediat o țigară. Se lăsase de fumat de mai bine de zece ani. Dar în ultima vreme își luase obiceiul să ia un pachet de țigări după ea și să aprindă câte una din când în când, cu toate că n-avea nevoie decât de câteva fumuri și nu termina niciodată una întreagă. De fiecare dată o arunca plină de vinovăție și de un soi de scârbă. După aceea mestecа gumă mentolată ca să nu se simtă mirosul, deși nu-i plăcea deloc gustul. Își închipuise mereu că, dacă aromele de gumă de mestecat ar fi fost regimuri politice, menta ar fi întruchipat fascismul - totalitară, sterilă, austeră.

— Mamă, nu pot să respir, zise Deniz urcându-se din nou în mașină. Nu știi că țigările te bagă în mormânt?

Era la vârsta când copiii îi tratează pe fumători ca pe niște vampiri în libertate. La școală făcuse o prezentare despre efectele nocive ale fumatului, însoțită de un poster cu săgeți fosforescente care trimiteau de la un pachet de țigări deschis de curând la un mormânt săpat de curând.

— Bine, bine, i-o tăie Peri fluturând dintr-o mână.

— Dacă aș fi președinte, i-aș băga la închisoare pe părinții care fumează de față cu copiii lor. Pe bune!

— Păi, atunci mă bucur că nu candidezi, i-o întoarse Peri apăsând pe buton ca să deschidă geamul.

Fumul pe care-l suflă afară se învârteji în aer și apoi se strecură încet, neașteptat, pe geamul deschis al mașinii de-alături. Asta era lucrul de care nu scăpai niciodată în Istanbul: apropierea. Orice era lângă altceva. Trecătorii își croiau drum șerpuind pe străzi ca un singur trup; călătorii stăteau striviți în feriboturi sau umăr la umăr în autobuze și metrouri; uneori corpurile lor se loveau și se ciocneau, alteori coexistau imponderabil, atingându-se ușor, ca puful de păpădie sub adierea vântului.

În mașina de-alături erau doi bărbați. Amândoi rânjiră. Amintindu-și că *Ghidul de patriarhat pentru avansați* definea actul unei femei de-a sufla fumul în fața unui bărbat necunoscut ca pe-o invitație sexuală deschisă, Peri păli. Deși uneori uitai lucrul ăsta, orașul era o mare învolburată pe care pluteau aisberguri de masculinitate și era mai bine să te îndepărtezi de ele, repede și cu grijă, fiindcă nu știai niciodată ce pericole se ascund sub apă.

Fie că șofau sau mergeau pe stradă, femeile se străduiau să nu-și oprească privirea asupra cuiva anume, ci s-o întoarcă spre interior, de parcă niște amintiri îndepărtate li s-ar fi perindat prin fața ochilor. Când și unde era posibil, plecau capul ca să dea fără echivoc impresia de modestie, lucru deloc ușor fiindcă pericolele vieții urbane, ca să nu mai pomenim de atenția nedorită a bărbaților și de hărțuirea sexuală, le sileau să fie mereu vigilente. Cum ar fi putut femeile să-și țină capul plecat și în același timp să se uite în toate părțile era ceva peste puterea de înțelegere a lui Peri. Aruncă țigara și închise geamul, sperând că cei doi străini aveau să-și piardă curând interesul. Culoarea semaforului se schimbă din roșu în verde, însă nu conta. Nu se mișca nimic.

Atunci observă un vagabond mergând pe mijlocul șoselei. Înalt și deșirat, cu o față colțuroasă, era slab ca o șoaptă, cu fruntea zbârcită de ani, bărbia acoperită de spuzeală și mâinile atinse de-o eczemă cu petice supurânde. Unul dintre miile de refugiați sirieni care lăsaseră în urmă singura viață cunoscută, îi trecu prima oară prin minte – deși existau șanse egale să fie un turc de prin partea locului sau un kurd sau un ţigan sau câte puţin din toate. Câţi oameni din ţara asta supusă la migraţii şi schimbări nenumărate ar putea spune cu certitudine că aparţin unei etnii pure, dacă nu cumva se mint singuri – pe ei şi pe copiii lor? Dar, pe de altă parte, Istanbulul aduna minciuni cu duiumul.

Picioarele bărbatului erau pline de cruste de noroi, şi purta o haină zdrenţuită cu gulerul ridicat, atât de slinoasă că părea aproape neagră. Găsise ţigara ei mânjită de ruj, iar acum trăgea cu nepăsare din ea. Privirea lui Peri s-a mutat de la gura la ochii lui, uimită să descopere că se uita la ea cu o expresie amuzată. Avea un fel de aroganţă în purtări, aproape de sfidare; mai curând decât un simplu vagabond părea un actor care juca rolul unui vagabond şi care, încrezător în interpretarea sa, aştepta aplauze.

Nevoită să evite trei bărbaţi acum, cei doi din maşină plus vagabondul, Peri se întoarse brusc într-o parte, uitând că acolo era un pahar cu cafea. Frappucino-ul se răsturnă, lăsându-şi conţinutul înspumat să se scurgă în poala ei.

— O, nu! strigă Peri uitându-se cu groază la pata întunecată care se întindea pe rochia ei scumpă.

Fiică-sa fluieră, vizibil încântată de dezastru.

— Poţi să spui că e creaţia unui designer trăsnit în vogă.

Ignorându-i remarca şi blestemându-se în sinea ei, Peri îşi apucă orbeşte geanta – o Birkin din piele de struţ de culoarea lavandei, perfectă până în cele mai mici detalii în afară de accentul pus greşit din cuvântul „Hermès", fiindcă nu exista nimic pe care falsificatorii din oraş să nu-l poată imita exceptând ortografia corectă – pe care şi-o îndesase între picioare. Scoase un pachet de şerveţele, chiar dacă ştia, sau o parte din ea ştia, că ştersul avea s-o întindă şi mai rău. Distrată, făcu o greşeală pe care nici un şofer cu experienţă din Istanbul n-ar fi făcut-o vreodată: îşi aruncă geanta pe bancheta din spate – portierele nefiind blocate.

Zărea cu coada ochiului ceva agitându-se. O cerşetoare, o fetiţă care n-avea mai mult de doisprezece ani, venea spre ele, rugându-se pentru câţiva bănuţi. Cu hainele fluturând pe trupul firav, cu palma întinsă, mergea fără să-şi mişte trupul de la brâu în sus, ca prin apă. Stătea în faţa fiecărei maşini vreo zece secunde înainte să treacă la următoarea. Poate, îşi zise Peri, îşi dăduse seama că dacă nu reuşeai să inspiri milă în intervalul ăla scurt, n-aveai să reuşeşti nicicând. Compasiunea nu venea ca un gând retrospectiv: fie era spontană, fie lipsea cu desăvârşire.

Când fata ajunse la Range Rover, Peri şi Deniz întoarseră automat capul în cealaltă parte, prefăcându-se că n-o văzuseră. Dar cerşetorii din Istanbul se obişnuiseră să fie invizibili pentru ceilalţi şi erau bine pregătiţi. Exact în locul spre care mama şi fiica întorseseră capetele stătea altă fetiţă, cam de aceeaşi vârstă, aşteptând cu palma întinsă.

Spre imensa uşurare a lui Peri, culoarea semaforului se schimbă în verde şi traficul ţâşni înainte precum apa dintr-un furtun de grădină. Se pregătea să calce acceleraţia când auzi portiera din spate deschizându-se şi închizându-se cu iuţeala unui briceag automat. În oglindă, îşi văzu geanta trasă afară din maşină.

— Hoţii! Cu vocea răguşită de efort, Peri strigă: Ajutor, mi-au furat geanta! Hoţii!

Maşinile din spate claxonau frenetic, oarbe la ce se întâmplase, nerăbdătoare să pornească. Era evident că nu avea să-i vină nimeni în ajutor. Peri şovăi, însă numai o clipă. Cu o răsucire abilă a volanului, viră spre bordură şi lăsă luminile de avarie aprinse.

— Mamă, ce faci?

Peri nu răspunse. Nu avea timp. Văzuse încotro fugiseră fetiţele şi trebuia să se ia după ele imediat; ceva dinăuntrul ei, un instinct animal din câte îşi dădea seama, o asigura că, dacă reuşea să le găsească, putea să recupereze ce era de drept al ei.

— Mamă, las-o baltă. E doar o geantă – imitaţie!

— Am bani şi cărţi de credit în ea. Şi telefonul!

Însă fiică-sa era îngrijorată, stânjenită chiar. Lui Deniz nu-i plăcea să atragă atenţia, nu voia decât să dispară în peisaj, un strop de cenuşiu în marea cenuşie. Toată răzvrătirea ei părea să-i fie rezervată maică-sii.

— Rămâi aici, blochează portierele şi aşteaptă-mă, zise Peri. Fă cum îţi spun măcar de data asta. Te rog!

— Dar, mamă...

Fără să stea pe gânduri, fără să stea câtuşi de puţin pe gânduri, Peri se năpusti afară din maşină, uitând o clipă că purta tocuri înalte. Îşi scoase pantofii, duduind pe asfalt cu picioarele goale. Din maşină, fiică-sa o privea cu gura căscată, cu ochii mari de uimire şi ruşine.

Peri alerga. În rochia ei mov, purtându-şi greutatea anilor, cu obrajii în flăcări, soţie casnică şi mamă a trei copii, prin faţa a zeci de ochi, conştientă că sânii îi săltau frenetic şi neputând să facă nimic în privinţa asta. Oricum, savurând o senzaţie ciudată de libertate, pătrunzând într-o zonă interzisă pe care n-o putea numi, traversa în fugă şoseaua spre străzile laterale în timp ce şoferii râdeau şi pescăruşii i se roteau deasupra capului. Dacă ar fi şovăit, dacă ar fi încetinit măcar o clipă, ar fi fost oripilată de ce făcea. Pericolul de-a călca pe cuie ruginite, sticle de bere sparte sau urină de şobolan ar fi îngrozit-o. În schimb se năpustea înainte. Picioarele ei fugeau tot mai repede şi mai repede, aproape independent, de parcă ar fi avut memorie proprie, amintindu-şi vremurile îndepărtate de la Oxford, când alerga cinci-şase kilometri în fiecare zi, pe ploaie sau soare.

Lui Peri îi plăcuse să alerge. Ca multe alte plăceri ale vieţii ei, şi asta se pierduse pe drum.

Poetul mut

Istanbul, anii '80

Când Peri era mică, familia Nalbantoğlu locuia pe strada Poetul mut, într-un cartier ocupat de clasa mijlocie de jos din partea asiatică a Istanbulului. Spre sfârşitul zilei, un amestec de mirosuri – vânătă prăjită, cafea măcinată, lipie caldă, usturoi prăjit – se răspândea pe ferestrele deschise, atât de puternic încât impregna totul, strecurându-se prin ţevile de scurgere şi pe sub capacele gurilor de vizitare; atât de pătrunzător, încât briza dimineţii îşi schimba îndată direcţia. Dar localnicii nu se plângeau. Niciodată nu băgau de seamă mirosul. Numai străinii îl percepeau – deşi foarte puţini străini aveau motive să vină în zona aceea. Casele se înclinau de-a valma, precum lespezile dintr-un cimitir în paragină. O ceaţă de plictiseală plutea peste toate şi se ridica doar pentru o clipă când strigătele copiilor care trişau la vreun joc străpungeau văzduhul.

În legătură cu originea numelui ciudat al străzii circulau zvonuri cu duiumul. Unii credeau că un faimos poet otoman care locuia în preajmă, nemulţumit de firfiricii primiţi pentru un poem pe care-l trimisese la palat, jurase să nu mai deschidă gura până când nu e răsplătit cum se cuvine de sultan.

— Fără îndoială că Stăpânul Imperiilor lui Cezar şi Alexandru cel Mare, Cârmuitor peste Trei Continente şi Cinci Mări, Umbra lui Allah pe Pământ are să-şi reverse mărinimia fără margini asupra umilului său supus. De nu, o să iau lucrul ăsta drept un semn că poemele mele nu sunt la înălţime şi o să rămân mut până la moarte, căci un poet mort e mai bun decât un poet de doi bani.

Acestea au fost ultimele lui cuvinte înainte să rămână tăcut precum zăpada care se aşterne în miez de noapte. Nu era prefăcătorie, nici că putea să fie mai pătruns de teamă, veneraţie şi supunere pentru ceea ce îşi închipuia că este un cârmuitor. Totuşi, fiind poet, nu se putea împiedica să tânjească după şi mai multă atenţie, glorie, iubire – şi mai mulţi bani n-ar fi fost nici ei de lepădat.

Când întâmplarea i-a ajuns la urechi, sultanul, înveselit de o asemenea obrăznicie, a făgăduit să îndrepte lucrurile. Ca toţi despoţii, avea sentimente amestecate în privinţa poeţilor: deşi nu-i plăceau nestatornicia şi răzvrătirea lor, se bucura să-i aibă în preajmă dacă-şi ştiau lungul nasului. Poeţii aveau un fel neobişnuit de-a vedea lucrurile care putea fi nostim, când nu era supărător. Îi plăcea să cheme câţiva la curte şi îi ţinea din scurt. Erau liberi să spună ce pofteau atâta vreme cât nu ponegreau cârmuirea şi rânduielile sale, religia şi pe Cel de Sus şi, mai presus de toate, pe sultan.

Din întâmplare, în aceeaşi săptămână, în urma unui complot în serai de a-l răsturna pe sultan şi a-l pune pe tron pe fiul lui, cârmuitorul a fost ucis – sugrumat cu o frânghie de mătase ca să nu i se verse sângele de viţă aleasă. În moarte, ca şi în viaţă, otomanilor le plăcea ca toată lumea să-şi păstreze rangul, ca totul să fie rânduit cu mare grijă şi fără umbră de îndoială. Sultanii şi beizadelele erau sugrumaţi, pe când hoţii erau spânzuraţi, răzvrătiţii scurtaţi de cap, tâlharii la drumul mare traşi în ţeapă, dregătorii de prin partea locului striviţi într-o piuă, cadânele aruncate în mare în saci îngreunaţi cu pietre; în fiecare săptămână un nou şir de capete tăiate atârna în ştreangurile din faţa palatului, cu gurile umplute cu bumbac dacă erau de agi sau cu paie dacă erau de oameni mărunţi. Aşa se simţea şi poetul. Legat prin jurământ, a rămas tăcut până în ziua când şi-a dat ultima suflare.

Alţii aveau o versiune diferită a poveştii. Când poetul a cerut să fie răsplătit cu mărinimie, sultanul, mâniat de o asemenea neruşinare, a poruncit ca limba să-i fie tăiată, ciopârţită, prăjită și azvârlită pisicilor din șapte mahalale. Dar, fiindcă rostise atâtea cuvinte usturătoare de-a lungul anilor, limba poetului avea un gust acru chiar și după ce fusese prăjită cu ceapă verde în seu de oaie. Nici o pisică n-a vrut să se atingă de ea. Soția poetului, care urmărise totul de după zăbrelele ferestrei, strânsese în taină bucățile și le cususe laolaltă. Abia le așezase pe pat și plecase să caute un gerah[1] care să-i coasă soțului ei limba la loc în gură, că un pescăruș se năpustise pe fereastra deschisă și o șterpelise. Lucru deloc de mirare, de vreme ce pescărușilor din Istanbul li s-a dus vestea că sunt hoitari și se hrănesc cu tot ce le iese în cale, orice gust ar avea. O pasăre care poate să scoată și să înfulece ochii unor animale de două ori cât ea e în stare să mistuie orice. Astfel că poetul a rămas tăcut ca un mormânt. În schimb, o pasăre albă ce i se rotea deasupra capului croncănea prin tot orașul poemele pe care el nu le mai putea recita.

Orice adevăr ar fi stat la originea numelui său, strada pe care locuia familia Nalbantoğlu era o ulicioară învechită și somnoroasă unde cele mai prețuite virtuți păreau modelate după cele trei stări ale materiei: să i te supui lui Allah – și imamilor – cu ascultare neclintită, renunțare absolută și statornicie neîntreruptă (solidă); să accepți Râul Ceresc al Vieții oricât mâl și oricâte aluviuni ar purta cu el (lichidă); să renunți la ambiții, fiindcă toate avuțiile și trofeele se vor risipi în cele din urmă ca un fum (gazoasă). Acolo fiecare destin era privit ca fiind prestabilit, fiecare suferință ca fiind inevitabilă, chiar și cele pe care locuitorii străzii și le provocau unii altora, precum încăierările fotbalistice, ciocnirile politice și snopeala nevestelor.

Familia Nalbantoğlu trăia într-o casă vișinie cu etaj, care de-a lungul anilor fusese vopsită în diverse nuanțe: verde-prună sărată, cafeniu-dulceață de nuci, grena-sfeclă murată. Ei închiriau parterul, iar la etaj stătea proprietarul. Deși nu erau deloc bogați – fiindcă bogăția e relativă în funcție de timp și spațiu –, Peri crescuse fără vreun sentiment de privațiune. Acesta urma

1. Chirurg (tc.).

să vină mai târziu și, ca toate lucrurile amânate, să se abată asupra ei cu o asemenea forță, încât părea să recupereze timpul pierdut. Avea să învețe să vadă cusururile familiei a cărei fiică atât de ocrotită și iubită fusese odată.

Era mezina soților Nalbantoğlu, nașterea sa fiind o mare surpriză, pentru că părinții ei, cu doi băieți aflați deja în pragul maturității, erau socotiți prea bătrâni să mai aibă alți copii, după obiceiurile de prin partea locului. Ocrotită, răsfățată, fiecare dorință fiindu-i nu doar îndeplinită, ci și anticipată, Peri ducea în anii aceia de fragedă tinerețe o viață lipsită de orice griji. Totuși, își dădea seama că în familie exista o ușoară tensiune, care se transforma într-o adevărată furtună când mama și tatăl ei se nimereau în aceeași încăpere.

Se potriveau întocmai ca o crâșmă cu o moschee. Iar încruntarea care le încrețea frunțile, răceala care le îngheța glasurile îi făceau să arate nu ca o pereche îndrăgostită, ci ca doi adversari într-un joc de șah. Pe tabla căsniciei lor, fiecare se străduia să înainteze, plănuindu-și următoarele mutări, capturând turnuri, nebuni și regine, căutând să-i dea celuilalt lovitura de grație. Fiecare îl vedea pe celălalt ca pe tiranul familiei, nesuferitul, și tânjea să spună într-o bună zi: „Șah mat, *șah manad*, regele e învins". Căsătoria lor fusese atât de profund întrețesută cu dușmănie, încât nici nu mai aveau nevoie de un motiv ca să se simtă nedreptățiți și frustrați. Chiar și la vârsta aceea, Peri simțise că dragostea nu era, și probabil nu fusese niciodată, temeiul pentru care părinții ei erau împreună.

Seara își privea tatăl cum stă trântit la masă, cu o sticlă de *rakı* înconjurată de farfurii cu *mezeler*[1] dinainte. Sarmale în frunză de viță, piure de năut, ardei roșii copți, anghinare în ulei de măsline și, preferatul lui, salată de creier de miel. Mânca încet, gustând din fiecare fel ca un cunoscător, chiar dacă mâncarea era mai mult o necesitate, ca să nu bea pe stomacul gol. „Nu joc jocuri de noroc, nu fur, nu iau mită, nu fumez și nu

1. Aperitive (tc.).

alerg după femei; fără îndoială că Allah o să-i ierte bătrânului său slujitor măcar atâta păcat", îi plăcea lui Mensur să spună. De obicei invita unul-doi prieteni să-i țină de urât la aceste cine prelungite. Flecăreau despre politică și politicieni, se amărau din cauza stării de lucruri. Ca majoritatea oamenilor din țara asta, vorbeau cel mai mult despre chestiile care le plăceau cel mai puțin.

„Colindă lumea și o să vezi că toți beau în felul lor", spunea Mensur. Și el colindase destul în tinerețe ca inginer naval. „Unde-i democrație, când se îmbată, bărbatul strigă: *Ce s-o fi întâmplat cu iubita mea?*. Unde nu-i democrație, când se îmbată, bărbatul strigă: *Ce s-o fi întâmplat cu iubita mea țară?*"

Curând, vorbele se topeau în melodii și se puneau pe cântat – întâi melodii săltărețe de prin Balcani, apoi imnuri revoluționare de la Marea Neagră și treptat, inevitabil, cântece anatoliene de inimă albastră și iubire neîmpărtășită. Versurile în turcă, kurdă, greacă, armeană și ladino[1] se amestecau în aer ca fuioarele răsucite de fum.

Stând singură într-un colț, Peri își simțea inima grea. Se întreba adesea ce îl face pe tatăl ei să fie atât de trist. Și își închipuia tristețea lipindu-se de el ca un strat subțire de smoală de tălpile pantofilor. Nu reușea nici să-l înveselească, nici nu putea să-l lase baltă, fiindcă era, așa cum putea să certifice oricine din familie, fiica tatălui ei.

Din rama ornamentată de pe perete, Atatürk – părintele tuturor turcilor – își cobora privirea asupra lor, cu ochii lui albaștri ca oțelul smălțuiți cu mici pete aurii. Prin toată casa erau portrete ale eroului național: Atatürk în uniformă militară în bucătărie, Atatürk în redingotă în living, Atatürk în palton și cu *kalpak*[2] în dormitorul principal, Atatürk cu mănuși de mătase

1. Varietate a iudeospaniolei vorbită în Balcani, Africa de Nord și Orientul Apropiat de descendenții evreilor exilați din Spania de regii catolici în anul 1492.
2. Căciulă înaltă din blană de oaie purtată de bărbați în Turcia, Balcani, Asia Centrală și Caucaz (tc.).

și pelerină lungă în hol. La sărbătorile naționale și în zilele de comemorare, Mensur atârna un steag turcesc cu chipul marelui bărbat la fereastră, să-l vadă toată lumea.

„Ține minte, dacă n-ar fi fost el, am fi ajuns ca Iranul", îi spunea Mensur fiică-sii adesea. „Ar trebui să-mi las barbă și să-mi fac singur băutură pe-ascuns. Aș fi descoperit și biciuit în piață. Și tu, sufletelule, ai purta *çador*[1], chiar și la vârsta ta!"

Prietenii lui Mensur – profesori de școală, funcționari la bancă, ingineri – erau la fel de devotați lui Atatürk și principiilor sale. Citeau, recitau și, când se simțeau atinși de aripa inspirației, scriau poezii patriotice – dintre care multe erau atât de asemănătoare ca ritm și repetitive în esență, încât păreau, mai degrabă decât bucăți separate, ecouri ale aceleiași chemări. Oricum, lui Peri îi plăcea să piardă vremea prin living, ascultând sporovăiala lor amicală, tonurile și cadențele vocilor ce se ridicau și coborau cu fiecare nou pahar umplut până la buză. Prezența ei nu-i deranja. Interesul pe care-l arăta față de discuțiile lor părea să-i înviorеze, să le aprindă speranța în tineret. Așa că Peri stătea prin preajmă, bând suc din cana preferată a tatălui ei, care avea semnătura lui Atatürk pe o parte și un citat din liderul național pe cealaltă: *„Lumea civilizată ne-a luat-o înainte; nu avem altă alegere decât s-o prindem din urmă"*. Lui Peri îi plăcea mult cana aceea de porțelan, netezimea ei în palmă, deși o făcea să regrete de fiecare dată când își termina sucul, de parcă șansa de-a prinde din urmă lumea civilizată ar fi dispărut și ea.

Peri alerga încolo și-ncoace ca un prâsnel. Găleți cu gheață de umplut, scrumiere de golit, pâine de prăjit – mereu era câte o treabă de făcut, mai ales că maică-sa lipsea în serile alea.

De îndată ce așeza mâncărurile pe masă, oftând ușurel pentru sine, Selma se retrăgea în dormitorul ei și nu ieșea de-acolo

---

1. Veșmânt purtat de femeile musulmane în Iran și în anumite regiuni din Asia Centrală, ce constă dintr-o bucată de țesătură semicirculară care acoperă întreg corpul, lăsând la vedere doar fața și mâinile (tc.).

până a doua zi dimineață. Uneori nu-și făcea apariția până la amiază sau chiar mai târziu. *Migrenă*, explica ea. Suferea adesea de migrene cumplite care o țintuiau la pat, cu ochii aproape închiși, de parcă i-ar fi mijit din cauza luminii neîntrerupte. Când trupul era slăbit, mintea era purificată, pretindea ea – până într-atât încât vedea semne în toate: un porumbel care-i uguia la fereastră, un bec care se ardea brusc, o frunză care plutea în ceașca de ceai. Izolată în camera ei, zăcea întinsă, ascultând și lămurindu-și orice zgomot. Nu avea cum să nu le-audă: pereții erau subțiri ca niște foi de aluat. Dar între Selma și Mensur mai era un zid, ridicat cu decenii în urmă, care se înălța tot mai mult cu trecerea anilor.

Cu ceva vreme în urmă, Selma intrase într-un grup religios condus de un predicator faimos pentru elocvența predicilor și rigiditatea vederilor. I se spunea Üzümbaz Efendi, fiindcă susținea că, oriunde vedea semne de idolatrie și erezie, le strivea ca și cum ar fi zdrobit sub talpă niște boabe de struguri. Nu-l deranja deloc că porecla te ducea cu gândul la făcutul vinului – un păcat la fel de grav ca băutul. Nici strugurii zemoși, nici vinul tras în sticle nu-i trezeau interesul într-o asemenea măsură ca actul de a strivi în sine.

Sub influența predicatorului, Selma se schimbase vizibil. Acum nu doar că refuza să dea mâna cu bărbații, ci evita să se așeze în autobuz dacă pe scaun stătuse înainte un bărbat – chiar dacă acesta se ridicase să-i ofere locul. Deși nu purta *niqab*[1], ca unele dintre prietenele ei apropiate, își acoperea capul în întregime. Nu mai era de acord cu muzica pop, care i se părea coruptă și corupătoare. Înlăturase din casă orice fel de dulciuri și snackuri, înghețata, chipsurile din cartofi, ciocolata – chiar și alimentele cu eticheta „halal“ – de când Üzümbaz Efendi îi spusese că ar putea să conțină gelatină, care ar putea conține colagen, care la rândul lui ar putea conține grăsime de porc. Se temea atât de

1. Văl ce acoperă întreaga față, cu excepția ochilor, purtat de femeile musulmane (arabă).

tare să nu vină în contact cu orice extract de porc, încât în loc de șampon folosea săpun cu ulei de măsline, în loc de pastă de dinți – un baton de *miswak*[1], în loc de lumânare – un calup de unt prin care trecuse un fitil. Bănuind că cleiul din oase de porc putea fi folosit la confecționarea pantofilor, refuza să poarte mărci din afară şi sfătuia pe toată lumea să facă la fel. Sandalele erau cele mai sigure. Ani la rând, la indicațiile maică-sii, Peri se ducea la şcoală purtând sandale din piele de cămilă şi şosete din lână de capră – doar ca să fie ținta bătăii de joc a colegilor.

Împreună cu un grup de spirite înrudite, Selma organiza excursii la plajele din și de lângă Istanbul, încercând să le convingă pe femeile care se bronzau la soare în bikini să se căiască pentru păcatele lor înainte să fie prea târziu ca sufletele să le fie mântuite. „Fiecare palmă de piele pe care-o lăsați la vedere astăzi o să vă ardă în iad mâine." Distribuiau fluturași doldora de greșeli de gramatică, și de unele și mai cumplite de ortografie, de semne de exclamație și cu totul lipsiți de virgule. Repetau la nesfârșit că lui Allah nu-i place să le vadă pe nepoatele Evei umblând pe jumătate despuiate prin spațiile publice. Spre seară, când plajele se goleau, vedeai fluturașii zburând în vânt, rupți și pătați, cuvintele „desfrâu", „sacrilegiu", „osândă veșnică" zăcând risipite în nisip ca niște fâșii de alge uscate.

Plină de însuflețire și înainte, Selma devenise chiar mai vorbăreață și mai bătăioasă în această nouă etapă a vieții, dornică să-i aducă pe alții, mai ales pe soțul ei, pe calea cea dreaptă. Cum Mensur n-avea nici cea mai mică intenție să se îndrepte, casa familiei Nalbantoğlu era împărțită în *partea ei* și *partea lui*, *Dar al-Islam* și *Dar al-harp* – tărâmul supunerii și tărâmul luptei.

Religia aterizase în viața lor la fel de neașteptat ca un meteor și căscase o prăpastie, scindând familia în două tabere aflate în

1. Răspândit în Orientul Mijlociu, *miswak*-ul (*Salvadora persica*) este un arbore ale cărui crengi sunt folosite de secole ca periuță de dinți naturală datorită proprietăților abrazive și antiseptice ale fibrelor sale.

conflict. Fiul cel mic, Hakan, habotnic fără speranță și naționalist din cale-afară, ținea partea mamei; fiul cel mare, Umut, încercând să aplaneze conflictul, rămăsese neutru o vreme, cu toate că din vorbele și faptele lui se vedea clar că înclină către stânga. Când îmbrățișase în sfârșit stângismul, devenise marxist în toată regula.

Toate astea o puseseră pe Peri, mezina, într-o poziție ingrată, fiindcă ambii părinți se străduiau s-o câștige de partea lor – însăși viața ei devenise un câmp de bătălie pentru două viziuni concurente asupra lumii. Gândul că trebuia să facă o alegere, o dată pentru totdeauna, între evlavia sfidătoare a mamei și materialismul sfidător al tatălui o paraliza. Fiindcă Peri era genul de om care, dacă se putea, încerca să nu supere pe nimeni. Prinsă între luptători care se năpusteau unul asupra altuia, ducând războaie zadarnice, adoptase o bunăvoință forțată, silindu-se să fie docilă. Fără să știe nimeni, își înăbușise focul lăuntric, prefăcându-l în cenușă.

Prăpastia dintre părinții lui Peri nu sărea în ochi nicăieri mai mult decât într-un anumit colț al livingului. Deasupra comodei TV erau două rafturi, primul fiind rezervat cărților tatălui – *Atatürk: renașterea unei națiuni* de lordul Kinross, *Marele discurs* de Atatürk însuși, *Lucruri pe care nu știam că le iubesc* de Nâzım Hikmet, *Crimă și pedeapsă* de Dostoievski, *Doctor Jivago* de Boris Pasternak, o întreagă colecție de memorii (scrise de generali sau de simpli soldați) despre Primul Război Mondial, o ediție veche din rubaiatele lui Omar Khayyam, cu coperta zdrențuită de-atâta citit și răscitit.

Al doilea raft era o cu totul altă lume. Ani de zile fusese ocupat de cai din porțelan de toate mărimile și culorile – ponei, armăsari și iepe cu coama aurie și coada în culorile curcubeului, jucându-se, galopând, păscând. Treptat au început să apară cărțile: *Hadith-urile* compilate de al-Bukhari, *Disciplinarea sufletului* de al-Ghazali; *Ghidul pas cu pas al rugăciunii și implorării în islam*; *Viețile profeților*; *Manualul bunei musulmane*; *Virtuțile răbdării și recunoștinței*; *Tălmăcirea islamică a viselor*. Colțul din dreapta era rezervat celor două volume ale lui Üzümbaz Efendi: *Importul de puritate într-o lume imorală* şi *Şeitan îţi şopteşte la ureche*. Pe măsură ce se adăugau titluri noi, caii erau surghiuniţi către capătul raftului, unde stăteau într-un echilibru precar pe margine, de parcă ar fi stat pe buza unei prăpăstii.

Potopul de cuvinte şi emoţii ce năpădea holurile casei năucea mintea inocentă a lui Peri. Ştia, din tot ce fusese învăţată, că Allah este unul singur. Dar nu putea să creadă o clipă că învăţăturile religioase pe care mama ei le socotea sfinte şi tatăl ei le blestema veneau de la acelaşi Dumnezeu. Sigur că nu. Iar dacă veneau, cum era posibil ca Allah să fie privit în feluri diametral opuse de doi oameni care împărţeau încă aceeaşi casă... dacă nu acelaşi pat?

Neliniştită şi răbdătoare, Peri era martoră la aceste răfuieli, privind cum cei dragi se sfâşiau în bucăţi. Învăţase de mult că nici un conflict nu e mai dureros decât unul în familie şi nici un conflict în familie nu e mai dureros decât unul stârnit din cauza lui Dumnezeu.

Cuțitul

Istanbul, 2016

Curând, Peri le zări pe cerșetoarele care îi șterpeliseră geanta. Cu toate că fugiseră cât le țineau picioarele, era mai rapidă decât ele. Avea un noroc chior – dacă se putea chema noroc. Alergă după ele pe o străduță pietruită, ale cărei ziduri se înălțau dintre umbre, simțind o arsură în piept de fiecare dată când respira.

Copilele erau acolo, stând de o parte și de alta a unui bărbat – vagabondul care fumase restul țigării aruncate de ea. Peri făcu un pas înainte, însă nu reuși să scoată o vorbă. Gonise după ele din impuls și acum, când avea în sfârșit timp să se gândească, se simți dezorientată.

Bărbatul zâmbea senin, de parcă ar fi așteptat-o. De aproape arăta diferit, cu pomeții obrajilor scobiți perfect simetric și o sclipire tinerească în adâncul ochilor negri ca smoala. Dacă n-ar fi avut o înfățișare mizeră, ai fi putut spune că are ceva dintr-un dandy. Ținea reverențios geanta ei pe genunchi, mângâind-o de parcă ar fi fost o iubită de mult pierdută.

— E a mea, zise Peri cu vocea încordată, înghițind nodul care i se pusese în gâtlej.

Atunci el deschise clipsul și ținu geanta în aer înainte s-o întoarcă cu fundul în sus. Tot ce era înăuntru se împrăștie: cheile de la casă, rujul, creionul dermatograf, un stilou, o sticluță de parfum, telefonul, un pachet cu șervețele, o pereche de ochelari de soare, o perie de păr, un tampon… și portofelul de piele. Pe acesta din urmă îl ridică grijuliu. Scoase din el un teanc de bancnote, carduri bancare, o legitimaţie roz, un permis de conducere, fotografii de familie cu momentele preferate. Fluierând întruna, băgă banii şi telefonul în buzunar, ignorând celelalte lucruri. Era un cântecel vesel şi senin, care suna ca o melodie dintr-o veche cutie muzicală. Chiar când se pregătea să arunce portofelul, ceva îi atrase privirea. O poză polaroid, care ieşise pe jumătate din compartimentul unde fusese îndesată cu grijă, ascunsă vederii. O relicvă din vremuri de mult apuse.

Ridicând dintr-o sprânceană, vagabondul o cercetă. În poză se vedeau patru feţe: un bărbat şi trei femei tinere. Un profesor şi studentele lui. Înfofoliţi în paltoane, pălării şi fulare, stăteau cu spatele la Bodleian Library[1] din Oxford, strângându-se unii în alţii ca să se încălzească sau pur şi simplu din obişnuinţă, prizonieri pentru totdeauna în cea mai friguroasă zi din iarna aceea.

Vagabondul înălţă capul şi rânji la Peri de parcă ar fi recunoscut Oxfordul dintr-un film sau o tăietură din ziar. Sau la fel de bine se putea să fi observat că una dintre fetele din poză era femeia care stătea acum în faţa lui. Se mai îngrăşase şi îi apăruseră riduri, avea părul mai scurt şi mai drept, însă ochii îi rămăseseră aceiaşi, dacă nu luai în seamă tristeţea care îi umbrea. Aruncă poza alături.

Peri o privi câteva clipe, nu mai mult, cum pluteşte în aer, apoi cum flutură spre pământ. Tresări de parcă ar fi fost vie şi s-ar fi putut răni căzând.

Cuprinsă de panică, îi strigă vagabondului că toată lumea se grăbeşte într-acolo s-o ajute: poliţia, jandarmeria, soţul ei. Flutură din mână ca să-şi arate verigheta, dureros de conştientă în clipa aia că fata care fusese odată ar fi luat-o în râs pentru că etala acel simbol al stării ei civile de parcă ar fi fost o amuletă. Totuşi, bărbatul avea destule motive să n-o creadă, şi nici glasul ei întretăiat n-o ajută. Străduţa era pustie, lumina pălea. Oare cât se îndepărtase

1. Principala bibliotecă de cercetare de la Oxford University şi una dintre cele mai vechi din Europa, fiind înfiinţată în 1602.

de şosea? Auzea încă zgomotul traficului, dar era înăbuşit, ca şi cum ar fi venit din spatele unui zid de sticlă. Brusc i se făcu frică.

Vagabondul rămase nemişcat preţ de o clipă apăsătoare. Aerul era atât de încremenit, încât lui Peri i se păru că zăreşte o gaură de şoarece în mormanul de gunoi din apropiere, un şoarece care fugea încolo şi-ncoace şi scormonea în timp ce inima, nu mai mare decât o nucă de fistic, îi bătea ca o tobă în pieptul micuţ. Străduţa părea să se afle în afara teritoriului pisicilor din Istanbul, în afara limitelor oraşului şi, în clipa aceea, în afara lumii.

Calm, bărbatul pescui ceva din buzunarul hainei şi îl trase afară. Era o pungă de plastic în care se zărea o sticluţă de prenadez. Luă sticluţa şi turnă tot ce era în ea în pungă. Apoi suflă aer înăuntru, făcând un mic balon. Zâmbi admirându-şi opera – un glob de zăpadă unde orice fulg care cădea era fie un diamant, fie o perlă. Îşi lipi punga de nas şi de gură, inhalând adânc – o dată, de două ori, apoi a treia oară, mai lung. Când ridică în sfârşit capul, expresia i se schimbase, parcă ar fi fost şi n-ar fi fost acolo. Un dependent de prenadez, îşi dădu seama Peri. Abia acum observă vinişoarele sparte ce îi brăzdau albul ochilor, ca nişte crăpături pe un pământ ars de soare. O voce lăuntrică îi şoptea să se întoarcă la fiica şi la maşina ei, totuşi rămase absolut nemişcată, ca şi când prenadezul s-ar fi vărsat până la picioarele ei, ţintuind-o pe loc.

Vagabondul îi întinse punga de plastic uneia dintre copile, care de bucurie aproape că i-o smulse din mână. Pufăia zgomotos în timp ce cealaltă îşi aştepta rândul, nerăbdătoare şi enervată că era ultima. Prenadez, trataţia preferată a copiilor străzii şi a prostituatelor minore, covorul fermecat care îi purta, uşori ca o pană, peste acoperişuri şi domuri şi zgârie-nori, într-un regat îndepărtat unde nu exista vreo teamă, nici motive de teamă, nici durere, nici închisori, nici proxeneţi. Zăboveau în acea grădină a raiului cât de mult puteau, ciugulind struguri direct din vie, molfăind piersici zemoase. La adăpost de foame şi de frig, fugăreau căpcăuni, râdeau de uriaşi şi îndesau duhuri în lămpile din care scăpaseră.

Ca toate visele plăcute, şi acesta avea preţul lui. Prenadezul le topea membrana neuronilor, atacându-le sistemul nervos, le făcea praf rinichii şi ficatul, măcinându-i dinăuntru fărâmă cu fărâmă.

— Sun la poliţie, strigă Peri, mai tare decât era nevoie. *Nu-i cel mai bun lucru pe care să-l spui*, se gândi apoi şi adăugă chiar mai tare: Fiica mea a sunat deja. Trebuie să ajungă din clipă în clipă.

Ca şi cum aceea ar fi fost replica lui, vagabondul se ridică. Mişcările îi erau domoale şi calculate, probabil ca să-i lase destul timp lui Peri să se răzgândească, sau să-i dea de înţeles clar că el nu se făcea vinovat de nimic din ce urma să se întâmple.

Cele două copile nu se vedeau pe nicăieri. Peri n-avea nici cea mai vagă idee când şi unde dispăruseră. Executau ordinele vagabondului. El era sultanul străduţelor dosnice, împăratul gunoaielor neridicate şi al canalelor deschise, al tuturor lucrurilor nedorite şi abandonate, mărinimosul lor colecţionar. Nu trăsăturile lui, ci intensitatea gesturilor îi aminti lui Peri de cineva – cineva pe care credea că îl lăsase în trecut şi pe care îl iubise ca pe nimeni altul.

Pentru o clipă îşi desprinse privirea de la bărbat şi se uită la poza de pe jos. Era una dintre puţinele din perioada petrecută la Oxford pe care o păstrase de-a lungul anilor – şi singura cu profesorul Azur. Nu-şi permitea s-o piardă.

Când întoarse din nou privirea, descoperi cu spaimă că vagabondului îi curgea sânge din nas. Stropi vâscoşi îi împroşcau pieptul, de un stacojiu atât de aprins, încât păreau de vopsea. Apropiindu-se de ea cu paşi târşâiţi, bărbatul nu-şi dădea seama de nimic. Peri auzi un icnet – fiindcă deja nu-şi mai recunoştea propria voce – când zări sclipirea unei lame de oţel.

Jucăria

Istanbul, anii '80

Au venit într-o vineri noapte, târziu. Precum bufnițele, au așteptat ca întunericul să-și întindă mantia peste oraș înainte să pornească în căutarea prăzii. Mama lui Peri, care se dusese la culcare când trecuse deja miezul nopții, după ce gătise una dintre specialitățile ei – miel cu mentă la cuptor – a auzit ultima bătăile în ușă. Până să se trezească Selma și să se scoale din pat, poliția intrase deja în casă, întorcând cu susul în jos camera pe care o împărțeau fiii ei. După raid, nereușind parcă să se ierte, Selma n-avea să mai doarmă vreodată o noapte întreagă, devenind ea însăși o ființă nocturnă.

Deși polițiștii cercetau toate lucrurile, se vedea clar din purtarea lor că se aflau acolo pentru fiul cel mare – Umut. L-au pus să stea singur într-un colț și i-au interzis să schimbe măcar o privire cu familia. Când l-a văzut astfel, la cei șapte ani ai ei, Peri s-a simțit cuprinsă de o tristețe atât de intensă, încât părea vecină cu disperarea. N-o spusese niciodată cu glas tare, însă Umut era fratele ei preferat. Ochi mari și căprui care se încrețeau la colțuri când zâmbea, frunte lată care îl făcea să pară mai înțelept decât îl arătau anii. Ca și ea, avea tendința să roșească ușor. Spre deosebire de ea, era plin de optimism, lucru care se potrivea de minune cu numele lui – „speranță". În ciuda diferenței de vârstă dintre ei, Umut fusese întotdeauna apropiat de Peri, jucând împreună cu ea tot felul de jocuri prostești numai din dragoste, prefăcându-se că ar fi un prinț răpit de pirați sau un vrăjitor ticălos în vârful Muntelui Kaf – după cum cerea povestea din ziua aia.

La facultate – inginerie chimică –, Umut devenise cam retras. Își lăsase o mustață stufoasă, ca de morsă, și își lipise pe pereți afișe cu oameni pe care Peri nu-i mai văzuse până atunci: un bătrân cu barbă căruntă, un bărbat cu ochelari rotunzi cu rame de sârmă și față deschisă; altul cu părul alb zburlit și o beretă închisă la culoare. Mai era și o femeie cu părul prins și cu pălărie albă. Când Peri întrebase cine sunt, fratele ei îi explicase:

— Ăsta e Marx, celălalt, Gramsci. Cel cu beretă e tovarășul Che.

— Aha, zisese Peri, neavând nici cea mai vagă idee despre ce vorbea, dar mișcată de ardoarea din glasul lui. Și ea?

— E Rosa.

— Aș vrea să mă cheme și pe mine Rosa.

Umut zâmbise.

— Numele tău e mai frumos, crede-mă. Dar, dacă ții, o să-ți spun Rosa-Peri. Poate o să ajungi revoluționară.

— Ce-i aia „revoluționară"?

Umut tăcuse, căutând un răspuns potrivit.

— Cineva care vrea ca toți copiii să aibă jucării, însă nici unul să nu aibă prea multe.

— OK..., zisese Peri prudentă – îi plăcuse jumătate din ce auzise, însă nu și jumătatea cealaltă. Cât înseamnă prea multe?

Râzând, Umut îi ciufulise părul, iar întrebarea rămăsese suspendată între ei, fără răspuns.

Aceleași afișe le smulgeau acum polițiștii de pe pereți. Când nu le-a mai rămas nimic de rupt, s-au apucat să cerceteze cărțile, care erau toate ale lui Umut, fiindcă lui Hakan nu-i prea plăcea să citească. *Manifestul comunist* de Karl Marx, *Situația clasei muncitoare din Anglia* de Friedrich Engels, *Revoluția permanentă* de Lev Troțki, *Șoareci și oameni* de John Steinbeck, *Utopia* de Thomas More, *Omagiu Cataloniei* de George Orwell... Le frunzăreau cu priviri în care se citea o frustrare enervată, părând să caute scrisori și însemnări. Deși n-au descoperit nimic, au confiscat oricum toate cărțile.

— De ce citești rahaturile astea? a întrebat ofițerul de poliție apucând o carte – *Sărutul femeii-păianjen* – și scuturând-o spre Umut. Ești turc musulman. Taică-tu e turc musulman, maică-ta e turcoaică musulmană. Toți sunteți, până la șapte generații în urmă. Ce-ți pasă ție de toate porcăriile astea străine, ă?

Umut își privea picioarele desculțe – degetele rotunjite și curate se înghesuiau unele în altele ca și cum ar fi căutat ocrotire.

— Dacă afurisiții ăștia de occidentali au o problemă, atunci e numai problema lor, a zis bărbatul. La noi în țară toată lumea e fericită. Aici nu avem clase. Nici măcar nu știm ce înseamnă cuvântul ăsta. Ai auzit vreodată pe cineva întrebând: „Hei, din ce clasă faci parte?". Sigur că nu! Toți suntem musulmani și toți suntem turci. Punct. Avem aceeași religie, aceeași naționalitate, aceeași absolut orice. Ei, ce nu pricepi?

Ofițerul s-a apropiat de Umut, aplecându-se să-l amușine.

— Țara asta a trecut prin trei lovituri militare ca să pună capăt unor asemenea aiureli. Și-acum apar iar! Crezi c-o să lăsăm să se-ntâmple așa ceva? Cărțile tale sunt doldora de minciuni. Sunt scrise cu venin. Poate c-ai fost otrăvit, așa-i?

Umut n-a scos o vorbă.

— Te-am întrebat ceva, idiotule! a zbierat bărbatul, cu nările fremătând. Ai fost otrăvit?

— Nu, a îngăimat Umut cu un fir de glas, abia o șoaptă.

— Hmm, ba cred că da, l-a contrazis celălalt dând aprobator din cap. Chiar pari să fi fost.

Saltelele, dulapul, sertarele, până și soba cu lemne... Nici un cotlon și nici o crăpătură n-au rămas necercetate. Orice-ar fi căutat, n-au reușit să găsească, lucru care i-a enervat și mai rău.

— Îl ascund. Căutați și în restul casei, a ordonat ofițerul de poliție.

Fuma țigară de la țigară, scuturând scrumul pe jos.

— Scuze... ce anume să ascundem? a îndrăznit să întrebe Mensur – cu părul rar zburlit, cu pijamalele în dungi boțite, cu papucii în picioare – din colțul opus al camerei, unde fusese pus să aștepte restul familiei.

— O să ți-l bag în cur când o să-l găsesc, i-a răspuns ofițerul. De parcă n-ai ști!

Tresărind la duritatea cuvintelor, Peri l-a luat pe taică-su de mână. Dar ochii îi erau ațintiți la fratele ei. Își făcea griji pentru Umut, care era la fel de palid la față ca un corn de lună.

Polițiștii au scotocit prin celelalte dormitoare, prin baie, prin toaletă, prin cămară, unde țineau bamele uscate și castraveții murați. Din bucătărie se auzea zgomot de sertare deschise, cutii răscolite, tacâmuri aruncate peste tot. Acolo unde fuseseră odată rafturi cu bordură de dantelă era acum o debandadă. A trecut o oră, poate și mai mult. Afară, o geană firavă de lumină sfâșia cerul de plumb, ca un dinte de lapte ce sfâșie carnea gingiei.

— Dar fata? a întrebat ofițerul de poliție aruncând cu un bobârnac mucul de țigară pe covor și strivindu-l cu călcâiul. I-ați verificat jucăriile?

Selma, cu ochii ațintiți la covorul pe care-l curățase mai devreme în ziua aia, s-a băgat în vorbă:

— Trebuie să fie o neînțelegere, efendi. Suntem o familie decentă. Suntem oameni cu frica lui Dumnezeu.

Fără s-o bage în seamă, bărbatul s-a întors spre Peri.

— Unde-ți sunt lucrurile, fato? Arată-ne.

Ea a făcut ochii mari. De ce era toată lumea interesată de jucăriile ei – nu că ar fi avut prea multe – revoluționarii, polițiștii?

— Nu vă spun.

Mensur, care o ținea încă de mână, a tras-o înapoi murmurând:

— Șșșt. Lasă-i să le vadă, n-avem de ce să ne facem griji.

Apoi, fără să se adreseze cuiva anume, a adăugat:

— Le ține într-o ladă sub pat.

Câteva minute mai târziu, când ofițerul s-a întors urmat de oamenii lui, mai mult expresia ce i se citea pe chip decât obiectul pe care îl ținea în mână a speriat-o pe copilă.

— Ei-ei... ce-avem noi aici?

Peri nu mai văzuse niciodată un pistol. Pe lângă cele de la televizor, acesta i se părea atât de mic și de drăguț, că pentru o clipă s-a întrebat dacă e de ciocolată.

— Ascuns într-un leagăn. Sub o păpușică! Cât de ușor!

— Jur pe *Sfântul Coran* că nu știm nimic despre asta, a zis Selma cu glas pierit.

— Sigur că nu știți, femeie, însă fiul vostru știe.

— Nu-i al meu, a zis Umut cu obrajii împurpurați. Ei m-au rugat să-l țin vreo câteva zile. Trebuia să-l duc înapoi mâine.

— Care ei? a întrebat ofițerul de poliție.

Părea fericit.

Umut a tras cu greu aer în piept, cufundându-se în muțenie.

Afară s-a auzit chemarea muezinului de la o moschee din apropiere ridicându-se în văzduh ca o incantație: *„Nu există alt Dumnezeu în afară de Allah. Rugăciunea e mai bună decât somnul“*.

— Bine, să mergem, a ordonat ofițerul de poliție. Luați-l!

Mensur, care înghețase la vederea pistolului, a zis:

— Vă rog, trebuie să existe o explicație. Fiul meu e băiat bun. N-ar face rău nimănui.

Ofițerul de poliție, care se îndrepta deja spre ușă, se răsuci pe călcâie.

— Tot timpul aceeași porcărie. Nu vă supravegheați copiii, îi lăsați să se încurce cu ticăloșii ăia de comuniști fără Dumnezeu și să se vâre în tot soiul de căcaturi. Iar când e prea târziu, vă puneți pe bocit și pe milogit. Oaa-oaa. De ce mai faceți copii dacă nu aveți grijă de ei, 'tu-vă mama voastră de cretini? Nu vă puteți ține sculele în pantaloni?

Cu o mișcare bruscă, ofițerul l-a apucat pe Mensur de pantalonii de pijama și i-a tras în vine, dându-i la iveală chiloții de un alb impecabil, deși cam ponosiți. Câțiva polițiști au chicotit. Alții s-au prefăcut nepăsători.

Peri a simțit sângele retrăgându-se din mâna tatălui ei. Degetele i-au devenit ușoare și livide – mâna unui cadavru ce aștepta disecția. A simțit tăcerea tatălui ei, rușinea tatălui ei pe care îl adorase, îl venerase, îl iubise și îl idolatrizase din ziua când rostise întâiul cuvânt. Până să-și ridice Mensur pantalonii de pijama, polițiștii ieșiseră pe ușă, luându-l pe Umut cu ei.

*

Familia n-avea să-l mai vadă pe Umut vreme de șapte săptămâni, în care fusese ținut la izolator. Acuzat că făcea parte dintr-o organizație comunistă ilegală, mărturisise că pistolul era al lui – după ce fusese dezbrăcat la piele, legat la ochi și apoi de un cadru metalic de pat și i se făcuseră electroșocuri. Când electrozii i-au fost lipiți de testicule și voltajul a fost dublat, a recunoscut că era liderul celulei, care punea la cale asasinarea unor funcționari de stat. Mirosul înțepător de carne carbonizată, izul coclit de sânge, duhoarea acră de urină și aroma de scorțișoară a gumei pe care o mesteca torționarul-șef – un ofițer pe nume Hassan „Furtun“, poreclit așa datorită ingenioaselor sale tehnici de tortură în care folosea un furtun de grădină.

De fiecare dată când leșina, Umut era stropit cu apă rece ca să-și vină în simțiri și udat cu găleți întregi de apă sărată ca să-i crească conductivitatea. Dimineața, aceiași polițiști îi ungeau rănile cu alifie ca să-și poată continua torturile după-amiaza. Punându-i balsam pe arsuri, Hassan Furtun se plângea că are un salariu mizerabil pentru atâtea ore de lucru, că fiică-sa fugise cu un bărbat mai în vârstă, care era soțul altei femei și deja tatăl unui copil. Porumbeii se întorseseră, șase luni mai târziu, lefteri și speriați. Putea să-i omoare atunci, pe loc, însă le cruțase viețile. Ca mulți alți torționari profesioniști, era îngăduitor cu rudele, respectuos cu superiorii și nemilos cu oricine altcineva.

Între sesiuni, Umut era silit să asculte urletele altor prizonieri, la fel cum ei erau siliți să le asculte pe-ale lui. Iar și iar, imnul național izbucnea asurzitor din difuzoare. O dată, în timpul electroșocurilor, uitaseră să-i îndese un prosop în gură, o simplă scăpare, și-și mușcase limba de aproape o despicase în două. Pentru foarte multă vreme, mâncatul a fost o experiență înfiorătoare – simțea gustul hranei abia când o înghițea.

Se spunea că tortura, practicată pe scară largă în închisorile, centrele de detenție și școlile de corecție din toată țara după lovitura de stat din 1980, mai pierduse din teren, însă continua la fel de netulburată. Vechile obiceiuri mor greu. Nu că n-ar fi avut loc și schimbări. *Falaka*, bătaia la tălpi, fusese înlocuită în cea mai mare parte cu atârnarea de brațe ceasuri întregi - o metodă mai curată, care lăsa mai puține urme. Arsurile cu țigara și smulgerea unghiilor sau a dinților sănătoși erau de asemenea depășite. Șocurile erau rapide, eficiente și nu lăsau aproape nici o urmă. La fel și să forțezi prizonierii să-și mănânce propriile excremente, să-și bea unul altuia urina și să stea ceasuri întregi închiși în fose septice. Fără semne vizibile de maltratare. Nimic care să poată fi detectat de jurnaliști zgomotoși sau activiști pentru drepturile omului occidentali, dacă ar apărea fără veste.

În cele din urmă, Umut a fost condamnat la opt ani și patru luni de detenție, fără drept de eliberare condiționată.

După anunțarea verdictului, familia Nalbantoğlu a început să facă vizite regulate la închisoarea de la periferia Istanbulului. Soseau în diferite combinații, în funcție de zi - Mensur cu fiul lui mai mic, Selma cu fiica ei, Mensur cu fiica lui, însă niciodată Mensur și Selma împreună. Stăteau, alături de alte zeci de oameni, la o masă mare de plastic, pe care se vedeau urmele a sute de întâlniri încordate și dureroase. Își țineau mâinile la vedere, cum li se spusese, ca să nu lase impresia că-i strecurau ceva. În starea asta, încercau să peticească gaura hâdă a tăcerii cu zâmbete care nu li se citeau în ochi și vorbe ce le ieșeau din gură fără să vrea și pe care nu le mai puteau lua înapoi.

Într-un rând, când Umut s-a ridicat să plece, Mensur a zărit o pată de sânge pe spatele uniformei fiului său, aproape de șale. O pată de forma și mărimea unei frunze de salcie. Metoda prin care fusese făcută avea și un nume - „Coca-cola însângerată". Bătuți și dezbrăcați, prizonierii erau siliți să se așeze pe o sticlă de coca-cola. Se spunea că e un „cocktail" servit doar câtorva aleși: prizonieri politici, presupuși pederaști și transsexuali ridicați de pe străzi.

Mensur s-a holbat năuc la pată. A lăsat să-i scape un strigăt gâtuit și i s-a tăiat respirația, cu toate că făcea eforturi disperate să-şi păstreze calmul. Din fericire, ajuns deja în celulă, Umut nu-l auzise. Dar Peri, fiindcă era rândul ei să-şi însoţească tatăl în ziua aia, îl auzise cu siguranţă. Fusese martoră la întreaga scenă, deşi din cine ştie ce motiv îi rămăseseră în minte doar imaginile, de parcă ar fi urmărit un film mut. După aceea, Mensur i-a interzis lui Peri să-şi mai viziteze fratele la închisoare. În schimb, avea să rămână acasă şi să-i scrie. Avea să-i spună poveşti încurajatoare, emoţionante, mici amănunte vesele care să-i dea încredere în spiritul uman. Peri a făcut lucrul ăsta câtă vreme i-a stat în puteri. Cu o încântare pe care n-o simţea, compunea scrisori despre oameni pe care abia dacă îi întâlnise şi întâmplări care nu se petrecuseră chiar aşa cum le descria. Umut, de parcă ar fi putut să vadă înşelătoria, nu-i răspundea niciodată.

Totuşi îi apărea adesea în vise, din care se trezea în toiul nopţii, ţipând. Uneori reuşea să adoarmă la loc. Alteori se strecura jos din pat, se suia în dulapul ei de haine şi închidea uşa dinăuntru, încercând să-şi închipuie cum e într-o celulă de închisoare. Pe când îşi asculta inima cum bate în spaţiul acela închis şi întunecos, temându-se că avea să rămână încet-încet fără oxigen, se prefăcea că Umut era lângă ea şi respira, respira...

*

Groaza de a-l şti pe Umut în închisoare, în loc să-i unească pe cei din familia Nalbantoğlu, i-a îndepărtat tot mai mult, până a ajuns să-i învrăjbească de-a binelea. Mensur dădea vina pe nevastă-sa. El era la muncă toată ziua, susţinea, Selma trebuia să stea cu ochii pe fiul lor. Dacă ar fi pierdut mai puţin timp cu predicatorii fanatici care îi făgăduiau un crâmpei de rai şi ar fi fost mai atentă la ce se petrecea chiar sub nasul ei, poate ar fi reuşit să prevină nenorocirea care îi lovise. În vreme ce Selma, tăcută, ursuză şi plină de duşmănie, îl făcea răspunzător pe soţul ei. Mensur sădise sămânţa necredinţei în mintea fiului lor. Toate monologurile lui despre materialism şi gândire liberă îl împinseseră la dezastrul ăsta.

De-a lungul anilor, căsnicia lui Mensur și a Selmei își pierduse miezul, prefăcându-se într-o nucă găunoasă. Acum coaja crăpase și se treziseră de o parte și de alta a crăpăturii. Atmosfera din casă devenise înăbușitoare, apăsătoare, ca și cum aceasta ar fi absorbit tristețea locatarilor ei. Micuței Peri i se părea că albinele și fluturii de noapte nici nu intrau bine pe ferestrele deschise, că se și năpusteau îngroziți afară. Nici măcar țânțarii veșnic nesătui nu mai sugeau sângele Nalbantoğlilor, de frică să nu le soarbă odată cu el nefericirea. În desenele animate și filmele la care se uita Peri, muritorii de rând erau mușcați de păianjeni sau înțepați de viespi, iar pe urmă se transformau în supereroi și duceau o viață palpitantă. În cazul lor era tocmai pe dos. Puricii și gândacii, după ce veneau în contact cu familia Nalbantoğlu, căpătau deprinderi omenești, fiind striviți sub apăsarea unor sentimente care nu le erau de nici un folos.

Cam pe-atunci a început Peri să-și redefinească relația cu Allah. A încetat să se mai roage înainte de culcare, în ciuda povețelor maică-sii, însă în același timp a refuzat să rămână nepăsătoare față de Dumnezeu, în ciuda sfaturilor tatălui ei. În schimb, toată durerea și suferința cărora nu îndrăznea să le dea glas când puteau s-o audă părinții le-a prefăcut într-o ghiulea de cuvinte pe care-a aruncat-o cu iuțeală spre cer.

A început să se certe cu Dumnezeu.

Peri se lua la ceartă cu El din orice, punând întrebări la care știa prea bine că nu-i ușor să răspunzi, însă punându-le oricum, cu glas scăzut, ca să n-o audă nimeni. Cât de iresponsabil e din partea Lui să îngăduie să li se întâmple lucruri îngrozitoare celor care nu merită așa ceva. Poate oare Allah să audă prin pereții închisorii și barele celulelor? Dacă nu, atunci nu e atotputernic. Dacă poate și totuși nu face nimic să-i ajute pe cei care au nevoie, atunci nu e milostiv. Oricum ai lua-o, nu e cine pretindea c-ar fi. E un impostor.

Furia pe care n-o putea îndrepta împotriva maică-sii și a învățătorului Üzümbaz Efendi, frustrarea de-a nu-și putea învinovăți tatăl că bea și sila pe care o simțea față de celălalt frate,

Peri le amesteca pe toate într-un aluat cleios și le turna în gândurile sale despre Dumnezeu. Se coceau în cuptorul minții ei, crescând încet, crăpând la mijloc, arzându-se pe margini. Pe când prietenii ei păreau la fel de simpli și de ușori ca zmeiele pe care le înălțau, jucându-se pe stradă, glumind la școală și luând fiecare zi așa cum venea, Nazperi Nalbantoğlu, o fetiță neobișnuit de sensibilă și de introvertită, era ocupată să-l caute pe Dumnezeu.

Dumnezeu – un cuvânt simplu cu înțeles obscur. Dumnezeu – destul de aproape încât să știe tot ce faci, sau te gândești să faci, și totuși imposibil de atins. Peri era însă hotărâtă să găsească o cale. Fiindcă ajunsese să creadă, printr-o logică încâlcită numai a ei, că de-ar reuși să împace Creatorul mamei cu Creatorul tatălui ei, ar putea să readucă armonia între părinți. Dacă se ajungea la o înțelegere în legătură cu ce e sau nu e Dumnezeu, avea să existe mai puțină tensiune în casa familiei Nalbantoğlu, chiar și în lume.

Dumnezeu e un labirint fără hartă, un cerc fără centru, un puzzle ale cărui piese nu par să se potrivească vreodată. De-ar fi reușit să rezolve acest mister, ar fi putut să dea sens absurdului și logică nebuniei, să pună ordine în haos, poate chiar să învețe să fie fericită.

Carnetul

Istanbul, anii ’80

— Vino şi stai cu mine, iubito! i-a zis Mensur fiicei lui într-una din rarele seri când lua cina singur.

Peri s-a executat imediat. Ce dor îi era de el! Deşi locuia în aceeaşi casă, fusese distant, absorbit de propriile gânduri, doar o umbră a omului care era înainte să fie arestat Umut.

— Hai să-ţi spun o poveste, a îmbiat-o Mensur. *Trăia odată în Istanbul un fluierar care cânta dintr-un fluier de trestie, un sufit, însă unul rătăcitor. De fiecare dată când vedea o sticlă de* rakı *sau de vin, îi mustra pe cei din jur. „Nu ştiţi că doar un strop din băutura asta-i un păcat?“ Apoi destupa sticla, îşi muia degetul înăuntru, aştepta câteva clipe şi pe urmă îl scotea picurând. „Am aruncat stropul păcătos“, zicea. „Acum putem să bem în tihnă.“*

Mensur a chicotit la vorbele astea – un râs grav, trist.

Peri şi-a cercetat tatăl, simţind în povestea lui o răzvrătire solitară, însă împotriva a ce sau cui? L-a întrebat într-o doară:

— *Baba*[1], pot să încerc?

— Ce? Vrei să bei *rakı*?

Peri a dat din cap. Nu se gândise nici o clipă la asta înainte, totuşi acum, că spusese c-ar vrea, chiar voia. Era o cale de-a relaţiona cu tatăl ei.

Mensur a clătinat din cap.

— Ai doar şapte ani. Nici gând!

— Opt, l-a corectat Peri. Luna asta împlinesc opt.

---

1. Tată (tc.).

— Ei, întotdeauna am zis că-i mai bine să pui gura prima oară pe băutură acasă, împreună cu părinții, decât pe furiș, pe cine știe unde. De fapt, n-ar trebui să bei înainte să împlinești optsprezece ani, a chibzuit Mensur. Dar până atunci nu se știe dacă n-o să fie interzis din cauza fanaticilor ălora religioși. Poate o să expună vreo sticlă, două pe undeva. La Expoziția Lucrurilor Degenerate! Exact ca naziștii cu arta modernă, nu? Da, poate ar trebui să iei o gură până nu-i prea târziu.

Zicând asta, Mensur a umplut cu apă un pahar, în care a turnat cu generozitate câteva picături de *rakı*. Pe când Peri se uita cum se împrăștie alcoolul în apă, tatăl ei o privea cu tandrețe.

— Vezi picăturile astea? Ăștia suntem eu și amicii mei. Ne topim într-o mare de ignoranță. Mensur a ridicat paharul, zicând: *Șerefe!**

Încântată să fie tratată ca un om mare, Peri a zâmbit:

— *Șerefe!*

— Dacă ne vede maică-ta, mă jupoaie de viu.

Peri a luat repede o înghițitură zdravănă, însă în clipa următoare s-a strâmbat scârbită. Era îngrozitor. Era mai rău decât orice chestie pe care o încercase vreodată. Gustul de anason, mai înțepător chiar și decât mirosul, îi ardea limba, îi gâdila nările, îi umplea ochii de lacrimi. Cum putea taică-su să bea scârboșenia aia în fiecare seară cu așa o plăcere?

— Promite-mi, a urmat Mensur fără să ia în seamă reacția fetei, că n-o să crezi niciodată în superstiții, dacă înțelegi ce vreau să zic.

— Da, da, a răspuns Peri după ce dăduse pe gât un pahar cu apă și înfulecase o felie de pâine ca să scape de gustul din gură. Când se spune: dacă sari peste un copil, nu mai crește. Dacă-ți trosnești degetele, rupi aripile unui înger. Dacă fluieri pe-ntuneric, îl chemi pe Șeitan. Lucruri de genul ăsta.

— Corect, toate aiurelile astea. Uite, am ajuns să mă țin de-o regulă și te sfătuiesc să faci la fel. Nu crede niciodată nimic din

* Noroc! (tc.) (n.a.)

ce n-ai văzut cu ochii tăi, n-ai auzit cu urechile tale, n-ai atins cu mâinile tale și n-ai înțeles cu mintea ta. Promiți?

Dornică să-i facă pe plac tatălui ei, Peri a ciripit:

— Promit, *baba*.

Încântat, Mensur a ridicat arătătorul ca să-și sublinieze cuvintele.

— Educația o să ne salveze! E singura cale înainte. Trebuie să mergi la cea mai bună universitate din lume. (A tăcut o clipă, gândindu-se care ar putea fi aceea.) Ești singura dintre copiii mei care-i în stare să facă asta. Muncește din greu. Salvează-te de ignoranță. Promiți mult-mult?

— Promit mult-mult.

— Totuși ar fi o problemă, zise Mensur. Bărbații nu-și doresc femei prea deștepte sau prea educate. Nu vreau să mori fată bătrână.

— Nu-i nimic, n-o să mă mărit niciodată. O să stau cu tine.

Mensur a izbucnit în râs.

— Crede-mă, nu vrei să faci așa ceva. Numai nu-ți dărui inima cuiva care nu dă doi bani pe știință... pe cunoaștere. Promiți mult de tot?

— Promit mult de tot. (Peri s-a lăsat în scaun și în minte i-a venit un nou gând.) Dar Dumnezeu... Nu putem să-L vedem, să-L auzim, să-L atingem... Ar trebui totuși să credem în El?

Mensur s-a întristat.

— O să-ți spun un secret: când vine vorba de Dumnezeu, oamenii mari sunt la fel de în ceață ca și copiii.

— Dar există? a stăruit Peri.

— Ar face bine să existe. Când o să-l întâlnesc pe lumea cealaltă, înainte să se-apuce să mă muștruluiască, o să-L întreb unde-a fost tot timpul ăsta. Ne-a lăsat prea mult de capul nostru!

Mensur a aruncat o bucată de brânză în gură, mestecând energic.

— *Baba*... De ce nu l-a ajutat Allah pe Umut? De ce-a lăsat să se întâmple toate astea?

— Nu știu, inimioara mea, a răspuns el în timp ce mărul lui Adam îi urca și-i cobora sub pielea gâtului.

Au tăcut amândoi. Peri a strâns din degetele de la picioare și a bătucit covorul cu tălpile papucilor, simțind că ar fi mai bine să schimbe subiectul. Simpla mențiune a fratelui ei mai mare îi întristase și mai mult, ca un nor ce trece peste chipul de ceară al lunii.

— Dar raiul și iadul?

Chinurile iadului fuseseră un refren nelipsit în tot timpul cât mersese la școală. Gândul că tatăl ei s-ar putea trezi în tărâmul osândiților, cu cazanele în clocot, flăcările răzbunătoare și îngerii săi negri numiți *zabaniler* o înspăimânta.

— Păi, nu prea am stofă de mers în rai, nu? Există două posibilități: dacă Allah nu are simțul umorului, sunt condamnat. Mă așteaptă expresul către iad. Dacă-l are, ar fi o speranță, s-ar putea să ne întâlnim în rai. Se zice că-i scăldat de râuri pline cu cel mai bun vin!

Un fior de spaimă a scuturat-o pe Peri.

— Dacă Allah e neînduplecat, cum zice mama întotdeauna c-ar fi? a șoptit ea.

— Nu te neliniști, pregătim un plan B, a răspuns Mensur. Ai grijă să-mi pui o cazma în mormânt. O să sap un tunel de oriunde-aș ajunge!

Peri a făcut ochii mari.

— Iadul e așa de adânc încât, dacă arunci o pietricică înăuntru, îi ia șaptezeci de ani să atingă fundul. Mi-a zis mama.

— Sunt sigur. (Un oftat ușor.) Uite care-i chestia bună: un an pe pământ ține doar cât un minut pe lumea cealaltă. Într-un fel sau altul, o să te găsesc. (S-a luminat la față.) A, era să uit. Am ceva pentru tine!

Mesur a scos din geanta de piele un pachet – o cutie argintie legată cu panglică galbenă.

— Pentru mine?

Peri a cercetat pachetul.

— Nu-l deschizi?

Înăuntru era un carnet. Unul minunat, turcoaz, cusut de mână, cu paiete și un mozaic cu cioburi de oglindă pe copertă.

— Știu că ești curioasă în privința lui Allah, a zis Mensur gânditor. Nu-ți pot răspunde la toate întrebările. De fapt, nimeni nu poate, nici măcar maică-ta sau predicatorul ăla țicnit al ei. (A dat pe gât restul de *rakı* dintr-o singură înghițitură.) Nu mă omor după religie, nici după oamenii religioși, însă știi de ce-l iubesc încă pe Dumnezeu?

Fata a clătinat din cap.

— Pentru că e singur, Pericim, ca mine... ca tine, a răspuns Mensur. Singur-singurel acolo sus pe undeva, fără un suflet cu care să vorbească - mă rog, poate câțiva îngeri, dar cât te poți distra cu un heruvim? Bilioane de oameni se roagă la El: „O, Doamne, dă-mi reușite, dă-mi bani, dă-mi un Ferrari, dă-mi aia, dă-mi aialaltă..." Aceleași cuvinte iar și iar, însă nimeni nu-și prea dă osteneala să-L cunoască.

Mensur și-a umplut paharul, cu o urmă de tristețe în ochi.

— Gândește-te ce fac oamenii când văd un accident pe șosea. Spun imediat: „Doamne ferește!". Poți să crezi așa ceva? Prima lor reacție e să se gândească la ei înșiși, nu la victime. Atâtea rugăciuni sunt copii la indigo ale altora. Apără-*mă*, iubește-*mă*, ajută-*mă*, toate țipă *eu*, *eu*, *eu*... Și mai numesc asta pietate; eu aș numi-o egoism deghizat.

Peri a înclinat capul, dornică să-și aline tatăl, însă neavând nici cea mai vagă idee cum. Casa se cufunda într-o tăcere atât de fragilă, încât o pală de aer ar fi răsturnat-o. Peri s-a întrebat dacă maică-sa, din patul ei de care îi despărțea doar un perete, le asculta discuția și, dacă da, ce se petrecea în mintea ei.

— De-acum, când te gândești la Dumnezeu - sau la tine însăți - scrie în carnet.

— Ca într-un jurnal?

— Da, dar unul special, a răspuns Mensur înveselindu-se iar. Un jurnal de-o viață!

— Păi, n-o să-mi ajungă paginile.

— Exact, singura soluţie e să ştergi ce-ai scris înainte. Te-ai prins? Scrie şi şterge, iubito. Nu te pot învăţa cum să nu ai gânduri negre. Nici eu nu m-am dumirit încă. (Mensur a tăcut o clipă.) Dar speram măcar să reuşeşti să le ştergi.

— Ca să pot avea noi gânduri negre?

— Păi, da... e mai bine să ai noi gânduri negre decât să rămâi la cele vechi.

Chiar în seara aceea, stând în capul oaselor în pat, Peri a deschis jurnalul şi a scris prima însemnare: *Cred că Dumnezeu are multe piese şi multe culori. Pot construi un Dumnezeu paşnic şi iubitor. Sau unul mânios şi răzbunător. Sau nimic. Dumnezeu e un joc de Lego.*

Ridică şi dărâmă. Scrie şi şterge. Crede şi îndoieşte-te. Oare asta voise tatăl ei să spună de fapt? Până la urmă nici măcar n-a mai contat, fiindcă asta a hotărât Peri, rememorând ziua aceea de acum mulţi ani, că auzise. Sfaturile tatălui ei urmau să întărească o bănuială pe care o avea deja despre sine: că, în timp ce unii oameni erau credincioşi înfocaţi, iar alţii necredincioşi înfocaţi, ea avea să rămână întotdeauna prinsă la mijloc.

Poza polaroid

Istanbul, 2016

Vagabondul făcu un salt înainte, fluturând cuțitul cu atâta iuțeală și nepăsare, încât numai printr-un miracol Peri reuși să se ferească. Lama îi rată șoldul la milimetru, însă îi tăie palma mâinii drepte. Peri scoase un țipăt ascuțit, cu glasul frânt de durere. Sângele îi șiroia pe încheietură, picurând pe rochia din mătase mov.

Deși inima îi bătea să-i spargă pieptul și sudoarea îi șiroia pe frunte, îl îmbrânci pe bărbat cu toată puterea. Fiindcă nu se aștepta să opună rezistență, el își pierdu echilibrul, clătinându-se un moment – răgaz pe care Peri îl folosi ca să-i zboare cuțitul din mână cu o lovitură. Înfuriat, el o lovi în piept cu o asemenea forță, încât preț de câteva clipe înspăimântătoare ea nu izbuti să respire. Se gândi la fiica ei, care o aștepta în mașină. Apoi la cei doi băieți mai mici, care își urmăreau emisiunea TV preferată acasă. Își văzu soțul cu ochii minții: la petrecere, înconjurat de alți invitați, uitându-se la ceas la fiecare câteva minute, bolnav de îngrijorare. Gândul că s-ar putea să nu-i mai vadă niciodată pe cei dragi i-a adus lacrimi în ochi. Ce stupid e să mori așa. Oamenii înfruntă moartea apărându-și țara sau drapelul și onoarea, ea – apărând o imitație de geantă Hermès cu accentul pus greșit. Dar poate că toate sunt la fel de lipsite de sens.

Vagabondul o pocni din nou, de data asta în burtă. Trântită la pământ, Peri tuși, simțind cum o părăsesc puterile.

Își adună ultimele rămășițe de voință.

— Încetează! Încetează chiar acum, am zis! strigă Peri, ca și cum ar fi certat un copil obraznic. (Tremura – trupul ei parcă refuza să asculte ordinele pe care i le dădea creierul și să nu intre în panică.) Uite, a șoptit cu glas răgușit, dacă îmi faci vreun rău, o să ai necazuri serioase. O să te bage la pușcărie. O să-ți frângă... (Voia să spună „spiritul“, în schimb a spus „oasele“.) Crede-mă, chiar o s-o facă.

Vagabondul țâțâi din buze, strigându-i:

— Curvo! Cine te crezi?

Nimeni n-o mai făcuse „curvă“ și cuvântul îi străpunse inima ca o așchie de gheață. Făcu o nouă încercare, alegând calea împăcării.

— Păstrează geanta, bine? Tu te duci la treburile tale, eu la ale mele.

— Curvo! repetă el, încântat de înjurătură.

Se întunecă la față, iar ochii i se îngustară, ajungând două crăpături subțiri. Își trase răsuflarea, stârnit de propriile gânduri. O mașină se apropie de capătul străduței, farurile ei trasând pentru scurt timp o cale de scăpare. Peri vru să strige după ajutor, însă era deja prea târziu. Mașina dispăruse. Erau cufundați din nou în umbră. Făcu un pas înapoi.

Apucând-o de gât, vagabondul o trânti la pământ. Părul i se desfăcu, iar acul care îi prinsese cocul se lovi de asfalt, scoțând un clinchet metalic ușor. Când căzuse pe spate, dăduse cu capul de pământ din cauza impactului. Lucru ciudat, n-o durea. De jos, cerul părea imposibil de departe și semăna cu o tablă de bronz – nemișcat, rece, compact. Încercă să se ridice, iar mâna ei lăsă urme însângerate pe asfalt. Într-o clipită, vagabondul era deasupra ei, luptându-se să-i sfâșie rochia. Gura lui răspândea un miros groaznic – de foame, mahorcă și chimicale. Era duhoarea putreziciunii. Lui Peri îi veni să vomite. Carnea care încerca s-o străpungă pe-a ei era cea a unui hoit.

Se întâmpla mereu în orașul acela care cuprindea șapte coline, două continente, trei mări și cincisprezece milioane de guri. Se întâmpla în spatele ușilor închise și afară în curți, în camere de motel ieftine și în apartamente de lux de cinci stele, în toiul nopții sau în miezul zilei. Bordelurile din oraș ar fi putut spune o grămadă de povești dacă ar fi găsit urechi să le-asculte. *Call girls, rent boys* și prostituate bătrâne – bătuți, agresați și amenințați de clienți care se folosesc de cel mai mic pretext ca să-și iasă din fire. Transsexuali care nu s-au dus niciodată la poliție știind că ar putea fi violați a doua oară. Copii îngroziți de anumiți membri ai familiei și tinere mirese înspăimântate de socrii sau cumnații lor. Asistente, profesoare și secretare hărțuite de îndrăgostiți obsedați doar pentru că au refuzat să iasă cu ei în trecut. Soții casnice care n-ar sufla niciodată un cuvânt, fiindcă în cultura asta nu există cuvinte care să descrie violul domestic. Se întâmpla mereu. Înfășurat într-o mantie de discreție și tăcere care le făcea de rușine pe victime și îi apăra pe agresori, Istanbulul nu era deloc străin de abuzuri sexuale. În acel oraș unde toată lumea se temea de străini, majoritatea agresiunilor erau comise de oameni cunoscuți, apropiați.

În clipele următoare, în liniștea străduței, de parcă s-ar fi trezit dintr-un vis doar ca să se pomenească prizonieră în coșmarul altcuiva, percepția pe care o avea Peri despre evenimente se scindă în straturi disparate. Ripostă. Era puternică. La fel și el, un lucru neașteptat pentru trupul lui sfrijit. O lovi cu capul, făcând-o să-și piardă cunoștința câteva secunde. Ar fi putut să renunțe, atât de ascuțită era durerea, atât de irezistibil era impulsul de-a lăsa disperarea să pună stăpânire pe ea.

Atunci, cu coada ochiului, zări o siluetă. Moale și mătăsoasă, prea angelică să fie omenească. L-a recunoscut – era *el*. Copilul cețurilor. Cu obrăjori trandafirii, brațele numai gropițe și piciorușe zdravene, durdulii, cu păr bălai, ca un puf fin, care nu se închisese încă. Cu o pată de culoarea prunei pe unul din obraji. Un copil drăgălaș, deși nu era deloc așa. Un djinn. Un duh. O halucinație. Rodul imaginației sale bizare, înfricoșate – deși nu era prima lor întâlnire.

Fără să aibă habar de năluca din spatele lui, vagabondul înjură în barbă în timp ce se lupta să se descheie la pantaloni. Nerăbdător, trase de funia de la brâu care îi servea de curea. Probabil că o înnodase prea tare, fiindcă nu reușea s-o dezlege cu o singură mână, ținând-o pe Peri cu cealaltă.

Copilul cețurilor gânguri încântat. Prin ochii lui nevinovați, Peri văzu nebunia în care fusese târâtă, mizeria ei rizibilă. Chicoti. Tare și cu îndrăzneală. Reacția ei îl zăpăci pe vagabond, care se opri o clipă.

— Lasă-mă să te ajut, zise Peri arătând cu capul spre funie.

Ochii lui scăpărară – pe jumătate descumpăniți, pe jumătate neîncrezători. O umbră de bunăvoință îi străbătu chipul. Reușise s-o înspăimânte și știa din experiențele trecute că nu era nevoie decât de spaimă ca să-i taie cuiva, oricui, din trufie și să-l facă să se arunce în genunchi. Se retrase – doar un centimetru sau doi.

Cu toată puterea, Peri se repezi la bărbat. Luat prin surprindere, el se împletici îndărăt și căzu pe spate. Sprintenă și rapidă, ea făcu un salt și îi trase un șut drept între picioare. Vagabondul schelălăi ca un animal rănit. Peri nu simțea nimic – nici milă, nici furie. Înveți întruna de la ceilalți. Unii te învață ce-i frumusețea, alții – ce-i cruzimea. N-ar fi putut spune dacă era din cauză că prenadezul inhalat de bărbat mai devreme își croia drum prin trupul lui, slăbindu-i forțele, sau pentru că o energie nestăvilită, necunoscută o întărea dintr-odată, însă Peri se simțea puternică. Dezlănțuită. Periculoasă.

Îi strivi fața cu piciorul, concentrându-se din răsputeri asupra acestui singur lucru. Curând auzi un sunet cumplit – un pârâit de nas spart. Vederea sângelui, care de data asta curgea din belșug, în loc s-o înspăimânte, o întărâtă să-l lovească și mai tare. Până să se dezmeticească, îi cără șuturi și pumni peste tot.

Bărbatul se apucă de pântec, cu haina răsucită în sus, scoțând la iveală un tors costeliv. Nepăsător și senin, îndură bătaia ca și cum ar fi fost sătul de urmăriri, furturi, încăierări și de lipsa lor de importanță.

— Rahat cu ochi ce ești! zise Peri încet.

În toți anii ăștia nu înjurase niciodată tare, nu de pe vremea când era la Oxford, și i se păru – ca și ultima oară – uimitor de ușor, de delicios.

Copilul ceţurilor se furişă pe-alături. La fel de efemer ca o şoaptă, o figurină alcătuită din cele mai fine mătăsuri şi voaluri. Nu mai zâmbea – trăsăturile dăltuite în ceară gălbuie ca mierea îi erau încremenite. Nici nu părea să judece cele întâmplate. Era deasupra unor astfel de lucruri, de dincolo de acest tărâm. Dispăru rapid, după ce-o ajutase încă o dată pe Peri. Aburii se topiră fără urmă în întunericul tot mai adânc al serii.

Dintr-odată, Peri încetă să-l mai lovească pe vagabond. O briză iscată din senin îi răvăşi părul, un pescăruş gălăgios – poate un urmaş îndepărtat al celui care, la câţiva eoni distanţă, înfulecase limba unui poet – i se rotea deasupra capului, furios pe ceva sau pe cineva din acest oraş al gloatelor şi betoanelor.

Bărbatul gâfâia, fiecare răsuflare sunând ca un suspin. Toată fața îi era năclăită de sânge şi buza de sus spartă.

„*Îmi pare rău*“, îşi zise Peri, cât pe ce să rostească cu glas tare cuvintele care i se opriră în gât. Atunci, ca printr-un reflex condiţionat, îi veni în minte o voce, iubitoare şi dojenitoare în acelaşi timp. *Tot îţi mai ceri scuze de la toată lumea, draga mea?*

Dacă profesorul Azur ar fi aterizat la Istanbul, mai mult ca sigur că asta i-ar fi spus acum. Ce ciudat că trecutul o năpădea tocmai în clipa în care haosul rupea zăgazurile prezentului. Amintiri aleatorii, temeri înăbuşite, secrete nespuse şi vinovăţie, multă vinovăţie. Toate simţurile i se atenuară, lumea devenind un decor înceţoşat. Învăluită de un sentiment de linişte, aproape un fel de amorţeală, care o despărţea de orice altceva, chiar şi de durerea ce o săgeta într-un loc din trup pe care nu reuşea să-l identifice, Peri îşi aminti lucruri din viaţa ei pe care credea că le lăsase în urmă pentru totdeauna.

Vagabondul începu să plângă. Dus era regele străzilor, cerşetorul, drogatul, hoţul, violatorul... dezbrăcat de toate rolurile, nu mai era decât un băieţel care plângea în întuneric după o atingere mângâietoare care n-avea să vină niciodată. Acum, că efectul prenadezului trecuse cu totul, durerea fizică luase locul halucinațiilor. Peri se apropie de el, simțind cum îi zvâcnește sângele în urechi, îngrozită de ce făcuse. Dacă fiică-sa n-ar fi apărut chiar atunci, s-ar fi oferit să-l ajute.

— Mamă, ce s-a întâmplat?

Iute ca o săgeată, Peri s-a întors. Și-a venit în fire, străduindu-se din răsputeri să-și adune gândurile.

— Iubito... de ce nu m-ai așteptat în mașină?

— Cât puteam să mai aștept? răspunse Deniz, însă orice reproș pe care-l avea în minte dispăru instantaneu. O, Doamne, sângerezi. Ce naiba s-a întâmplat? Ești OK?

— Sunt bine, zise Peri. Ne-am cam încăierat.

Vagabondul, acum tăcut ca un mormânt, se ridică nesigur pe picioare și se împletici până într-un colț, fără să le mai bage în seamă. Mama și fiica ridicară geanta și cât de multe dintre lucrurile dinăuntru reușiră să găsească.

— De ce nu pot să am și eu o mamă ca toată lumea? mormăi Deniz ca pentru sine, pescuind cardurile bancare de pe jos.

Era o întrebare la care Peri nu știa ce să răspundă, așa că nici măcar nu încercă.

— Hai să mergem, zise Deniz.

— Stai o secundă!

Peri își roti privirea în jur, căutând poza polaroid, însă părea să fi dispărut.

— Hai odată! țipă Deniz. Ce-i cu tine?

Lăsând străduța în urmă, se întoarseră grăbite la mașină. Printr-o minune, Range Roverul Monte Carlo Blue le aștepta, nu-l furase nimeni.

Restul drumului îl făcură în tăcere: fiica pigulindu-și unghiile, mama cu ochii ațintiți la drum. Abia mai târziu avea să-i treacă prin minte lui Peri că nu-și recuperase mobilul. Poate că vagabondul îl ținea încă în buzunar; poate căzuse în timpul încăierării lor și acum clipea și suna undeva pe străduța aia - alt strigăt neauzit în Istanbul.

Grădina

Istanbul, anii '80

Prima oară când îl văzuse pe „copilul ceţurilor", Peri avea opt ani. Şi întâlnirea aceea avea s-o schimbe pentru totdeauna, împletindu-se cu viaţa ei ca un lujer de viţă cu un puiet. Totodată, urma să fie începutul unei serii de experienţe care, deşi familiare prin similaritatea lor, aveau să devină nu mai puţin înfricoşătoare de-a lungul anilor.

Spre deosebire de majoritatea caselor de prin vecini, cea în care locuia familia Nalbantoğlu era înconjurată pe toate patru laturile de o grădină luxuriantă. În cea mai mare parte din timpul pe care şi-l petreceau afară stăteau în spate. Acolo atârnau pe aţă ardei roşii, vinete şi bame ca să se usuce la soare, pregăteau nenumărate borcane cu sos de roşii picant şi fierbeau capete de oaie în ceaun de Eid al-Adha. Peri se străduia din răsputeri să nu se uite la ochii oii, larg deschişi şi ficşi. I se punea un nod în gât la gândul că cine mânca ochii ăia înghiţea în acelaşi timp şi groaza care se citea în ei înainte de tăiere. Asta îi stârnea o tulburare îndoită, fiindcă ştia că tatăl ei avea să mănânce acea delicatesă în seara aia, la aperitiv.

Tot aici păstrau lâna neprelucrată pe care o scărmănau, o spălau şi o băteau cu drângul şi o îndesau în saltele. Din când în când, nişte puf se desprindea şi se lăsa uşurel pe umărul cuiva, ca o pană căzută dintr-un porumbel împuşcat.

Când Peri îi mărturisise tatălui ei că lâna îi amintea de păsări moarte şi că ochii de oaie o priveau acuzator, Mensur zâmbise şi o sărutase pe obraz. „Nu fi aşa de sensibilă, *canimin içi**, nu lua viaţa prea în serios" – de parcă el ar fi fost altfel.

Un gard de lemn nevopsit – cu scânduri atât de depărtate încât semăna cu o gură ştirbă – despărţea curtea lor de lumea de-afară. Dintre toate activităţile desfăşurate în grădină, preferata lui Peri, după jocurile pe care le încingea cu ceilalţi copii, era ziua spălării covoarelor. Cât îşi dorea să vină iar ziua aia, lucru care se întâmpla o dată la câteva luni. Vremea trebuia să fie blândă – nici prea uscată, nici prea umedă –, covoarele trebuiau să fie îndeajuns de murdare şi toţi oamenii în cea mai bună stare de spirit.

Într-o astfel de zi, toate covoarele şi carpetele erau rulate şi târâte afară, apoi întinse unele lângă altele pe iarbă. Covoare înnodate, ţesute manual sau mecanic – erau vreo douăsprezece de spălat. Adânciţi într-un univers de noduri simetrice, medalioane centrale şi simboluri tainice, copiii de pe strada Poetul mut ţopăiau de colo-colo în hohote de râs ascuţite, plutind cu covoarele lor zburătoare pe oceane şi oprindu-se în porturi.

Între timp, în alt colţ, într-un cazan de fontă descoperit, nişte apă fierbea pe un foc în aer liber. Femeile luau apa în lighene şi o turnau pe covoare ca să înmoaie ţesătura. Apoi le săpuneau, le frecau zdravăn cu peria şi le clăteau. Iar şi iar. Nu toate femeile luau parte la corvoadă. Mama lui Peri, de pildă, stătea deoparte, găsind treaba aia prea plictisitoare şi prea murdară pentru gustul ei. Altele, curajoase şi harnice, îşi sumeseseră deja şalvarii şi fustele, îmbujorate de importanţa misiunii, cu părul scăpat de sub basmale, bătucind cu picioarele goale covoarele miţoase de parcă ar fi mers printr-un câmp de orz verde.

În orele următoare copiii construiau castele din noroi, prindeau muşte cu ajutorul unor cutii de chibrituri murdărite cu marmeladă, mâncau caise (şi le spărgeau sâmburii) şi pepene (şi îi uscau seminţele), îşi făceau coroane din crenguţe de pin sau fugăreau o pisică roşcată care era fie prea grasă, fie cu burta

---

* Miezul sufletului meu (tc.) (n.a.).

la gură. După aceea nu mai aveau ce face, și numai o treime din covoare erau curățate în întregime. Unul câte unul, prietenii lui Peri plecau acasă, pentru a se întoarce mai târziu. Cum aceea era grădina casei ei, ea rămânea.

Era o zi frumoasă, caldă și senină. Turnat, lipăit - vântul aducea o mulțime de zgomote al apei. Femeile bârfeau, chicoteau și cântau. Cineva făcea glumea deocheate, pe care Peri nu le înțelegea, deși ghicea că sunt necuviincioase după încruntarea de pe chipul mamei ei.

După-amiază, spălătoresele de covoare făceau o pauză ca să ia prânzul. Scoteau mâncarea pregătită de-acasă - sarmale în foi de varză, *börek*[1] cu brânză feta, castraveți murați, salată de bulgur, chiftele, cornulețe cu mere... Aduceau afară o tavă mare și rotundă, pe care fiecare fel era așezat printre grămezi de lipii și pahare cu *ayran*, alb și spumos ca hălcile de nori primite din mâinile unui zeu generos.

Lihnită, Peri a înhățat un *börek* de pe farfurie. Abia mușcase din el, că un țipăt disperat a străpuns aerul. Maică-sa, în graba și zăpăceala ei, dăduse peste cazanul în clocot, reușind doar printr-o minune să nu-l răstoarne pe ea. Însă își opărise brațul stâng de la cot până în vârful degetelor. Lăsând baltă ce făceau în clipa aia, femeile au alergat s-o ajute pe Selma.

— Turnați-i apă rece pe braț! a zis cineva.

— Pastă de dinți! Ungeți-i arsura cu pastă de dinți.

— Oțet, așa i-am vindecat arsurile mătușă-mii. Și-ale ei erau mai rele, a zis altcineva.

Cum toată lumea se repezea înăuntru să-i dea Selmei cele mai bune îngrijiri, Peri a rămas singură în grădină. O rază de soare îi cădea peste față, o gâză zumzăia căutându-și somnoros drumul prin preajmă. Sub un smochin de pe partea cealaltă a străzii, zări pisica roșcată, cu ochii de jad mijiți astfel încât aduceau cu două simple despicături. I-a trecut prin minte să-i dea

1. Produs de patiserie din aluat pufos, umplut cu brânză, spanac sau carne, specific bucătăriei turcești.

ceva de mâncare. Înhățând o chiftea, a sărit peste gard și într-o clipă s-a trezit afară.

— Cum te cheamă, fetițo?

Peri s-a întors și a dat cu ochii de un tânăr îmbrăcat într-o cămașă în pătrățele albe și roșii și niște blugi ce păreau că nu fuseseră spălați niciodată. Bereta părea gata-gata să-i alunece de pe cap. Întâi n-a răspuns, fiindcă avea destulă minte ca să nu vorbească cu străinii. Dar nici n-a fugit. Bereta o intriga, îi amintea de afișul din camera lui Umut. Poate că străinul era un revoluționar. Poate că auzise de fratele ei – și de soarta lui. A hotărât că dacă nu-i spunea adevărul nu însemna că-i dădea informații. Așa că a răspuns:

— Mă cheamă Rosa.

— O, n-am mai cunoscut nici o Rosa până acum, a zis el cu fața înclinată spre soare. Și-ncă una foarte drăguță. Ai să frângi o groază de inimi când te faci mare.

Peri n-a răspuns, deși ceva se mișca înăuntrul ei, o mică umflătură de senzualitate, o forță ce nu se trezise încă, pe jumătate încântată, pe jumătate dezgustată de compliment.

— Văd că-ți plac pisicile, a urmat el.

Vocea îi era șoptită, încordată. Mai târziu, mult mai târziu, Peri avea s-o asemene cu boaba de fasole pe care-o ținea într-o bucată de vată umedă pe pervazul ferestrei. La fel ca boaba aceea de fasole, vocea străinului se ascundea, se schimba, încolțea.

— Am văzut o pisică după colț. A născut cinci pisoiași, din câte se pare. Sunt așa de micuți și de drăguți, ca niște șoareci. Au ochii roz.

Făcând pe nepăsătoarea, Peri i-a întins pisicii ultima bucată de chiftea.

Bărbatul a mai făcut un pas spre ea: mirosea a tutun, sudoare și pământ reavăn. S-a lăsat pe vine și i-a zâmbit. Acum erau la fel de înalți.

— Ce păcat că mama lor o să-i înece!

Peri și-a ținut răsuflarea. Pe câmp, unde hoinăreau câinii fără stăpân și pășteau câteva capre, era un bazin pe care nu-l folosea nimeni fiindcă de câte ori ploua şi nivelul creştea mai mult de zece centimetri era contaminat de ape menajere. A aruncat o privire într-acolo, aşteptându-se pe jumătate să vadă leşuri de pisoi plutind pe apă.

— Pisicile fac asta, a zis bărbatul oftând.

Peri nu s-a putut abţine să întrebe:

— De ce?

— Nu le plac ochii roz, a răspuns el. (Ai lui erau căprui-deschis, cu cearcăne mari dedesubt şi foarte apropiaţi pe faţa colţuroasă.) Se tem că au dat naştere unor fiinţe ciudate, ca puii de vulpe. Aşa că-i omoară.

Peri s-a întrebat dacă puii de vulpe au ochii roz şi, în caz că da, ce cred mamele lor despre asta. La ei în familie, ea era singura care avea ochii verzi şi se simţea norocoasă că nimeni nu vedea o problemă în asta, până acum.

Bărbatul, băgând de seamă uluirea fetiţei, a mângâiat pisica pe cap înainte să se ridice.

— Mai bine mă duc să văd ce fac pisoii. Au nevoie de cineva să-i îngrijească. Vrei să vii cu mine?

— Cine? Eu? a exclamat ea, neştiind ce altceva să spună.

Bărbatul şi-a ţuguiat buzele, întârziind cu răspunsul, de parcă ea ar fi propus să-l însoţească.

— Poţi să vii, dacă vrei. Dar sunt foarte micuţi. Promiţi că ai grijă să nu-i răneşti?

— Promit, a răspuns ea cu seninătate.

Undeva s-a deschis o fereastră – o femeie a strigat în vânt, ameninţându-şi fiul că dacă nu vine acasă la prânz în clipa aia o să-i rupă picioarele. Bărbatul, dintr-odată nervos, s-a uitat în dreapta şi-n stânga. Faţa i s-a îngustat când a zis:

— Nu trebuie să fim văzuţi împreună. Eu o să merg înainte, iar tu ţine-te după mine.

— Unde-s pisoii?

— Nu sunt departe, dar e mai bine să mergem cu maşina mea. Am lăsat-o chiar după colţ.

A fluturat vag dintr-o mână şi pe urmă a iuţit pasul.

Peri a început să se ţină după bărbat, care şchiopăta vizibil. Deşi în adâncul sufletului avea presimţiri negre gândindu-se la ce face, era prima decizie pe care o lua fără părinţii ei şi cea mai apropiată de senzaţia de libertate.

Curând, după ce-a aruncat o privire evazivă peste umăr, bărbatul a ajuns la maşină şi s-a aşezat pe scaunul şoferului, aşteptând-o.

Peri s-a oprit, alarmată de ceva mai mult fizic decât intuitiv. S-a înfiorat de parcă un vânt îngheţat ar pătruns-o până la piele. Dar ce o speria mai tare era ceaţa care se lăsase din senin. O perdea de ceaţă – straturi peste straturi de cenuşiu, ca nişte valuri de stofă desfăşurate în prăvălia unui negustor de pânzeturi. Ceaţa a făcut-o să nu mai ştie, pentru o clipă, unde se ducea şi de ce. Desluşea în apropiere silueta lăptoasă a unui copac, însă lumea ce se întindea în spatele ei nu se mai vedea – nici măcar bărbatul, aflat la doar câţiva paşi depărtare.

În norul cenuşiu, Peri a zărit cea mai stranie privelişte: un copil cu faţa bucălată, senină, încrezătoare. O pată vineţie se întindea pe unul din obraji în jos spre falcă. Din colţul gurii îi curgea ceva, de parcă tocmai ar fi vărsat puţin.

— Peri, unde eşti? s-a auzit strigând vocea maică-sii, plină de spaimă, din casa vişinie.

N-a putut să-i răspundă. Inima îi pulsa în gâtlej pe când se uita, clipind uluită, la copilul ceţurilor. *Trebuie să fie un duh, un djinn*, s-a gândit. Auzise de ei – făpturi făcute din foc fără fum. Se aflau aici cu mult înainte ca Adam şi Eva să fie azvârliţi din Grădina Raiului, aşa că – istoric vorbind – pământul era al lor. Oamenii, care veniseră mai târziu, erau invadatorii. Djinnii trăiau în locuri îndepărtate – munţi înzăpeziţi, peşteri întunecoase, pustietăţi aride –, însă adesea se strecurau în oraş, pripăşindu-se prin haznale împuţite, pivniţe murdare, cripte mucegăite. Fiindcă cutreierau în voie, trebuia să păşeşti cu grijă; de călcai pe vreunul dintre ei din greşeală, sigur sfârşeai prost, probabil paralizat. Poate că asta i se întâmplase şi ei. Abia se putea mişca.

— Peri, răspunde! a strigat Selma.

Copilul ceţurilor s-a tras înapoi, de parcă i-ar fi recunoscut glasul. Cenuşiul a început să se risipească. La fel şi copilul însuşi, puţin câte puţin, ca o ceaţă matinală sub razele soarelui care se înalţă pe cer.

— Sunt aici, mamă! a răspuns Peri răsucindu-se pe călcâie şi fugind cât de repede putea înapoi spre grădina lor.

După aceea a întrebat pe toată lumea de prin cartier dacă ştia ceva despre nişte pisoi cu ochii roz. Nu ştia nimeni nimic.

*

Mai târziu, mult mai târziu în viaţă, Peri a înţeles că foarte puţin lipsise ca să devină subiectul unui articol de ziar. Fără nume, în afară de iniţialele tipărite: N.N.; poza ei cu ochii acoperiţi cu o bandă neagră. Putea să apară acolo, alături de ştiri despre un atac mortal asupra unui cap al mafiei din Istanbul; ciocnirea dintre armata turcă şi separatiştii kurzi într-un târguşor de la graniţa de sud-est şi decizia curţii de-a interzice *Tropicul Capricornului* de Henry Miller. Toţi oamenii din ţară aveau să citească în amănunt despre răpirea ei, bătând în lemn, clătinând din cap, ţâţâind din buze, şi aveau să-i mulţumească lui Dumnezeu că era copilul altcuiva, nu al lor.

Şi-a numit salvatorul „copilul ceţurilor" şi după aceea a lăsat-o baltă, nefiind în stare sau nevrând să înţeleagă de unde apăruse. Dar vedenia revenea întruna, în cele mai neaşteptate perioade ale vieţii ei. Apărea nu numai când se afla în pericol, ci şi în momente cu totul obişnuite. Înăuntru sau afară, dimineaţa sau noaptea, ceaţa putea să se lase oricând şi oriunde, înconjurând-o din toate părţile, de parcă ar fi vrut s-o facă să recunoască, o dată pentru totdeauna, cât de singură era.

Mulţi ani mai târziu, tocmai acest secret avea să-l îndese în valiză când, la nouăsprezece ani, pleca pentru prima oară la Oxford. Nu aveai voie să aduci în Anglia carne sau produse lactate din afara ţărilor europene, însă nimeni nu-ţi interzicea să-ţi aduci cu tine temerile şi traumele copilăriei.

Hogea

Istanbul, anii '80

O săptămână mai târziu, Peri și-a făcut curaj să-i dezvăluie tatălui ei secretul.

— Zici că vezi lucruri? a întrebat Mensur cu o revistă de rebusuri îndoită pe genunchi.

— Nu lucruri, *baba*. Un singur lucru, a răspuns Peri. Un copil.

— Și unde anume e copilul ăsta?

Peri a roșit.

— În aer, de parcă ar pluti.

O clipă, fața lui a rămas lipsită de expresie.

— Ești fetița mea deșteaptă, a zis în cele din urmă. Vrei să ajungi ca maică-ta? Atunci, n-ai decât, umple-ți capul cu prostii. Mă așteptam la mai mult de la tine.

Ea și-a simțit inima grea. Hotărâtă să nu-l dezamăgească niciodată, a renunțat. Nu era atât de greu. La urma urmei, nu atinsese năluca și, chiar dacă o văzuse, iar mai târziu avea s-o și audă, nu se putea încrede în propriile simțuri, fiindcă întreaga experiență fusese mai mult decât ciudată. După metoda empirică a tatălui ei, copilul cețurilor nu exista. Totul era în capul ei, a conchis Peri, însă când trebuia să spună de ce, nu-i venea în minte nici o explicație plauzibilă.

— Lumea civilizată, Pericim, n-a fost clădită pe credințe neîntemeiate. Ci pe știință, rațiune și tehnologie. Tu și cu mine aparținem acelei lumi.

— Știu, *baba*.

— Bine. Atunci nu mai vorbi despre asta. Și nu-i sufla un cuvânt maică-tii, niciodată.

Totuși era inevitabil. Dacă fizica tatălui ei avea legile sale universale, la fel se întâmpla și cu psihologia umană. Dacă îi spui cuiva să nu descuie a patruzecea ușă sau să nu arunce o privire în vreun cufăr, ușa o să fie cu siguranță descuiată, cufărul o să fie cu siguranță spart. Ca să fim drepți, Peri și-a ținut promisiunea cât de mult a putut, însă când i s-a arătat din nou copilul cețurilor a dat fuga la maică-sa s-o ajute.

— De ce nu mi-ai spus înainte? a întrebat-o Selma cu fruntea încrețită de îngrijorare.

Peri și-a înghițit nodul din gât.

— I-am spus tatei.

— Lui taică-tu? Ce știe el? a pufnit Selma. Ascultă, pare să fie lucrătura unui djinn. Unii sunt drăguți, alții - de o răutate fără margini. *Coranul* ne avertizează împotriva pericolului. Djinnii ar face orice ca să pună stăpânire pe un om - mai ales pe o fată. Femeile sunt mult mai vulnerabile la atacurile lor. Trebuie să fim atente.

Selma s-a aplecat și i-a dat fiică-sii un zuluf după ureche. Gestul, simplu și afectuos, a stârnit un val de tandrețe înăuntrul lui Peri.

— Ce-ar trebui să fac? a întrebat ea.

— Două lucruri. Mai întâi, să-mi spui întotdeauna adevărul. Allah vede orice minciună. Iar părinții sunt ochii Lui pe pământ. Apoi, trebuie să găsim un exorcist.

A doua zi dimineață, s-au dus împreună la un hoge căruia i se dusese vestea pentru puterile lui de a-i scăpa pe îndrăciți de duhurile rele. Un bărbat zdravăn, cu mustață neagră subțire și voce răgușită. Ținea în mână un rozariu de onix pe care îl răsucea încet cu degetul mare. Capul imens nu se potrivea deloc cu restul trupului - de parcă ar fi fost înfipt deasupra în grabă, mai târziu, iar cămașa îi era încheiată până sus, atât de strâns că-i înghițise gâtul.

Uitându-se iscoditor la Peri, a întrebat-o despre obiceiurile ei legate de mâncat, joacă, învăţat, dormit şi mers la toaletă. Sub privirea lui scrutătoare, copila s-a simţit dintr-odată stânjenită, însă nu s-a mişcat de pe scaun şi a încercat să-i răspundă cât mai bine, cu toată seriozitatea. Hogea a întrebat-o dacă a omorât de curând vreun păianjen sau vreo omidă sau vreo şopârlă sau vreun gândac sau vreun cosaş sau vreo buburuză sau vreo viespe sau vreo furnică. La cea din urmă, Peri a şovăit. Cine ştie? Poate călcase pe vreo furnică – sau, mai rău, pe vreun muşuroi. Hogea a adeverit că djinnii, înşelători cum sunt, pot lua formă de insecte şi, dacă îi striveşti fără să rosteşti numele lui Allah, te trezeşti posedat pe loc.

Spunând toate astea, hogea s-a întors spre Selma.

— Dacă fata era învăţată să nu iasă din casă fără să rostească Fatiha*, nu s-ar fi întâmplat aşa ceva. Eu am cinci copii şi nici unul dintre ei n-a fost sâcâit de djinni. De ce? Simplu, pentru că ştiu să se apere. N-ai învăţat-o nimic, sora mea?

Selma şi-a mutat iute privirea de la bărbat la fiica ei şi înapoi.

— Am încercat, dar nu mă ascultă. Tatăl ei e o influenţă proastă.

— Asta n-are nici o legătură cu el..., a protestat Peri. Apoi a adăugat pe un ton liniştit: Şi ce-i de făcut acum?

În loc de răspuns, exorcistul a apucat-o de umeri, s-a aplecat spre ea, aproape lipindu-şi faţa de a ei pentru o clipă care i s-a părut cât o veşnicie, şi a şuierat:

— Oricare ţi-ar fi numele, tot o să-l aflu. Şi-atunci o să fii sclavul meu. Ştiu că eşti un duh necurat. Ticălos răzbunător! Ieşi din trupul fetei ăsteia nevinovate. Te previn!

Peri a închis ochii. Degetele bărbatului şi-au slăbit strânsoarea pe umerii ei. A stropit-o cu apă de trandafiri pe cap, rostind rugăciuni ca să alunge răul. A rugat-o să înghită nişte hârtiuţe cu litere arabe pe ele, iar cerneala i-a colorat limba într-un albastru atât de intens, încât avea să ţină zile întregi. Nu s-a întâmplat

---

* Prima sură din *Coran* (n.a.).

nimic. În noaptea aia, la sfaturile hogii și la insistențele mamei ei, Peri și-a petrecut o oră singură în grădină, tresărind la cel mai mic zgomot, o mogâldeață de spaimă în lumina chioară a felinarului de pe stradă. Iar în dimineața următoare au trimis-o să alunge o haită de câini vagabonzi. În schimb, câinii au alergat-o pe ea.

— O, djinnule, îți mai dau o șansă, a zis exorcistul când au fost la el a doua oară. (Ținea în mână un băț lung făcut dintr-o creangă uscată de salcie.) Fie ieși de bunăvoie, fie te bat de-ți sună apa-n cap.

Până să înțeleagă Peri ce auzise, bărbatul i-a altoit una peste spinare. Copila a țipat.

Selma a pălit.

— Chiar e nevoie de-așa ceva, efendi?

— E singurul leac. Djinnul trebuie speriat. Cu cât stă mai mult în trupul ei, cu atât devine mai puternic.

— Da, dar... Nu pot să îngădui asta, a protestat Selma cu buzele strânse într-o linie subțire. Trebuie să plecăm.

— Cum vreți, a zis hogea pe un ton nepăsător. Dar te previn, sora mea, copila e înclinată spre întuneric. Chiar dacă scăpați de djinn acum, poate să cadă în puterea altuia la fel de ușor cum respiri. Fii cu ochii pe ea.

Mama și fiica, mai speriate de exorcist decât de orice djinn imaginabil, au ieșit în grabă din casă – însă nu înainte ca Selma să plătească o sumă grasă.

— Nu-ți face griji, o să fiu bine, a liniștit-o Peri când au ajuns în stația de autobuz. (O ținea pe maică-sa de mână, simțindu-se oarecum vinovată.) Mamă, ce-a vrut să spună când a zis că sunt înclinată spre întuneric?

Selma părea tulburată, nu atât de întrebarea lui Peri, cât de propria ei neputință de a-i da un răspuns.

— Așa sunt unii oameni, din naștere. Cred că asta explică lucrurile pe care le făceai când erai mică...

A tăcut și ochii i s-au umplut de lacrimi.

Neştiind ce voia să spună maică-sa, Peri s-a temut că făcuse ceva foarte, foarte greşit.

— O să fiu cuminte, promit.

Altă promisiune pe care se străduise din răsputeri s-o respecte din ziua aceea. Ascultătoare, avea să rămână fidelă aşteptărilor mamei şi tatălui ei, mergând înapoi pe propriile urme până în punctul când se abătuse de la rutină, mereu atentă să nu creeze surprize sau incidente şocante. Avea să fie cât de ştearsă şi de paşnică cu putinţă.

Selma a sărutat-o pe frunte.

— *Canim**, să sperăm că toată treaba asta s-a terminat. Dar ai grijă, s-ar putea să se repete! Dacă se întâmplă, trebuie să-mi spui. Djinnii sunt foarte răzbunători.

Chiar s-a repetat, însă - fiind deja păţită - Peri n-a pomenit nimic nimănui. Maică-sa era prea superstiţioasă, iar taică-su prea raţional ca să-i poată fi de vreun ajutor într-o asemenea problemă de domeniul fantasticului. Selma punea orice lucru, oricât de vag nefiresc, chiar ieşit numai puţin din obişnuit, pe seama religiei, pe când Mensur îl punea pe seama nebuniei pure. Cât despre Peri, prefera să nu încline în nici o parte.

Cu cât îşi analiza mai atent opţiunile, cu atât era mai convinsă că trebuie să-şi ţină viziunile pentru sine. Oricât de tulburătoare ar fi fost, le accepta ca pe o ciudăţenie a vieţii, ca pe o musculiţă zburătoare[1], o chestie care nu dispărea şi o deranja doar când o conştientiza, nelăsându-i altă alegere decât să înveţe să trăiască cu ea. Aşadar, copilul ceţurilor, fie că era djinn sau cu totul altceva, a fost înmagazinat într-un cotlon al minţii - o enigmă nerezolvată.

Ani mai târziu, nu cu mult înainte să plece la Oxford, avea să scrie în jurnalul ei dedicat lui Dumnezeu: *Chiar nu există altă cale, alt loc pentru lucrurile care nu intră nici în categoria*

---

* Viaţa mea (tc.) (n.a.).

1. Miodezopsie - depunere apărută în umoarea vitroasă a ochiului, de regulă transparentă, ce stânjeneşte vederea.

credinței, nici în a necredinței – nici într-a religiei pure, nici într-a rațiunii pure? O a treia cale pentru oameni ca mine? Pentru aceia dintre noi care găsesc dualitățile prea rigide și nu vor să li se conformeze? Fiindcă trebuie să mai fie și alții care simt ca mine. E ca și cum aş căuta un nou limbaj. Unul subtil, pe care nu-l mai vorbește altcineva în afară de mine...

Acvariul

Istanbul, 2016

Era nouă fără un sfert seara când mama și fiica ajunseră la conacul de pe malul mării. Balcoane din fier forjat, trepte din marmură albă, havuzuri din mozaic, camere de supraveghere high-tech, porți electrificate, garduri cu sârmă ghimpată. Conacul semăna mai puțin cu o casă și mai mult cu o insulă, o citadelă somptuoasă care se izolase de oraș, dacă nu cumva era invers. Proprietarii luaseră toate măsurile de siguranță ca nici un telal, nici un hoț, nici un criminal și nici un ins cu un altfel de stil de viață să nu le treacă pragul.

Peri își ținea mâna dreaptă rănită lipită de piept, manevrând volanul cu stânga. Pe drum se opriseră la o farmacie și îl rugaseră pe farmacist, un bărbat între două vârste cu mustață căruntă, să-i panseze tăietura din palmă. Când el o întrebase cum se alesese cu tăietura aceea, Peri îi răspunsese din senin: „Tăind legume. Așa se întâmplă când gătești pe fugă".

El râsese. Farmaciștii din Istanbul sunt niște oameni înțelepți. Nici nu lasă vreo minciună nedescoperită, nici nu cercetează adevărurile incomode. Prostituate cu răni făcute de clienți, de pești sau chiar de ele; femei bătute de soți; șoferi loviți de alți șoferi – cu toții puteau să intre într-o farmacie și să-și toarne minciunile, știind sigur că, chiar dacă n-o să fie crezuți, cel puțin nu o să-i ia nimeni la întrebări.

Peri se uită la bandaj și se strâmbă zărind pata stacojie ce trecuse prin tifon. Ar fi preferat să-l dea jos înainte de petrecere, ca să evite întrebările complicate, însă durerea, sângele și riscul de infectare o făcură să se răzgândească.

De cum opriră la poartă, se ivi un paznic voinic, în costum închis la culoare și învăluit într-un nor de aftershave. Pe când el parca mașina, Peri și Deniz străbătură grădina îngrijită, cu bolți de viță. Un vânt ușor înfiora frunzele platanilor.

— Iubito, n-ar fi trebuit să alerg după bărbatul ăla. Ce-o fi fost în capul meu? zise Peri, rupând tăcerea.

Cu mâna teafără o atinse foarte ușor pe fiica ei, de parcă fata s-ar fi putut sparge, furia ei fiind de sticlă. Fuseseră atât de apropiate – mai demult avuseseră propriul limbaj secret. Acum îți venea greu să crezi că era aceeași fată care se cutremura de râs la glumele ei prostești și care o ținea de mână când vreun personaj din filmele Disney vărsa lacrimi. Copila aceea dulce dispăruse, lăsând-o în loc pe străina asta. Transformarea – fiindcă Peri nu găsea alt cuvânt mai potrivit – o luase pe nepregătite, deși citise zeci de articole care avertizau că pubertatea se instala din ce în ce mai devreme, mai ales la fete. Fusese mereu hotărâtă să aibă o relație mult mai bună cu fiica ei decât avusese ea cu maică-sa. Până la urmă, nu era oare aceea singura împlinire adevărată în viață: să faci o treabă mai bună decât părinții tăi, astfel încât copiii tăi să fie niște părinți mai buni decât tine? În schimb descoperim adesea că repetăm fără să ne dăm seama aceleași greșeli ca ale generației dinainte. Peri știa și că furia maschează de cele mai multe ori teama. Zise încet:

— Îmi pare rău dacă te-am speriat.

— Mamă, nu m-ai speriat, răspunse Deniz. Dar ar fi putut să te omoare!

Fiica ei avea dreptate. Vagabondul ar fi putut să-i ia viața pe străduța aia lăturalnică. Totuși, ce nu știa Deniz era că s-ar fi putut întâmpla și invers – să îi ia Peri viața vagabondului.

— N-o să mai fac așa ceva niciodată, zise ea când ajunseră la scările din fața ușii.

— Promiți?

— Promit, iubito. Doar nu-i pomeni nimic tatălui tău – o să-l faci să se îngrijoreze.

Deniz se opri - o clipă de şovăială care dispăru la fel de repede cum apăruse -, apoi clătină din cap.

— Are dreptul să ştie.

Peri se pregătea să-i răspundă, însă uşa imensă de stejar cu flori şi frunze sculptate se deschise dinaintea lor. O servitoare cu fustă neagră şi bluză albă de şifon stătea în prag, zâmbind. Din spatele ei răzbăteau sunetele şi mirosurile unui dineu în plină desfăşurare.

— Bine aţi venit. Poftiţi, vă rog.

Servitoarea vorbea cu un accent frapant - probabil moldovenesc sau georgian sau ucrainean, una dintre multele femei care lucrau prin conacele din Istanbul, în timp ce acasă copiii lor erau crescuţi de rude şi prieteni, iar soţii aşteptau să le trimită bani în fiecare lună.

— De ce m-ai adus aici? şuieră Deniz destul de tare.

— Ţi-am zis, prietena ta o să fie şi ea aici. Hai să ne bucurăm de seara asta.

Nici nu trecuseră bine pragul, că Peri îşi zări soţul făcându-şi loc spre ele printre invitaţi, cu o expresie deopotrivă neliniştită şi supărată. Sacou maro cambrat, cămaşă albă apretată, cravată albastră cu cafeniu, pantofi lustruiţi oglindă - Adnan se pusese la patru ace. Un bărbat care reuşise prin propriile forţe, pornise de foarte jos şi făcuse bani ca dezvoltator imobiliar. Spunea adesea că nu-şi datorează succesul nimănui în afară de Allah Atotputernicul. Lui Peri, oricât i-ar fi respectat munca sârguincioasă şi simţul afacerilor, nu-i era clar de ce Ziditorul l-ar fi favorizat pe soţul ei în dauna altora. Adnan era cu şaptesprezece ani mai în vârstă decât Peri, însă ei i se părea că diferenţa de vârstă devenea cea mai vizibilă când era supărat şi cutele de pe frunte i se adânceau - aşa cum se întâmpla acum.

— Unde-ai fost? Te-am sunat de cincizeci de ori!

— Scuză-mă, dragă, mi-am pierdut telefonul, răspunse Peri cu cel mai liniştitor glas de care era în stare. E o poveste lungă, dar hai să nu vorbim despre asta acum.

— Știi de ce-am întârziat, tată? zise Deniz și ochii i se luminară la vederea lui. Fiindcă mama s-a apucat să alerge după hoți!

— Ce?

Deniz își îndepărtă o șuviță de păr din ochi. Avea nasul tatălui ei, lung și ușor borcănat, și încrederea lui în sine.

— Întreab-o! adăugă ea înainte să pornească spre o fată de vârsta ei care părea plictisită de moarte în mijlocul invitaților mai în vârstă.

Dar nu era timp de explicații. Proprietarul conacului, întrerupându-și conversația cu un renumit jurnalist, veni spre ei. Era un bărbat lat în umeri, îndesat, cu chelie și față roșie, de băutor înrăit, pe care n-o brăzda nici un rid, fiindcă fiecare centimetru de piele fusese supus celor mai recente tratamente antiîmbătrânire. Când zâmbea, trăsăturile îi rămâneau neclintite, în afară de un zvâcnet ușor în colțul buzelor.

— Ai reușit să ajungi! trâmbiță omul de afaceri. (O măsură cu ochii lui albaștri sclipind de neastâmpăr.) Ce-ai pățit la mână? A încercat cineva să te răpească? E vina ta. N-ar trebui să fii așa de frumoasă!

Peri zâmbi, chiar dacă gluma o făcuse să pălească. Spera că nici el, nici altcineva n-avea să comenteze starea rochiei: ruptă la tiv, stropită cu frappucino. Din fericire, petele de sânge păreau niște stropi maronii inegali.

— Am avut un mic accident pe drum încoace, zise ea.

Fruntea lui Adnan se încreți de îngrijorare.

— Un accident?

— Nimic important, crede-mă, răspunse Peri atingând ușor cotul soțului ei - un semnal ca să nu continue cu întrebările. Se întoarse, plină de amabilitate, spre omul de afaceri: Ce casă splendidă aveți!

— Mulțumesc, draga mea. Din nefericire, avem motive serioase să credem că am fost deocheați. O nenorocire după alta. Mai întâi au plesnit țevile. Parterul a fost inundat în întregime, ne ajungea apa până la glezne. Apoi un copac din curte a fost lovit de fulger și s-a prăbușit peste acoperiș, poți să-ți închipui? Și toate în ultimele câteva luni.

— Ar trebui să aveți o *nazar boncuğu**, sugeră Adnan.

— Ei, avem ceva și mai bun. Astă-seară am invitat un medium!

— O, chiar așa? exclamă Peri, nu pentru că ar fi fost interesată de subiect, ci pentru că știa că gazda se așteaptă să spună ceva.

Avea sentimentul că interesul public pentru mediumuri și ghicitoare crescuse vertiginos în ultima vreme. Probabil nu era deloc o coincidență că, într-o țară unde instabilitatea devenise normă, toată lumea era înnebunită după profeții și previziuni – făcute cel mai adesea de femei, însă compatibile cu ambele sexe. În mijlocul acelei ambiguități politice cronicizate și acelei lipse de transparență, ghicitorii în globul de cristal, șarlatani sau autentici, căpătau un rol social, preschimbând incertitudinea într-o aparență de certitudine.

— Toată lumea spune că e fantastic, zise omul de afaceri. Tipul ăsta nu numai că vorbește cu djinnii. Le comandă. Pare-se că orice le-ar ordona să facă, ei îl ascultă. Are soții-djinn – un harem întreg! (A râs zgomotos la ultimul cuvânt, însă observând că Peri nu i se alătură, și-a ațintit privirea asupra ei.) Ce s-a întâmplat? Arăți de parc-ai fi văzut și tu o nălucă.

Peri s-a tras înapoi instinctiv. Fuseseră momente când se întrebase dacă oamenii puteau să-i citească pe chip că avea viziuni, lucruri pe care ei nu le vedeau. Din fericire, omul de afaceri nu voia să se audă decât pe el.

— Știu brokeri care se consultă cu tipul ăsta înainte să cumpere acțiuni la bursă. O nebunie, nu-i așa? Mediumul și bursa, pufni el. A fost ideea nevesti-mii. N-o învinovățiți. Biata de ea a cam luat-o razna după accident.

Știrea fusese difuzată pe toate posturile. Cu vreo șase luni în urmă, un cargou cu încărcătură uscată, de vreo sută de metri, navigând sub pavilion sierraleonez, eșuase și intrase direct în

---

* Amuletă împotriva deochiului (tc.) (n.a.).

conacul de pe țărmul mării. Distrusese digul și cerdacul lucrat cu migală dinspre sud, care data din ultimul secol al Imperiului Otoman.

Pe cerdacul acesta luase ceaiul kaizerul Wilhelm al II-lea cu un pașă faimos pentru ambițiile sale mărețe și admirația pentru cultura germană și abilitatea sa militară. Același pașă răspândise atunci zvonul că de fapt kaizerul ar fi fost musulman, fiindcă la naștere i se șoptiseră la ureche primele versete din *Coran* chiar înainte să fie pus la sânul mamei: numele lui adevărat era Hajji Wilhelm, prieten pe viață și apărător neclintit al Islamului – o etichetă convenabilă când a venit ziua ca otomanii să intre în război de partea Germaniei.

Tot pe acest cerdac istoric, un tânăr moștenitor turc îndrăgostit de o dansatoare – o rusoaică albă care fugise la Istanbul după revoluția bolșevică –, nereușind să-și convingă familia să-i accepte iubita, își pusese pistolul la tâmplă și se împușcase. Glonțul, după ce-i trecuse prin creier și îi zdrobise craniul, ieșise pe după urechea stângă și se înfipsese în zidul din spatele lui, unde avea să rămână nedescoperit vreme de treizeci de ani.

De-a lungul istoriei sale furtunoase, conacul văzuse eroi ridicându-se și căzând, imperii luând avânt și prăbușindu-se, hărți extinzându-se și restrângându-se, visuri năruindu-se ca un praf fin. Dar nu mai fusese lovit de un vas până atunci. Prora spintecase zidul, distrusese un tablou de Fahrelnissa Zeid și se oprise ca prin minune la doar un pas de candelabrul din sticlă de Murano. Acum, în amintirea acelei zile, un vas micuț de jucărie atârna de același candelabru, dându-le gazdelor ocazia să povestească întâmplarea iar și iar.

— O, aici ești! strigă o voce din spatele lor. Credeam că nu mai vii.

Era soția omului de afaceri. O zărise pe Peri când ieșea din bucătărie, după ce o bombardase pe bucătăreasă cu ordine. Purta o rochie de cocktail verde-smarald de designer, cu guler înalt și spatele gol, strânsă în talie. Pe deget îi strălucea un inel de aceeași culoare, cu o piatră cât oul de rândunică. Se dăduse cu un ruj roşu-aprins, iar părul îi era strâns atât de tare în coc, încât îi amintea lui Peri de o piele de capră întinsă pe o *darbuka**.

— Traficul..., zise Peri sărutând-o pe gazdă pe amândoi obrajii.

Era scuza care îţi aducea îndată iertarea, oricât de târziu ai fi ajuns. Odată rostită, făcea orice altă explicaţie inutilă. Peri cercetă chipurile gazdelor ca să vadă dacă funcţionase. Păreau s-o creadă, deşi soţul nu era prea convins - dar trebuia să se ocupe de el mai târziu.

— Nu-ţi face griji, scumpo, ştim cu toţii cum e, o linişti gazda privindu-i rochia, fără să-i scape vreo ruptură sau vreo pată.

— Nici n-am avut timp să mă schimb, zise Peri.

Într-adevăr, se simţea goală sub privirea ei scrutătoare, însă încerca şi o satisfacţie secretă - la o petrecere ticsită de genţi de designer şi rochii exorbitante - ştiind că şoca lumea măcar un picuţ.

— Linişteşte-te, eşti între prieteni, o asigură gazda. Vrei să-ţi împrumut o rochie de-a mea?

Peri vizualiză cum, dat fiind recordul serii, avea probabil să dea sos de roşii pe rochia femeii. Clătină din cap.

— Nu, mulţumesc, mă descurc.

— Păi, atunci vino şi mănâncă ceva, trebuie să fii moartă de foame! o invită femeia.

— Ce pot să-ţi aduc de băut? Vin roşu? Vin alb? întrebă omul de afaceri.

— Sunteţi foarte drăguţi, dar mai întâi trebuie să merg la toaletă, răspunse Peri.

Urmă o servitoare în adâncurile conacului, simţind tot timpul cum ochii soţului ei o sfredeleau din spate.

---

* Tobă din piele de capră, în formă de pocal, specifică Orientului Mijlociu (n.a.).

*

În baie, Peri încuie ușa, coborî capacul toaletei și se așeză. Trăgând adânc aer în piept, își masă o tâmplă cu vârful degetelor, frântă de oboseală. Nu avea nici energia, nici dorința să iasă și să dea ochii cu toți oamenii ăia, însă peste puțin timp își dădu seama că trebuie s-o facă. Dacă ar fi putut s-o șteargă pe fereastra de la toaletă...

Își desfăcu încet bandajul. Cuțitul îi tăiase palma de la un capăt la altul, totuși nu era o tăietură prea adâncă, nu avusese nevoie de cusături. Oricum, la cea mai mică mișcare o durea ca naiba și începea să sângereze iar. Acum, când rana zvâcnea la fiecare bătaie a inimii, nu se putea opri din tremurat. Abia în clipa asta realiza gravitatea celor întâmplate. Gura îi era uscată ca iasca. Își bandajă din nou mâna.

Când se ridică să se spele pe față, făcu ochii mari de uimire. Chiar dinaintea ei era un acvariu imens, ce imita un recif, pe care fusese așezată chiuveta. Prin bazinul de sticlă înotau zeci de pești exotici, toți în nuanțe de galben și roșu, culorile echipei de fotbal pe care o susținea omul de afaceri. Toată lumea știa că e un fan înfocat, avea o lojă privată pe stadionul echipei și îi plăcea să se pozeze cu fotbaliștii cu orice ocazie. Intenționa să devină cât de curând președintele clubului și trăsese o grămadă de sfori ca să-și atingă scopul.

Peri privi peștii în universul lor artificial, desăvârșiți și ocrotiți. De o parte și de alta a chiuvetei erau castroane pentru hamam cu motive în relief, în care fuseseră așezate prosoape de mâini perfect rulate și apretate. Împrejur, pe pardoseală, niște lumânări ardeau cu flacără înaltă, pâlpâitoare. Un amestec de arome i se strecură în nări, dulcege și siropoase. Dedesubt detectă un miros înțepător, chimic, de detergenți, care-i reamintea neplăcut de prenadezul pe care îl inhala vagabondul.

Dintr-odată, puse stăpânire pe ea o nevoie puternică de-a face ceva neașteptat și îndrăzneț. Vru să spargă acvariul, să vadă cioburi de sticlă zburând în toate părțile în timp ce peștii alunecau pe pardoseala de marmură. Aveau să pornească dând din coadă, deschizând gura după aer, pe când fiorul libertății le străbătea întreaga ființă; să patineze de-a lungul holului, să zigzagheze printre picioarele invitaților, cu lumina candelabrului oglindindu-se în solzii lor; aveau să alunece afară pe ușa din spate, să gliseze dintr-un capăt în celălalt al terasei și, chiar când începeau să se teamă că moartea e iminentă, să plonjeze în adâncul mării, unde aveau să găsească vechi prieteni și rude care stătuseră în aceleași ape, plictisiți și neschimbați.

Noii-sosiți aveau să le spună celorlalți pești cum e să trăiești în conacul mare de deasupra mării, renunțând la albastrul nemărginit pentru siguranța mesei următoare. Curând peștii fugari aveau să fie înghițiți de prădători mari, căci cum ar putea cei obișnuiți cu habitatul plin de răsfățuri din acvariul unui bogătaș să supraviețuiască în ape primejdioase? Totuși, n-ar da un singur minut de libertate pe toți anii petrecuți în captivitate.

Numai de-ar găsi un ciocan... Uneori propria ei minte o băga în sperieți.

Masa întinsă pentru micul dejun

Istanbul, anii ’90

Întemnițarea lui Umut, ca o torță aprinsă în cotloane întunecoase, a scos la iveală slăbiciunile și metehnele pe care cei din familia Nalbantoğlu le ascunseseră atât de ei, cât și de alții. Oricine i-ar fi urmărit ar fi observat gaura pe care absența lui Umut o căscase în mijlocul vieții lor, însă ei au ales să se prefacă pur și simplu că golul acela flămând nu exista. Nu era decât o coincidență că Mensur începuse să bea mai vârtos; tot o coincidență era și că Selma se gălbejise la față de nesomn după atâtea nopți de rugăciune și de nemâncare după atâtea zile de postit.

Visele lui Peri deveneau din ce în ce mai tulburătoare, țipetele ei – din ce în ce mai puternice. Dormea cu lumina aprinsă și ținea un șirag de mărgele din chihlimbar lângă pat, fiindcă citise că acesta alungă duhurile rele. Nimic nu-i era de ajutor. Visa școli care arătau ca niște închisori și paznici care aduceau vag cu mama și tatăl ei. Se pomenea năpădită de viermi și îngropată în fecale, rasă în cap, arestată și închisă pentru o crimă pe care nu știa că o comisese. Din astfel de coșmaruri se trezea întotdeauna cu inima bătând să-i spargă pieptul și avea nevoie de câteva secunde în plus ca să revină la realitate.

Mensur se schimbase. Omul care dădea pe gât câteva păhărele cu prietenii în înflăcărarea vechilor balade și a discuțiilor politice dispăruse. Acum prefera să bea singur, tăcerea devenindu-i tovarăș credincios. Multă vreme trupul lui zdravăn și sănătos n-a dat nici un semn de degradare, în afară de cearcănele de sub ochi – două semiluni întunecate pe un cer palid.

Apoi a venit inevitabilul. Dimineața, Mensur se trezea transpirat și bolnav, arătând epuizat de parcă spărsese pietre în somn. Era adesea năuc și se simțea rău. Străduindu-se din răsputeri să ascundă tremurul care pusese stăpânire pe trupul lui, rămânea distant, îngropat în tăcere, sau vorbea prea mult, incontrolabil. Compania la care era angajat a hotărât să-l scoată la pensie mai devreme când a devenit evident că nu mai era în stare să lucreze. Fără o slujbă cu care să-și ocupe ziua, își petrecea mai tot timpul acasă – o schimbare deloc bine-venită pentru soția și fiul lui mai mic. Speriat, istovit și țâfnos din orice, semăna cu un imperiu întins care lupta pe două fronturi: la vechea frontieră orientală, cu soția lui; iar la recent deschisa frontieră occidentală, cu Hakan. Pierdea pe ambele fronturi.

Se certau întruna, cu răutate, tată și fiu, un talmeș-balmeș de glasuri bărbătești, învinuiri dureroase ridicându-se deasupra mesei întinse pentru micul dejun, ca niște bancuri de pești morți ce pluteau la suprafață după o explozie cu dinamită. Aparent, din cauza celor mai mărunte lucruri – un comentariu despre o cămașă de prost gust sau despre leorpăitul ceaiului –, însă de fapt ruptura era mult mai adâncă.

Tot timpul, fără excepție, Selma îi lua partea fiului ei. Era mult mai bătăioasă când se lupta pentru copilul ei decât pentru ea. Aprigă și curajoasă, un șoim apărându-și puiul de un răpitor. Asta însemna doi contra unu. O ecuație care o silea pe Peri să fie părtinitoare și să alerge în ajutorul tatălui ei, fie și numai ca să echilibreze balanța. Totuși nu voia cu adevărat să câștige. Tot ce voia era un soi de armistițiu. O suspendare temporară a suferinței.

Curând, Hakan, care nu văzuse niciodată rostul unei bune educații, a anunțat că renunță la facultate și că nu are de gând să se întoarcă la *grajdul ăla inutil*. Peste noapte, spre mâhnirea părinților, a pus capăt vieții sale de student, mintea i s-a astupat chiar înainte de-a apuca să se destupe. Vedeau în ochii lui cât de scârbit e de propria viață și de cei pe care îi consideră vinovați de nefericirea lui.

În multe zile din lună, Hakan dădea pe-acasă doar ca să-și umple burta, să-și schimbe hainele și să tragă un pui de somn. La fel de lipsit de țintă ca un balon purtat de vânt, a încercat fără succes mai multe slujbe – până când și-a găsit o cauză printr-o gașcă de prieteni cărora le zicea Frații. Amici care aveau păreri tranșante despre America, Israel, Rusia, Orientul Mijlociu și vedeau peste tot teorii ale conspirației și societăți secrete. Se salutau adunându-și capetele laolaltă și strigând cuvinte pompoase – ca „onoare", „credință" și „dreptate". În mijlocul lor, Hakan se dovedea un elev ager. Cinismul și pesimismul noului său cerc i se potrivea. Cu ajutorul Fraților, a obținut un post la un ziar ultranaționalist. Groaznic de neglijent când venea vorba de gramatică și ortografie, era totuși bun de gură, având un talent aparte pentru retorica incendiară. A început să scrie, sub pseudonim, articole ale căror mesaje deveneau tot mai mușcătoare și mai violente. Săptămână de săptămână îi dădea în vileag pe trădătorii de țară – merele putrede care, dacă nu aveai grijă, le puteau strica pe toate celelalte din coș: evreii, armenii, grecii, kurzii, aleviții[1]... turcii nu puteau să aibă încredere în nimeni, nici într-un singur grup etnic, în afară de alți turci. Naționalismul, ca un costum lucrat pe comandă, îl prindea bine. Naționalismul îl asigura că se născuse în sânul unui neam superior, al unei rase vrednice, și că era destinat să înfăptuiască lucruri mărețe, nu pentru el, ci pentru poporul lui. Îmbrăcat în această identitate, se simțea puternic, principial, invincibil. Observând schimbarea fratelui ei, Peri avea să înțeleagă în cele din urmă că nimic nu gâdilă mai bine orgoliul decât o cauză motivată de iluzia altruismului pur.

— Credeți că aveți un singur fiu în pușcărie? În casa asta, și eu mă simt la fel ca un pușcăriaș, i-a strigat Hakan tatălui său după altă ceartă la micul dejun. Umut are mare noroc, nu trebuie să te-asculte cum ne ții predici în fiecare zi.

---

1. Ramură mistică a islamului, ai cărei adepți sunt discipolii lui Ali, ginerele lui Mahomed. Sistemul lor religios îmbină elemente ale islamului șiit și sunnit cu ale sufismului.

— Aşa zici, că frate-tu are noroc, ticălos mizerabil ce eşti? i-a strigat Mensur drept răspuns, cu glasul tremurând mai rău decât mâinile.

Peri asculta cu capul plecat, cu umerii ţepeni. O ceartă în familie aduce pe undeva cu o avalanşă iminentă: un singur cuvânt greşit şi ameninţă să se transforme în ceva atât de uriaş, încât doboară pe oricine în cale.

— Lasă-l în pace. E doar un băiat, îl bombăni Selma pe soţul ei.

— Un băiat fără minte care trăieşte pe banii lui taică-su, i-a întors-o Mensur.

— Aha, nu vrei să-ţi mănânc mâncarea, aşa-i? Bine, de-acum încolo n-am să mă mai ating de ea. (Hakan a trântit de perete coşul de pâine gol, care a sărit cât acolo ca o minge de cauciuc, firimiturile împrăştiindu-se peste tot.) Oricum, cui i-ar trebui pâinea unui beţiv?

Cuvântul nu mai fusese rostit cu adevărat până atunci. Era ceva de neînchipuit, de neretractat. Era ceva ireparabil să-l faci pe capul familiei beţiv, şi totuşi uite că se întâmplase. Hakan, neputând face faţă tăcerii care se aşternuse, s-a năpustit afară.

Selma s-a pus pe plâns. Între suspine, glasul îi urca şi-i cobora într-o litanie de văicăreli.

— Am fost blestemaţi. Toată familia! Da... e un blestem.

Vedea în nenorocirea fiului mai mare o pedeapsă şi un avertisment din partea lui Allah, susţinea ea. Pentru că nu luaseră în seamă mesajul divin, era sigură că îi mai aşteptau şi alte necazuri.

— E cel mai prostesc lucru pe care l-am auzit, a zis Mensur. De ce-ar vrea Allah să distrugă familia Nalbantoğlu? Sunt sigur că are alte lucruri mai bune de făcut.

— Allah ne încearcă în fel şi chip. Vrea să ne dea... să *îţi* dea... o lecţie.

— Şi cam care ar fi aia?

— Vezi că ai apucat-o pe căi greşite, a răspuns Selma. Până când nu îţi dai seama de asta, nici unul dintre noi n-o să mai aibă linişte.

Mensur stătea nemişcat pe scaun.

— Dacă chiar crezi că ce-a păţit Umut e lucrarea lui Dumnezeu şi că Dumnezeu are nevoie de puşcării şi torturi ca să-şi ducă la împlinire învăţăturile, atunci ceva nu-i în regulă cu tine, femeie, sau dacă nu, la naiba, atunci ceva nu-i în regulă cu Dumnezeul tău.

— *Tövbe, tövbe**..., a murmurat Selma.

Ca să abată mânia lui Allah de la ei, Selma nu mânca mai nimic zile întregi, uneori chiar săptămâni, mulţumindu-se cu pâine, iaurt, curmale şi apă. Ofrande votive, negocieri lăuntrice cu Cel de Sus. Noaptea dormea foarte puţin şi îşi umplea timpul cu singurele două lucruri care o linişteau: rugăciunea sau curăţenia. Din pat, putea să zărească stratul fin de praf de pe fiecare mobilă sau să audă termitele cum rodeau dulapurile de lemn – oare de ce nu le auzeau şi alţii? Aspirină pisată, oţet alb, suc de lămâie, bicarbonat de sodiu. Freca, clătea, peria, ceruia şi ştergea. Dimineaţa, întreaga familie se trezea într-un iz de detergenţi.

Selma se spăla pe mâini cât mai des şi cu atâta stăruinţă, încât acestea îi miroseau tot timpul a antiseptic. Aveau pielea crăpată şi sângerau pe alocuri, ceea ce îi sporea teama că s-ar putea contamina şi o făcea să le spele cu şi mai multă migală. Ca să ascundă în ce hal îi erau mâinile, a început să poarte mănuşi negre împreună cu *hijab*[1]-ul şi cu o haină neagră, lungă şi largă, ce îi ajungea aproape până la călcâie. Într-o seară, când Selma şi Peri se întorceau de la bazar, fata s-a uitat în urmă şi, pentru o clipă, nu şi-a mai zărit mama – atât de tare se contopise cu întunericul.

Mensur, umilit de înfăţişarea soţiei, îşi dorea să nu mai fie văzuţi împreună. Se ducea singur la cumpărături – la fel şi ea. Hainele ei întruchipau tot ce dispreţuise, detestase şi înfruntase la Orientul Mijlociu. Ignoranţa evlavioşilor. Convingerea că ei

---

* „Căieşte-te, căieşte-te...“ (tc.) (n.a.)

1. Văl (arabă).

mergeau pe drumul cel mai bun – doar pentru că se născuseră în cultura asta și înghițeau fără să pună întrebări orice erau învățați. Cum puteau fi atât de siguri că adevărurile lor erau superioare când știau atât de puține, dacă știau ceva, despre alte culturi, alte filosofii, alte moduri de-a gândi?

Pentru Selma, felul de-a fi al lui Mensur întruchipa tot ce o scotea din sărite: privirea condescendentă, tonul categoric, înclinarea plină de îndreptățire a bărbiei. Aroganța moderniștilor laici. Ușurința încrezută și afectată cu care se situau în afara și deasupra societății, disprețuind tradiții de secole. Cum se puteau socoti luminați când știau atât de puține, dacă știau ceva, despre propria cultură, despre propria credință?

Paralizați de groaza că trebuie să discute, soț și soție treceau unul pe lângă celălalt fără să se atingă. Dacă le lipsea iubirea, o compensau prin ură.

Între timp, Peri și-a găsit alinarea în literatură. Povestiri, romane, poeme, piese de teatru... devora toate cărțile pe care putea pune mâna la biblioteca micuță de la școală. Când n-a mai rămas nimic altceva, a trecut la enciclopedii. Citind totul de la A la Z, a ajuns să știe lucruri care, deși nu-i foloseau deocamdată în viață, ar fi putut să-i prindă bine într-o zi, spera ea. Totuși, chiar dacă nu aveau să-i folosească, continua să citească oricum, mânată de foamea de-a învăța.

Cărțile erau eliberatoare, pline de viață. Prefera să se afle mai degrabă în Țara Poveștilor decât în țara ei. Refuza să iasă din cameră în weekend și, ronțăind mere și semințe de floarea-soarelui, dădea gata un roman împrumutat după altul. A descoperit că inteligența, ca un mușchi, trebuie antrenată prin eforturi din ce în ce mai mari ca să ajungă la potențialul maxim. Nemulțumită de învățatul pe dinafară de la școală, și-a dezvoltat metode verbale și vizuale proprii ca să stocheze informații – nume latinești de plante, versuri de poezii în engleză; date ale războaielor, tratatelor de pace, ale altor războaie, fiindcă din astea erau cu duiumul în istoria otomană. Era hotărâtă să exceleze la fiecare materie, de la literatură la matematică, de la fizică la chimie. Își închipuia materiile diferite ca niște păsări tropicale ținute separat în colivii alăturate. Ce s-ar fi întâmplat dacă făcea găuri în plasa de sârmă a coliviilor și păsările ar fi putut zbura dintr-o colivie în alta, și apoi în alta? Își dorea grozav să vadă matematica ținându-i de urât literaturii, iar fizica însoțindu-se cu filosofia. Oricum, cine hotărâse că nu se puteau amesteca?

Peri și-a dat seama că obsesia pentru învățat o ținea departe de colegii ei și îi atrăgea invidia și dușmănia lor. Asta îi convenea de minune. Ca toți cei din familia Nalbantoğlu, avea o aplecare firească spre singurătate. N-o deranja că ceilalți copii îi spuneau „preferata învățătoarei", nici că nu era invitată la petrecerile fetelor populare sau la film de băieții populari. Că viața înseamnă luminare sau idealuri sau iubire – asta conta pentru ea. Nu se omorâse niciodată după distracție.

Ca fiecare paria, avea să descopere curând că nu e singură. În orice clasă erau câțiva elevi care, din diverse motive, nu se armonizau cu restul. Se recunoșteau imediat. Un paria îl ghicea pe altul: un băiat kurd ridiculizat pentru accentul lui; o fată cu păr pe față; altă fată, dintr-o clasă mai mică, ce nu-și putea controla vezica de câte ori era stresată la examene; un băiat despre a cărui mamă umbla zvonul că ar fi o stricată... Cu ei era prietenă. Totuși adevărații ei prieteni erau cărțile. Imaginația era casa ei, țara, refugiul, exilul ei.

De aceea citea și învăța, și termina în fruntea clasei, trimestru după trimestru. De câte ori încrederea ei în sine avea nevoie de un impuls, alerga la taică-su. Iar Mensur îi dădea întotdeauna același sfat: „Educația, iubito, educația o să ne salveze. Tu ești mândria familiei noastre nefericite, dar vreau să-ți continui educația în Vest! Sunt o grămadă de școli bune în Europa, însă trebuie să te duci la Oxford! O să-ți umpli mintea de cunoștințe și o să te întorci. Doar tinerii ca tine mai pot schimba soarta bătrânei noastre țări istovite".

În tinerețe, Mensur întâlnise un student de la Oxford, un excursionist, un hipiot alb ca brânza cu care s-a împrietenit imediat. Plănuia să străbată Turcia de unul singur pe bicicletă.

Se lăudase că își ține toți banii într-una din șosete ca să-i fenteze pe hoții de buzunare și pe cei de la hotel. Îngrijorat că străinul acela naiv ar putea păți ceva, Mensur insistase să-l însoțească. Traversaseră împreună peninsula Anatolia, după care britanicul cu păr bălai trecuse granița în Iran. Mensur nu știa ce se întâmplase cu el. Dar nu uitase cât de uluit fusese văzându-și propria țară prin ochii unui occidental. Atunci realizase pentru prima oară că lucrurile care lui i se păreau obișnuite nu erau neapărat la fel și pentru cei din exterior. Atunci realizase pentru prima oară că există o „lume exterioară". Acum își dorea ca fiica lui să își facă educația *acolo*. Era cea mai fierbinte dorință a sa. Peri – și sute de tineri ca ea – urma să devină o absolventă educată, idealistă, progresistă, care avea să salveze țara de la înapoiere.

Peri înțelegea și accepta faptul că unele fiice vin pe lume cu o misiune: să împlinească visurile taților. Și făcând asta, puteau să-și salveze în același timp și țara.

Tangoul cu Azrael

Istanbul, anii '90

În vara când Peri a făcut unsprezece ani, mama ei – împlinindu-și un vis îndelung amânat – a plecat în pelerinaj în Arabia Saudită. Cum fratele mai mare încă era în închisoare, iar celălalt locuia ilegal prin vreo casă părăsită de cine știe cine, ea și tatăl ei au rămas să se ocupe de toate acasă. Își făceau singuri de mâncare (chiftele și cartofi prăjiți la prânz, chiftele și spaghete la cină), spălau vasele (doar le clăteau) și se uitau la orice program TV le trăsnea. Parcă ar fi fost în vacanță, ba chiar mai bine.

În ziua când se ținea târgul din partea locului, Peri s-a trezit cu o senzație de greață. Se ținea de burtă, simțind în secret că toate chiftelele și toți cartofii ăia prăjiți îi veniseră în cele din urmă de hac. Trebuia să-i spună tatălui ei să schimbe meniul. Dar în baie o aștepta altă surpriză: pete de sânge pe chiloți. Maică-sa o prevenise că avea să se întâmple asta și că după aceea trebuia să fie mai prudentă cu băieții. *Nu-i lăsa să te atingă*. Era prea devreme! La școală, le auzise din întâmplare pe fetele mai mari plângându-se de asta: „Mi-au venit musafirii!“, ziceau fără să se jeneze prea tare. „Vrei să te uiți dacă m-am pătat la spate?“, se rugau una pe alta, grăbind pașii. În clasa ei era o fată care susținea că îi venise ciclul, însă toată lumea știa că e o minciună. Așadar Peri era prima. Crescuse prea repede în ultimul an, oricât ar fi încercat s-o ascundă. I se zisese destul de des că e drăguță încât să-și dea seama că asta cred oamenii despre ea. Dar felul în care se vedea ea era cu totul diferit. Cât își dorea să aibă părul negru ca noaptea în loc de șaten spălăcit și să fie plată ca o scândură, lucru care i-ar fi dat încredere, nu plină de rotunjimi de curând ivite. I-ar fi plăcut să fie al treilea fiu al familiei Nalbantoğlu. Oare n-ar fi avut o viață mai ușoară ca băiat?

A găsit un cearşaf de pat vechi, pe care l-a tăiat în fâșii. Dacă îl folosea cu măsură și chibzuială, nu trebuia să-i mai spună nimic mamei sale. Putea spăla, usca și folosi din nou fâșiile, cum știa că fac multe femei din țara ei. Așa ar fi reușit să ascundă adevărul până când împlinea aproape paisprezece ani, vârsta pe care o considera potrivită pentru primul ciclu. Dumnezeu făcuse o greșeală în calculele Sale divine. Peri era hotărâtă s-o îndrepte.

Două săptămâni mai târziu, Selma s-a întors acasă, arsă de soare și mult mai slabă. S-a trântit pe canapea, povestindu-le călătoria ei spre Mecca, iar vorbele îi galopau așa cum ar fi făcut caii ei de porțelan dacă ar fi avut vreun strop de viață în trup.

— Anul trecut, panica iscată într-un tunel pietonal din orașul sfânt a ucis mai mult de o mie de pelerini. Acum saudiții sunt prudenți, le-a explicat ea. Totuși nu pot preveni bolile. Mi-era așa de rău, încât credeam c-o să mor. Atunci, pe loc!

— O, mă bucur că n-ai murit. Bine că te-ai întors.

— Mulțumesc lui Dumnezeu c-am ajuns acasă, a zis Selma oftând. Dacă n-aș fi reușit, aș fi fost îngropată la Medina, aproape de Profet, pacea fie asupra lui.

— Cimitirele din Istanbul au vedere mai bună, a glumit Mensur. Aici avem briza proaspătă a mării. Dacă erai îngropată în Medina, hrăneai vreun curmal. Pe când în Istanbul poți fertiliza fisticii, teii, arțarii... Iasomia ar fi minunată. Ai fi scăldată în miresme tot anul.

Selma s-a tras înapoi la cuvintele soțului ei, de parcă ar fi fost niște tăciuni aprinși ce fuseseră scuipați, sfârâind, dintr-un foc. Speriată că s-ar putea lua din nou la ceartă, Peri i-a întrerupt:

— Ce ai în valiză, mamă? Ne-ai adus ceva?

— V-am adus toată Mecca! a venit răspunsul.

Peri și Mensur au ridicat capetele, cu fețele strălucind dintr-odată - doi copii nerăbdători. Au desfăcut pachetele unul după altul: curmale, miere, *miswak*, ape de colonie, covorașe de rugăciune, mosc, rozarii, eșarfe și Zamzam[1] la sticle mici.

— De unde știi că apa asta e sfințită - a certificat-o careva? a întrebat Mensur agitând sticla. Ar fi putut foarte bine să-ți vândă apă de la robinet.

Atunci Selma a luat sticla, a desfăcut-o și a golit-o dintr-o înghițitură.

— E Zamzam curat, mintea ta-i murdară!

— Bine, a zis Mensur ridicând din umeri.

Arătând spre o cutie, Peri a întrebat:

— Ce-i aia, mamă?

S-a dovedit a fi un ceas de perete din bronz în formă de moschee - de 50x45 cm - cu un pendul care se legăna și minarete de o parte și de alta. Selma le-a explicat că putea fi programat să arate orele de rugăciune într-o mie de orașe de pe cuprinsul lumii. Apoi l-a atârnat cu un cui în living, îndreptat spre Qibla[2], față în față cu portretul lui Atatürk.

— Nu vreau o moschee sub acoperișul meu, a zis Mensur.

— A, da? Dar eu trebuie să stau cu un păgân sub al meu, i-a întors-o Selma.

— Păi, de data asta jumătate din păcatele mele sunt ale tale. Dacă n-ai fi cumpărat chestia aia, n-aș fi hulit. Dă-o jos!

— Nici nu mă gândesc, a strigat Selma. Eu am ales-o, am plătit-o și am cărat-o tot drumul din Țara Sfântă până acasă. M-am îmbolnăvit acolo, era să mor. Sunt hagiică[3], arată-mi puțin respect!

Era prima oară când Peri își auzea mama ridicând glasul la tatăl ei. Venind din partea unei femei a cărei revoltă se rezumase ani de zile fie la o tăcere stoică, fie la vorbe tăioase rostite cu glas

---

1. Apă sfințită de la Fântâna Zamzam, aflată în incinta Marii Moschee din Mecca.
2. Direcția în care trebuie să fie orientat un musulman când își face rugăciunea.
3. Femeie care a fost în pelerinaj la Mecca.

scăzut, asta suna ca o explozie. Ceasul de perete a rămas la locul lui, deşi i se luase piuitul – o concesie care nu fericea nici una din tabere.

Tot restul zilei, Mensur s-a închis într-o îmbufnare încăpăţânată. În aceeaşi seară s-a produs o pană de curent care a ţinut ore întregi. Mensur s-a aşezat la masă şi s-a pus pe băut *rakı* mai devreme decât de obicei, între Atatürk şi ceasul de rugăciune, cu faţa palidă decupată din întuneric de flacăra unei lumânări. A spus că nu se simte bine. Ducând o mână la inimă, ca pentru a saluta o fiinţă nevăzută, a înclinat capul într-o parte şi s-a prăbuşit.

Făcuse infarct.

Peri nu avea să uite cum întunericul se adâncea minut cu minut. Sub ochii ei îngroziţi, Mensur s-a prăbuşit ca un manechin fără viaţă, lovindu-se cu fruntea de masă. A fost ridicat de vecini, care veniseră în grabă auzind ţipetele Selmei, şi întins pe sofa. Apoi, pe când era aşezat pe targă, urcat în ambulanţă, dus în grabă la Urgenţe şi băgat într-o sală de operaţie ticsită cu aparate care piuiau, singurul lucru la care se putea gândi era dacă nu cumva îl pedepsise Dumnezeu. Şi întrebarea aceea era atât de cumplită, încât nu putea fi rostită cu glas tare, trebuia înăbuşită. I-ar fi plăcut s-o întrebe pe maică-sa, plângând alături de ea, însă era înspăimântată de răspunsul pe care i l-ar fi putut da. Aşa proceda Allah? Întâi îţi îngăduia să rosteşti blasfemii şi să glumeşti fără reţinere, iar pe urmă te punca să plăteşti? Parcă abia ar fi aşteptat să păcătuieşti ca să-şi abată pedeapsa asupra ta. Oare totul era un camuflaj, un şiretlic care să ascundă răzbunarea premeditată?

O mai frământa şi alt gând stăruitor. Într-un cotlon al minţii, Peri era încredinţată că infarctul lui Mensur fusese, printr-un lanţ al cauzalităţii indirecte din univers, declanşat de ciclul ei. De ce sângerase atât de devreme şi în timp ce maică-sa era plecată? Făcuse o greşeală încercând să devină stăpâna casei. Făcuse o greşeală şi fiindcă, se gândea acum, cu cât creştea mai repede, cu atât tatăl ei putea să moară mai curând.

În sala de aşteptare de la spital, Peri şi Selma stăteau pe canapeaua ponosită. O rază firavă de lună pătrundea prin ferestre, doar ca să fie înghiţită de lumina supărătoare a neoanelor. Televizorul era deschis, fără sonor. Pe ecran, o femeie în rochie roşie cu paiete a întors roata norocului, dezamăgită s-o vadă oprindu-se la „falit". Paznicul de serviciu, un bărbat voinic cu mustaţă stufoasă şi singurul care urmărea emisiunea, a râs vesel.

— Mă duc să mă rog, a zis Selma.

— Pot să vin cu tine?

Selma s-a uitat lung la fiica ei, pe jumătate aşteptându-se la întrebarea aia.

— Păi, chiar ar fi mai bine. Allah ascultă rugăciunile copiilor.

Peri a dat din cap, ca orice fată ascultătoare. În afară de câteva rugăciuni învăţate pe de rost la şcoală, nu-şi bătuse niciodată capul cu *Salah*[1]-ul din dorinţa de a ţine partea tatălui ei în tot ce era legat de religie. Spre deosebire de rugăciunile soţiei sale, ale lui Mensur erau scurte şi lipsite de ceremonie. Folosea rar numele „Allah", preferându-l pe cel de „Dumnezeu", care are o rezonanţă mai laică. Dar acum Peri era gata să facă lucrurile în felul maică-sii. Ar fi făcut orice să-i salveze viaţa tatălui ei, chiar şi să-l trădeze.

Şi-au făcut abluţiunile la toaletă – şi-au clătit gura şi s-au spălat pe faţă, pe mâini, pe picioare. Apa era cam rece, însă Peri nu s-a plâns, privind ritualul ca pe o introducere la discuţia cu Dumnezeu. În aripa aceea a spitalului nu exista nici o sală de rugăciune, aşa că au folosit un colţ din sala de aşteptare – televizorul era încă deschis, femeia în rochie roşie cu paiete, încă hotărâtă să câştige.

Neavând covoraşe de rugăciune, şi-au întins jachetele pe jos. Peri copia tot ce făcea mama ei, ca un ecou. Aşadar, când Selma şi-a încrucişat braţele pe piept, Peri a făcut la fel. Selma s-a aplecat, s-a ridicat şi apoi s-a prosternat, atingând pământul cu fruntea – Peri a făcut la fel. Exista totuşi o diferenţă esenţială. Buzele

1. Rugăciune rituală pe care musulmanii trebuie să o rostească de cinci ori pe zi.

mamei se mişcau întruna, pe când ale fetei rămâneau neclintite. I-a trecut prin minte că lucrul acesta s-ar putea să nu fie pe placul lui Dumnezeu. O rugăciune mută e ca un plic gol. Fiindcă nimeni, nici măcar Cel de Sus, nu doreşte să primească un asemenea plic, şi-a dat seama că trebuie să spună ceva. Şi iată ce a murmurat copila după câteva clipe de gândire:

Dragă Allah,

Mama zice că veghezi tot timpul asupra mea, ceea ce-i foarte drăguţ, mulţumesc; dar e şi cam înfricoşător, fiindcă uneori vreau să fiu singură. Mama zice că auzi totul - chiar şi când vorbesc cu mine însămi, chiar şi gândurile care-mi trec prin minte - şi să vezi orice se întâmplă. Poţi să-l vezi pe copilul ceţurilor? Nimeni nu-l vede în afară de mine, totuşi sunt sigură că şi Tu eşti în stare.

Mă rog, mă gândeam că ochii noştri sunt mici şi ne ia aproape o secundă să clipim. Dar ochii Tăi sunt imenşi, aşa că trebuie să-ţi ia pe puţin o oră să închizi pleoapele - şi poate că în timpul ăsta nu poţi să te uiţi la tata.

Când mă supăr pe cineva, tata îmi spune: „Eşti doar o fetiţă, poţi să ierţi". Dacă eşti mânios pe el, Te rog să-l ierţi şi să-l faci bine din nou. E un om bun. De acum înainte, poţi să clipeşti, Te rog, de câte ori tata greşeşte?

Promit că o să încep să mă rog iarăşi. O să mă rog în fiecare seară pentru tot restul vieţii mele.

Amin

Peri, în genunchi pe jachetă, a văzut-o pe mama ei cum întoarce capul la dreapta şi la stânga şi apoi îşi trece mâinile peste faţă, încheindu-şi astfel rugăciunea, aşa că a imitat-o, pecetluindu-şi scrisoarea confidenţială.

A doua zi dimineaţă, Mensur stătea în capul oaselor în pat, rezemat de perne, şi îşi necăjea în glumă vizitatorii, iar câteva zile mai târziu ieşea din spital, cu o factură grasă în mână şi un peacemaker cu baterie în inimă. A fost sfătuit să renunţe la băutură şi să se ferească de stres – de parcă stresul ar fi fost o rudă nesuferită pe care puteai pur şi simplu să n-o mai inviţi la cină. Dar Mensur n-a vrut să asculte. După ce dansase un tangou cu Azrael, îngerul morţii, susţinea că nu are de ce să se mai teamă.

Imaginea asta fantomatică s-a strecurat şi ea în visele lui Peri – tatăl ei dansând o gigă dezarticulată cu un schelet – care s-a dovedit a fi chiar al lui.

Poemul

Istanbul, 2016

În toaleta conacului de pe țărmul mării, Peri stătea nemișcată, privindu-se lung în oglinda cu ornamente bogate. Calmul aparent pe care și-l păstrase față de fiica ei dispăruse acum, înlocuit de neliniște. Singurătatea peștilor din acvariu o ducea cu gândul la niște personaje din desene animate părăsite fără speranță pe o insulă pustie, însă cărora nici nu le trecea prin minte să caute o cale de scăpare. Oare *ea* ar fi în stare să se salveze înot? Poți să-ți schimbi tabieturile, să-ți îndrepți firea, să renunți la loialități, să rupi prietenii, chiar să te dezbari de obsesii, însă lucrul cel mai greu de schimbat în viață este atașamentul față de un loc.

Un hohot de râs izbucni de cealaltă parte a ușii. Omul de afaceri spunea o glumă, glasul lui acoperind larma. Peri nu prinse poanta, care – după reacțiile stârnite – era grosolană și deocheată.

— Of, bărbații ăștia! exclamă o femeie pe jumătate dojenitor, pe jumătate glumeț.

Peri strânse din buze. Nu fusese niciodată una dintre femeile în stare să exclame astfel încât să le audă toată lumea, și cu siguranță nu pe un asemenea ton de flirt: „Of, bărbații ăștia!".

Bărbați sau femei, o intrigau întotdeauna oamenii care își croiseră cu greu drum în viață, cu îndoieli în privire și răni nevăzute în suflet. Generoasă cu timpul ei și devotată până în măduva oaselor, se împrietenea cu acești puțini aleși cu o dăruire și o iubire de neclintit. Dar când venea vorba de oricine altcineva, adică de mai toată lumea, interesul ei se preschimba rapid în plictiseală. Presimțea că, în seara aia, plictiseala avea să-i țină tovărășie la acel dineu burghez și, ca s-o alunge, își făgădui să născocească mici jocuri – distracții doar pentru ochii ei.

Își dădu repede cu apă pe față. Dacă rujul nu i-ar fi fost strivit și cutia cu fard de pleoape nu s-ar fi pierdut pe străduța lăturalnică, i-ar fi plăcut să-și refacă machiajul. Își pieptănă repede părul cu degetele și se privi din nou în oglindă. Chipul de dinaintea ei era palid, neliniștit – de parcă un duh zbuciumat ar fi străbătut-o pe neașteptate. Deschise ușa. Spre surprinderea ei, fiică-sa aștepta afară.

— Tata se întreba unde ești.

— Trebuia să mă spăl puțin. (Peri tăcu o clipă.) Ce i-ai spus?

Zări în ochii lui Deniz o scânteie de afecțiune înainte ca nepăsarea să preia controlul.

— Nimic, răspunse fata.

— Mulțumesc, iubito. Hai să ne întoarcem.

— Stai, ai uitat asta, zise Deniz întinzându-i ceva.

Peri n-avea nevoie să se uite mai de-aproape ca să-și dea seama că era poza polaroid. O căutase peste tot pe străduța aia înăbușitoare. Probabil că Deniz o zărise prima și o strecurase în buzunar. Fiica ei o întrebă:

— Cum de n-am mai văzut poza asta până acum?

În ea apăreau patru oameni. Profesorul și studentele lui. Fericiți și plini de speranță și gata să schimbe lumea, veseli că nu știau ce le rezervă ziua de mâine. Peri își amintea ziua când fusese făcută poza. *Cea mai cumplită iarnă din Oxford de zeci de ani.* Își aducea aminte totul – diminețile în care frigul te pătrunde până în măduva oaselor, conductele înghețate, nămeții și elixirul amețitor al îndrăgostirii alergându-i prin trup. Nu se simțise niciodată mai vie.

— Cine-s oamenii ăștia, mamă?

Calmă, prea calmă, Peri zise:

— E o fotografie veche.

— De asta o ții în portofel? Lângă pozele copiilor tăi? întrebă Deniz cu glasul plin de îndoială și curiozitate. Deci cine sunt?

Peri arătă spre una dintre fete. Purta o eșarfă fucsia răsucită cu grijă ca un turban, iar ochii îi erau conturați cu o linie groasă de khol, întoarsă în sus până la sprâncene.

— Asta e Mona. O studentă egipteano-americană.

Denis o studie, tăcută și concentrată.

— Cealaltă e Shirin, zise Peri. (Privirea i se opri pe o fată cu înfățișare izbitoare, cu o claie de păr negru și cizme de piele cu tocuri înalte, machiată puternic.) Ai ei erau din Iran, dar se mutaseră de-atâtea ori dintr-un loc în altul, încât nu se mai simțea acasă nicăieri.

— Cum le-ai cunoscut?

Peri răspunse abia după câteva clipe.

— Ne-am împrietenit la facultate. Locuiam împreună, mergeam la aceleași cursuri. Am făcut același seminar, însă nu toate în același timp.

— Despre ce era seminarul?

Peri zâmbi ușor, amintirea întipărindu-i-se în fiecare linie a feței.

— Era despre... Dumnezeu.

— Uau! făcu Deniz - reacția ei obișnuită la lucrurile care n-o interesau. Bătu încet cu degetul în bărbatul înalt din mijloc. Părul blond-închis îi era ciufulit și destul de lung ca să se onduleze; ochii lui păreau să scânteieze sub beretă; bărbia îi era puternică și bine definită; avea un aer liniștit, deși nu în întregime pașnic.

— El cine-i?

O umbră de stânjeneală trecu peste chipul lui Peri, atât de ușoară încât abia o puteai observa.

— Era profesorul nostru.

— Chiar? Arată ca un student rebel.

— Era un profesor rebel.

— Există așa ceva? întrebă Deniz. Cum îl chema?

— Noi îi spuneam Azur.

— Ce nume ciudat! Şi unde eraţi aici?

— În Anglia... la Oxford.

— Ce? Cum de nu mi-ai spus niciodată că ai fost la *Oxford*? întrebă Deniz sacadând exagerat ultimul cuvânt.

Peri şovăi, neştiind ce să răspundă. Îşi dădea seama de ce nu spusese nimănui, nici măcar copiilor ei, însă nu era nici timpul, nici locul pentru dezvăluiri.

— Doar o vreme, zise cu glas stins. N-am terminat facultatea.

— Cum ai intrat?

Părea impresionată, totuşi Peri ghici şi o urmă de invidie amestecată cu ranchiună în întrebarea ei. Fiică-sa începuse să-şi bată capul cu examenele la facultate, deşi mai avea câţiva ani până atunci. Sistemul educaţional, menit să facă minţile tinere din ce în ce mai competitive, putea fi excelent pentru studenţii ca Peri, însă pentru spiritele libere ca Deniz era o adevărată pacoste.

— Poate n-o să mă crezi, dar am avut tot timpul note bune la şcoală. Tata şi-a dorit întotdeauna să am parte de cea mai bună educaţie... în Europa. M-a ajutat cu cererea de înscriere, şi îndeplineam condiţiile.

— Bunicul? întrebă Deniz, părându-i-se greu să împace imaginea bătrânului ramolit din mintea ei cu acest convingător agent al schimbării.

Peri zâmbi.

— Da, el era mândru de mine.

— Bunica nu era? întrebă Deniz detectând un conflict.

— Îşi făcea griji că o să mă pierd într-o ţară străină. Era prima oară când plecam de-acasă. Nu-i uşor pentru o mamă.

Peri trase adânc aer în piept, uimită de propria afirmaţie, uimită de înţelegerea pe care o arăta faţă de mama ei.

Deniz se gândi câteva clipe.

— Când se întâmplau toate astea?

— În jur de 11 septembrie, dacă asta îţi spune ceva.

— Ştiu ce s-a întâmplat în 11 septembrie, răspunse Deniz. Faţa i se lumină sub impulsul unei noi revelaţii şi adăugă: Deci înainte să-l cunoşti pe tata. Ai renunţat la facultate, te-ai întors la Istanbul, te-ai căsătorit, ai lăsat baltă educaţia, ai făcut trei copii la rând şi ai devenit casnică. Ce original, bravo!

— Nu încercam să fiu originală, zise Peri.

Fără să-i ia în seamă remarca, Peri îşi muşcă buza de jos.

— De ce-ai renunţat?

Iată singura întrebare la care Peri nu se simţea pregătită să răspundă. Adevărul durea prea tare.

— Era prea greu pentru mine: cursurile, examenele...

Fără un cuvânt, Deniz o privi pieziş pe maică-sa, deloc convinsă. Pentru prima oară îi trecu prin cap că femeia care îi dăduse naştere şi pe care o văzuse în fiecare zi din viaţa ei, aşteptând să-i satisfacă orice nevoie sau capriciu, ar fi putut să fie o persoană cu totul diferită înainte să se nască ea şi fraţii ei. Era un gând incomod. Până în ziua aceea, maică-sa fusese o *terra cognita*[1] căreia Deniz îi cunoştea fiecare vâlcea încântătoare, fiecare lac liniştit şi fiecare munte încununat de zăpadă. Nu-i plăcea să ştie că ar mai putea exista părţi încă nedescoperite ale acelui continent.

— Acum îmi dai poza? întrebă Peri.

— Stai puţin.

Prinzând sclipirile candelabrului în gene, Deniz îşi apropie fotografia de faţă şi îşi îngustă ochii, mai-mai să şi-i încrucişeze, aşteptând parcă să descopere vreun cod secret pe undeva. Din instinct, o întoarse şi zări scrisul preţios al cuiva care se chinuia să scrie îngrijit: *De la Shirin pentru Peri cu prietenie / Ţine minte, Şoarece, nu mă mai pot numi nici bărbat, nici femeie, nici înger sau măcar suflet pur*[2].

— Cine-i Şoarece? întrebă Deniz chicotind.

— Aşa îmi spunea Shirin.

— Ar fi ultimul fel în care ţi-aş spune!

— Păi, cred că m-am schimbat, răspunse Peri. Hai, trebuie să ne întoarcem.

---

1. Pământ cunoscut (lat.).
2. Citat din poemul *Am învăţat atâtea*, de Hafiz.

Deniz părea intrigată.

— Ce înseamnă „nici bărbat, nici femeie, nici înger..."? Ce aiureală mai e și asta?

— E doar un poem... Iubito, dă-mi poza înapoi.

În salon izbucniră aplauze și ovații. Cineva era tachinat sau provocat să facă ceva. Curioasă, Deniz îi înapoie, cu o ușoară ezitare, fotografia maică-sii și se întoarse la petrecere.

Singură pe coridor, Peri ținea strâns poza polaroid, surprinsă de căldura pe care o răspândea, de parcă ar fi fost vie. Ce ciudat e, dacă stai să te gândești, că în timp ce clipele pălesc, inimile împietresc, trupurile îmbătrânesc, promisiunile se destramă și chiar și cele mai puternice convingeri slăbesc, o poză, o reprezentare bidimensională a realității și totodată o minciună, rămâne neschimbată, veșnic fidelă.

O băgă în portofel, hotărâtă să nu se uite la nici una dintre fețe, rezistând privirii insistente a trecutului și părerii unei Peri mai tinere despre femeia care ajunsese. Își îndreptă spinarea, gata să dea piept cu ceilalți invitați, dintre care cei mai mulți nu erau, de fapt, altceva decât niște străini, și se întoarse la petrecere.

Legământul

Istanbul, anii '90

La gimnaziu, Peri a trecut prin perioade însuflețite de credință și perioade măcinate de îndoială. Fără știrea tatălui ei, și-a ținut promisiunea pe care i-o făcuse lui Dumnezeu. În fiecare seară, înainte să meargă la culcare, în cuvinte alese cu grijă, se ruga fierbinte. Își dădea toată silința. Dacă-și sacrifica îndoiala pe altarul iubirii și devenea la fel de pioasă ca toți predicatorii care strângeau prozeliți sub cerurile Istanbulului, Allah avea să fie mai mulțumit de familia ei și mai puțin aspru cu taică-su, spera fata. Un legământ irațional, cu siguranță, dar oare nu orice legământ cu Atotputernicul era așa?

Totuși, problema era că rugăciunea trebuia să fie pură, monofonă. O singură voce uniformă de la început până la sfârșit. Dar când vorbea cu Dumnezeu, mintea ei se fărâmița într-o mulțime de vorbitori, dintre care unii ascultau, alții făceau remarci spirituale, alții ridicau obiecții. Mai rău, imagini nedorite îi năpădeau mintea – legate de moarte, întuneric, violență, genocid, însă mai ales de sex. Închidea ochii și îi deschidea la loc, străduindu-se să șteargă de pe retină trupurile goale ce i se zvârcoleau în imaginație.

Chinuită de neputința de a-și ține mintea în frâu și îngrijorată că ele îi întinau rugăciunile, o lua de la capăt iar și iar, grăbindu-se să termine înainte să pună din nou stăpânire pe ea gândurile necurate. Să se pregătească pentru rugăciune era ca și când ar fi înghesuit într-un dulap toată mizeria și toate nimicurile împrăștiate aiurea înainte să viziteze Dumnezeu casa minții ei. Deși voia să apară într-o lumină cât mai bună, era extrem de conștientă de lucrurile pe care le ascunsese privirii Lui.

Dacă, în loc să se roage singură acasă, s-ar ruga în sânul unei congregații, poate ar reuși să înăbușe vocile care o mistuie, i-a trecut prin cap. Așa că, împreună cu câteva prietene cu care împărtășeam aceeași convingere, și-a luat obiceiul să colinde moscheile de prin partea locului. Adora lumina bogată ce se revărsa prin ferestrele înalte și arcuite, candelabrele, caligrafia, arhitectura lui Sinan. O supăra însă faptul că spațiile de rugăciune pentru femei erau fie departe în spate, fie la balcon, ascunse după perdele, retrase, izolate, strâmte.

În unul dintre cartiere, un bărbat între două vârste s-a ținut după ele în moschee și pe urmă în curte.

— Fetele ar trebui să se roage acasă, a zis plimbându-și privirea peste rotunjimile sânilor lor.

— Asta e casa lui Allah, e deschisă tuturor, l-a înfruntat Peri.

Bărbatul a făcut un pas spre ea, scoțându-și pieptul înainte. Trupul lui era un memento, un avertisment, o graniță.

— Moscheea nu-i destul de mare. Până și bărbații se revarsă în stradă. Nu mai e loc și pentru fete de școală.

— Deci moscheile sunt ale bărbaților? a zis Peri.

El a râs, parcă mirat că i-a putut trece prin cap c-ar fi altfel. Peri a fost dezamăgită că imamul, care auzise discuția în treacăt, nu le-a luat apărarea.

Altă dată, în Üsküdar, în spațiul de rugăciune pentru femei de la balcon, a dat la o parte perdelele ca să poată admira splendoarea moscheii în timp ce se rugau. Imediat, o femeie mai în vârstă, îmbrăcată din cap până-n picioare în negru, le-a tras la loc, bombănind mânioasă în barbă. Nu numai bărbații voiau ca femeile să rămână ascunse vederii. La fel gândeau și unele femei.

Da, încercase. Dar se căsca întruna o prăpastie între ea și preceptele religiei imprimate pe cartea ei de identitate roz. Oare cui îi venise ideea să pună o rubrică pentru religie pe cartea de identitate? Cine hotăra dacă un nou-născut era musulman sau creştin sau evreu? Cu siguranţă nu micuţul.

Dacă i s-ar fi dat voie să completeze ea însăşi rubrica pentru religie, Peri ar fi scris probabil: „Indecisă". Aşa ar fi fost mai aproape de adevăr. Dacă maică-sa urma să ajungă în rai şi taică-su în iad, ea trebuia să-şi găsească sălaş în purgatoriul aflat undeva între cele două.

Se abţinea să vorbească despre astfel de lucruri cu oamenii pioşi, fiindcă, de îndată ce observau că oscilează între îndoială şi credinţă, se încăpăţânau să încerce s-o câştige de partea lor. Puţinii atei pe care-i cunoscuse nu erau nici ei foarte diferiţi. Că o faci în numele Domnului sau al ştiinţei, nu există satisfacţie mai mare pentru orgoliu decât să converteşti pe cineva la credinţa ta. Totuşi să devină o prozelită era ultimul lucru pe care şi-l dorea Peri. Oare oamenii ăia chiar nu pricepeau că nu voia să se decidă în privinţa codului lor religios? Tot ce voia era să fie în mişcare. Dacă înclina într-o parte sau alta, se temea că o să devină altcineva şi că ăla o să-i fie sfârşitul.

A scris în jurnalul ei dedicat lui Dumnezeu: *Sunt veşnic în cumpănă. Poate că vreau prea multe lucruri deodată şi nici unul cu destulă ardoare.*

*

În ziua când Peri a absolvit şcoala prima din anul ei, ea şi taică-su au pregătit împreună micul dejun. Tăind roşii, tocând pătrunjel, bătând ouă, au făcut un *menemen*[1] atât de condimentat, că fiecare bucăţică le dădea o gaură în gură. Munceau cot la cot, în armonie, fără efort. Peri l-a urmărit pe tatăl ei cum taie o ceapă, observând cu uşurare că tremurul mâinilor parcă i se mai domolise. Dar asuda din belşug, un strat subţire de sudoare acoperindu-i fruntea. Ştia că, de-ar fi fost singur în bucătărie, şi-ar fi turnat deja un pahar.

---

1. Omletă turcească (tc.).

Pe urmă, Mensur a dus-o cu mașina până la o agenție de consultanță educațională care îi ajuta pe studenții turci să se înscrie la școli din străinătate. În ultimele luni vizitaseră de mai multe ori biroul strâmt și întunecos, stând la coadă lângă adolescenți plini de speranțe, fără să-și poată lua ochii de la fețele radioase cu care completau formularele din broșurile universităților occidentale. Din paginile lor lucioase ieșea la iveală o mare diversitate – demnă de Națiunile Unite – de studenți care păreau cu toții fericiți, fără excepție.

Pe drum s-au oprit la semaforul de lângă o moschee musulmană faimoasă pentru că fusese ridicată pe mare. Pescărușii stăteau înșiruiți pe toată circumferința domului, ca un șirag de perle.

— *Baba*, cum de n-ai fost niciodată evlavios? l-a întrebat Peri uitându-se la moschee.

— Am auzit prea multe predici aiuristice, am văzut prea mulți învățători falși.

— Și Dumnezeu? Adică, încă mai crezi că există?

— Sigur, a răspuns Mensur cam fără tragere de inimă. Dar asta nu înseamnă că înțeleg ce face.

Un cuplu de turiști – europeni după înfățișare – făceau fotografii în curtea moscheii. Femeia își acoperise capul cu una dintre eșarfele lungi puse la dispoziție la intrare. Cineva – poate vreun trecător – o avertizase probabil că rochia ei e prea scurtă, fiindcă își legase altă eșarfă în jurul mijlocului ca să-și ascundă picioarele până sub genunchi. Bărbatul, în schimb, purta sandale și bermude și nimeni nu vedea o problemă în asta.

Arătând spre ei, Mensur a zis:

— Dac-aș fi femeie, aș critica religia de două ori mai aspru.

— De ce? a întrebat Peri, deși ghicea răspunsul.

— Pentru că Dumnezeu e bărbat... Așa ne-au făcut să credem toți oamenii ăia evlavioși.

O mașină a oprit lângă ei, dinăuntru revărsându-se un cântec de Santana care-ți spărgea urechile.

— Vezi tu, inimioara mea, a continuat Mensur, mie-mi plac tradițiile sufiților Bektași[1] sau Mawlawi[2] sau Melami[3], cu omenia și umorul lor. Rinzii[4] se eliberaseră de orice fel de prejudecăți și de intoleranță – și cine își mai amintește de ei azi? Vechea filosofie a dispărut în țara asta. Și nu numai aici, ci în toată lumea musulmană. Suprimată, redusă la tăcere, ștearsă de pe fața pământului. Pentru ce? În numele religiei îl ucid pe Dumnezeu. De dragul disciplinei și autorității, uită de iubire.

Lumina semaforului s-a făcut verde. Cu câteva secunde mai devreme – nu după –, mașinile din spatele lor începuseră să claxoneze. Mensur a călcat pedala de accelerație, murmurând ca pentru sine:

— Cum or fi așteptat idioții ăștia în pântecele mamelor?

— *Baba*, religia nu-ți dă un sentiment de siguranță – ca mănușile de protecție?

— Poate, dar n-am nevoie de înc-o piele. Bag mâna în foc, mă ard; strâng gheață în pumn, mi-e frig. Așa e lumea. Toți suntem muritori. Ce rost are siguranța la grămadă? Ne-am născut singuri, murim singuri.

Peri s-a aplecat înainte, gata să spună ceva, însă glasul tatălui ei a continuat:

— Când erai mică m-ai întrebat dacă mă tem de iad.

— Și mi-ai răspuns că ai săpa un tunel până afară.

Mensur a zâmbit larg.

— Știi de ce nu mă omor după rai?

— De ce?

---

1. Ordin sufit înființat în secolul al XIII-lea de sultanul Balım.
2. Ordin sufit înființat în Konya, în secolul al XIII-lea, de discipolii poetului persan Rumi; adepții săi sunt cunoscuți și sub numele de „derviși rotitori".
3. Ordin mistic apărut în secolul al IX-lea, în Khorasan, ai cărui membri puneau mare preț pe autoculpabilizare.
4. Membri ai unuia dintre cele mai vechi și mai numeroase triburi musulmane din Belucistan, tribul Rind.

— Mă uit la oamenii care-o să ajungă acolo, ăia de se roagă, postesc şi par să facă totul cum trebuie. Mulţi dintre ei sunt nişte închipuiţi! Îmi spun: dacă ăştia se duc în rai, chiar vreau să ajung acolo? Mai bine ard liniştit în iadul meu. E încins, aşa-i, dar măcar nu găseşti strop de ipocrizie.

— Of, *baba*, sper că nu vorbeşti aşa şi de faţă cu alţii. O să intri în belea.

— Nu-ţi face griji, mi se dezleagă limba doar când sunt cu tine. Sau după ce-am dat peste cap câteva păhărele. Fanaticii ăia n-o să se aşeze niciodată la masă cu mine să bea *rakı*. Sunt în siguranţă, a zis Mensur chicotind.

Curând au ajuns la palatul Dolmabahçe, cu arcadele triumfale şi turnul lui cu ceas. Mensur a întrebat-o:

— Ştii povestea peştişorului negru?

I-a spus că, nu departe, sultanul Murad al IV-lea se aşezase să citească *Săgeţile nenorocirii*[1] - o colecţie de poeme satirice scrise de marele Nefi. Nici nu începuse bine, că fulgerul lovise un castan din grădinile palatului - un semn rău, cu siguranţă. Adânc tulburat, sultanul nu numai că aruncase cartea în mare, dar le dăduse duşmanilor lui Nefi îngăduinţa de a-l pedepsi cum credeau de cuviinţă. Câteva zile mai târziu, poetul, sugrumat cu un laţ, fusese azvârlit chiar în apele în care poeziile lui se topiseră vers cu vers.

— Deci vezi ce cocktail otrăvitor fac ignoranţa şi puterea. Lumea a suferit mai mult din cauza oamenilor evlavioşi decât a unora ca mine - orice cuvânt caraghios ai alege ca să-i numeşti!

Peri s-a uitat pe geam, la valurile cu creste argintate ce sclipeau în soarele după-amiezii, sperând să zărească un peşte, doi vălurind luciul apei. Acum, că aflase despre soarta poetului, ştia că n-o să uite niciodată povestea aia. Lua asupră-i necazurile altora de parcă ar fi fost ale sale, atârnându-şi-le de gât, ca pe colierele din ace de pin pe care le făcea în copilărie. O înţepau

1. *Sihâm-ı Kazâ'sına* - culegere de poeme satirice a poetului otoman Nefi (c.1572-1635).

și o zgâriau, însă nu voia să le dea jos până când nu se uscau și se fărâmițau în bucățele la fel de mici ca firele de praf.

Mensur i-a urmărit privirea.

— De aia peștii din partea asta a Bosforului sunt negri. Au înghițit prea multă cerneală. Bieții de ei încă mai caută cuvintele poemelor și carnea poeților... ceea ce e totuna, dacă stai să te gândești.

Peri adora poveștile tatălui ei. Crescuse cu ele. Totuși melancolia cu care erau impregnate îi străpungea sufletul, ca o așchie intrată sub piele ce devenise o parte a corpului ei. Uneori își închipuia că are așchii peste tot - în adâncul trupului și în cotloanele minții deopotrivă.

— Dar de ce vorbesc despre asemenea lucruri? a zis Mensur cu un avânt reînnoit. Nu ești entuziasmată de Oxford?

Se înscrisese la câteva universități din Europa, SUA și Canada. Locuri cu nume atât de ciudate, că ți se împleticea limba în gură încercând să le pronunți. Însă Mensur era cel mai încântat de Oxford.

— Nu-i sigur că mă duc acolo.

— O, ba da, a decretat Mensur. Vorbești engleza la perfecție. Ai muncit din greu pentru asta. Ai trecut de examene și de interviu și ai o ofertă.

— *Baba*, cum o să ne permitem..., a întrebat Peri cu glas stins.

— Nu-ți mai face griji, m-am ocupat eu de asta.

Vindea mașina și singurul lucru profitabil pe care îl avuseseră vreodată - o bucată de pământ, nu departe de Marea Egee, unde plănuia să crească măslini într-o zi. Faptul că tatăl ei renunța la visele sale pentru ea îi apăsa greu conștiința lui Peri. Totuși, când ochii li s-au întâlnit, plini de aceeași înțelegere împărtășită, a zâmbit. Deși încerca să nu vorbească despre asta, adevărul e că abia aștepta să ajungă în Anglia.

— *Baba*, ești sigur că mama o să fie de acord? Vreau să zic: ai vorbit cu ea?

— Nu încă, a răspuns Mensur. Dar o să vorbesc curând. Cum ar putea să nu vrea ca fiica ei să meargă la cea mai bună universitate din lume? O să fie încântată!

Peri a dat din cap, cu toate că știa că minte. Nici unul din ei n-avea să-i spună Selmei că fiica ei pleca de-acasă, nu până în ultimul minut.

Cina cea de taină

Istanbul, 2016

Când intră în salonul spațios, Peri îi găsi pe toți așezați la masă, discutând în grupuri. Adnan stătea de vorbă cu un prieten de familie, directorul general al unei bănci de investiții globale. După aerul lor, vorbeau fie despre politică, fie despre fotbal - singurele două subiecte în legătură cu care bărbații își manifestă nestânjeniți emoțiile de față cu alții. Gazdele stăteau în capul mesei, de o parte și de alta. Omul de afaceri le repovestea celor din jur o întâmplare din vacanță cu siguranța de sine și farmecul omului obișnuit să fie ascultat, în timp ce soția lui privea nepăsătoare de la distanță. Peri făcu un pas înainte, știind că toate capetele se vor întoarce îndată spre ea. O clipă se gândi să meargă în vârful picioarelor, pe-alături, până la ușa de la intrare din stejar masiv, pe unde putea să scape.

— Draga mea, de ce stai acolo în picioare? Vino lângă noi.

Peri se sili să zâmbească în timp ce se strecura în scaunul neocupat rezervat ei. Cât fusese la toaletă, majoritatea invitaților aflaseră despre accident. Acum toți se holbau la ea cu o curiozitate plină de simpatie, nerăbdători să audă povestea.

— Ești bine? întrebă o femeie care conducea o agenție de PR. (Părul îi era înălțat într-o coafură pompadour elaborată și strâns cu un ac de păr cu strasuri care pe Peri o ducea cu gândul la o țepușă de chebap. Îi dădea o înfățișare periculoasă.) Ne-am făcut griji pentru tine.

— Da, ce-ai pățit, draga mea? adăugă directorul general.

Peri prinse privirea lui Adnan, descoperind o urmă de îngrijorare în ochii lui de obicei plini de afecțiune. Avea în față un castron de supă gol și un pahar cu apă. Nici nu punea gura pe băutură, atât din motive de sănătate, cât și legate de religie. Adnan era credincios.

— Nimic demn de menționat la o cină atât de minunată, răspunse Peri întorcându-se spre directorul general. Sunt mai interesată de ce vorbeați cu atâta însuflețire adineaori.

— O, despre mită și corupție în Prima ligă, spuse directorul general. Ei bine, unele echipe par hotărâte să piardă toate meciurile. Dacă n-aș ști, aș zice că sunt plătite s-o facă.

Aruncă o privire ștrengărească spre gazdă.

— Prostii! i-o tăie omul de afaceri. Dacă încerci să-mi discreditezi echipa, te asigur, prietene, că o să câștigăm cu sudoarea propriilor frunți.

Peri s-a lăsat pe spate în scaun, ușurată că abătuse conversația de la ea, deși nu știa pentru cât timp.

Ceilalți își terminaseră deja supa, așa că o servitoare aduse un castron pentru Peri - supă de sfeclă și morcov, cu o bucată mare de brânză de capră. Cineva îi umplu paharul fără s-o întrebe. Napa Valley, roșu. Înainte să-l ducă la gură, salută în tăcere sufletul tatălui ei.

Peri se uită prin încăpere, apucându-se încet de mâncat. Mobilă italiană, candelabre englezești, perdele franțuzești, covoare persane și o grămadă de ornamente și perne cu motive otomane; era o casă - deși mai somptuoasă decât majoritatea - decorată în același stil ca multe alte case din Istanbul, pe jumătate oriental, pe jumătate european. Pe pereți erau agățate tablouri ale unor pictori renumiți sau promițători din Orientul Mijlociu, dintre care multe erau sub- ori supraevaluate, fiindcă scena artistică a regiunii, probabil nu foarte diferită de cea politică, încă fluctua.

În trecut, Peri fusese la nenumărate dineuri unde musulmani conservatori nu aveau nici o problemă să se amestece cu băutori împătimiți. Ridicau politicos paharele cu apă la toasturi, solidari cu gestul. Religia, în partea asta de lume, părea o amestecătură dintre cele mai pestrițe. Nu era o raritate să bei alcool tot anul şi să te căieşti de Laylat al-Qadr[1], când păcatele – atâta vreme cât le regretai sincer – ţi se ştergeau în întregime. Mulţi oameni posteau tot Ramadanul, ca să-şi reînnoiască credinţa, dar şi ca să slăbească. Sacrul se contopea cu profanul. Într-o cultură atât de hibridă, până şi cei mai raţionali dădeau crezare poveştilor cu djinni şi ţineau la îndemână vreun talisman din sticlă albastră – despre care toată lumea ştia că te fereşte de deochi. Însă chiar şi cei mai pioşi se bucuraseră să intre în noul an uitându-se la televizor şi bătând din palme la unduirile vreunei dansatoare din buric. *Un pic de ici, un pic de colo şi iată-l pe Muslimus modernus.*

Dar lucrurile se schimbaseră drastic în ultimii ani. Nu mai existau alte culori în afară de alb şi negru. Erau tot mai puţine căsnicii în care – ca în cea a mamei şi tatălui ei – unul din soţi era evlavios şi celălalt nu. Acum societatea era împărţită în ghetouri nevăzute. Istanbulul aducea mai puţin cu o metropolă şi mai mult cu o amestecătură de comunităţi separate. Oamenii erau fie „categoric religioşi", fie „categoric laici"; iar cei care stăteau cu câte un picior în fiecare tabără, negociind cu Dumnezeu şi cu timpurile cu aceeaşi ardoare, dispăruseră sau deveniseră straniu de tăcuţi.

Deci reuniunea din seara aceea era ceva neobişnuit, pentru că aducea laolaltă oameni din tabere diferite. Peri asemăna decorul grandios ca un palat unei picturi renascentiste. Dacă ar fi fost pictoriţă, l-ar fi numit *Cina cea de taină a burgheziei turceşti.* Numără oamenii de la masă. Într-adevăr, cu ea erau treisprezece.

— O, nici măcar nu ascultă, zise femeia din PR.

Dându-şi seama că vorbeau despre ea, Peri zâmbi.

— Ce spuneai?

— Fiica ta mi-a zis că ai fost la Oxford.

1. „Noaptea hotărârii divine" sau „Noaptea destinului", de la sfârşitul lunii Ramadan, în care Allah i-a revelat profetului Mahomed primele versete din *Coran* şi în care mila divină şterge păcatele oamenilor.

Peri încremeni. O căută din ochi pe Deniz, însă mânca împreună cu prietena ei în cealaltă încăpere.

— Zău, draga mea, ești groaznic de discretă! exclamă soția omului de afaceri. De ce nu ne-ai spus?

— Poate fiindcă n-am absolvit..., răspunse Peri.

— Ce mai contează? glumi jurnalista. Tot ai dreptul să te lauzi.

— Fratele meu nu pierde nici o ocazie! zise femeia din PR. „Când eram la Oxford..." Ăsta-i primul lucru care-i iese din gură. (Se întoarse spre Peri.) În ce perioadă ai fost acolo?

— Prin 2001.

— O, la fel ca fratele meu!

Peri simți cum o cuprinde o mare stânjeneală, care se adânci când îl auzi pe soțul ei alăturându-se celorlalți:

— Deniz spunea că ai o fotografie de-atunci; de ce nu le-o arăți tuturor?

O făcea intenționat, își dădu seama Peri, întărâtând-o și provocând-o de față cu ceilalți. Îl durea să afle că purta încă la ea poza polaroid. Știa, firește. Nu tot, însă cea mai mare parte din poveste. Până la urmă, el o ajutase să se pună pe picioare după ce plecase de la Oxford.

— Hai, arată-ne-o! se entuziasmă cineva.

Oricât se strădui Peri să schimbe subiectul, nu-i merse. Nu de data asta. Toți erau hotărâți să vadă cum arăta în facultate – și cât se schimbase de-atunci.

Pescui poza polaroid din geantă și o puse pe masă. În lumina lumânărilor se distingeau patru siluete, chipuri zâmbitoare dintr-un trecut îndepărtat, stând în curtea pătrată de la Bodleian Library; de cornișele turnului de la intrare, aflat în spatele lor, atârnau țurțuri. Fiecare invitat privea cu atenție fotografia și i-o dădea celui de-alături, nu înainte să facă un comentariu:

— Ce tânără erai!

— Uau, ce păr! Era făcut permanent?

Când poza ajunse la ea, femeia din PR își puse ochelarii și o studie cu atenție.

— Stați puțin, zise ridicând dintr-o sprânceană, bărbatul ăsta îmi pare cunoscut.

Peri deveni încordată.

— Mă duceam să-l văd pe fratele meu în fiecare an. Sunt sigură că mi-a arătat poza lui... unde oare...

Peri îngheță.

— A, da, acum îmi aduc aminte! În ziar. Bărbatul ăsta era un profesor faimos... s-a compromis... a fost silit să-și dea demisia de la Oxford! Toată lumea vorbea despre el. A fost nu știu ce scandal. (Femeia întoarse privirea către Peri.) Sigur ai auzit ceva despre asta, nu-i așa?

Peri încremenise, nefiind în stare să inventeze o minciună, dar nici dispusă câtuși de puțin să spună adevărul. Spre marea ei ușurare, servitoarele intrară chiar atunci în salon, aducând aperitivele. Arome apetisante se răspândiră în aer. În timpul pauzei de servire, Peri izbuti să recupereze fotografia. Când o băgă din nou în geantă, mâinile îi tremurau așa de tare, că trebui să le ascundă sub masă.

PARTEA A DOUA

Universitatea

Oxford, 2000

În ziua când, proaspăt ieşită de pe băncile şcolii, Nazperi Nalbantoğlu a ajuns la Oxford, era însoţită de tatăl ei neliniştit şi de mama şi mai neliniştită. Părinţii plănuiau să-şi petreacă ziua împreună cu ea; după ce-şi vedeau fiica instalată în noua ei viaţă, aveau să ia trenul de seară înapoi spre Londra. De acolo plecau la Istanbul, unde îşi petrecuseră aproape toţi cei treizeci şi doi de ani ai căsniciei lor extrem de tulburi, ca o scară veche care, deşi şubredă, rezista încă la ravagiile timpului. Dar lucrurile s-au dovedit mai complicate decât se aşteptaseră. Selma a izbucnit în plâns, dispoziţia ei trecând prin cicluri de nelinişte, autocompătimire şi mândrie. Din când în când, femeia apuca unul dintre capetele basmalei, chipurile ca să-şi şteargă faţa, însă de fapt ca să-şi şteargă o lacrimă. O parte din ea era mândră de realizările fiică-sii. Nimeni din întreaga lor familie nu fusese vreodată admis la o universitate străină, ca să nu mai vorbim de Oxford. Aşa ceva nici măcar nu le trecuse prin minte, atât de îndepărtat era „aici“ de „acolo“.

Totuşi altă parte din ea nu putea să accepte că cel mai mic dintre copiii ei, pe deasupra şi fată, avea să trăiască la un continent depărtare, singur, într-un loc unde totul era străin. O rănise adânc că Peri se înscrisese acolo fără ştirea sau aprobarea ei. Simţea umbra lui Mensur în spatele acelui fapt împlinit. Amândoi o anunţaseră abia pe urmă şi nu putuse decât să protesteze slab, altfel risca să-şi înstrăineze fiica, poate pentru tot restul vieţii. Cât îşi dorea să fi avut o rudă, sau măcar o rudă a unei rude, pe oricine – atâta timp cât era musulman și sunnit și vorbitor de turcă și cu frica lui Dumnezeu și cititor al *Coranului* și ușor de găsit la telefon –, în orașul acela ciudat căreia să i-o poată încredința pe Peri. Dar nu știa pe nimeni care să se potrivească descrierii.

Pe când Mensur, deși dornic să-și vadă fiica excelând la facultate, era la fel de disperat că trebuie să se despartă de ea. Părea calm, însă vorbea poticnit, incoerent, pe același ton pe care l-ar fi folosit ca să anunțe un cutremur îndepărtat: acceptându-l, dar cu un fior dureros. Peri înțelegea, și într-o oarecare măsură împărtășea, neliniștea părinților. Niciodată nu fuseseră despărțiți; niciodată nu stătuse departe de familia, casa și țara ei.

— Uite ce frumos e aici, a zis Peri.

Câtuși de puțin descurajată de apăsarea tot mai puternică din piept, nu se putea abține să se simtă entuziastă, pregătită să-și ia zborul.

Soarele arunca raze de lumină caldă din spatele norilor, lăsând senzația că vara se întorsese, în ciuda palelor reci de vânt tomnatic. Cu străzile sale pietruite, turnurile crenelate, arcadele retrase, ferestrele boltite și porticurile sculptate, Oxfordul părea desprins dintr-o carte ilustrată pentru copii. Cât vedeai cu ochii, totul păstra parfumul istoriei – până într-atât încât chiar și cafenelele și magazinele păreau parte din această așezare veche de secole. În Istanbul, oricât de bătrân ar fi fost orașul, trecutul era tratat ca un oaspete care stătuse mai mult decât se cuvine. Aici, la Oxford, era clar oaspetele de onoare.

Nalbantoğlii își petrecuseră restul dimineții plimbându-se, admirând grădinile ascunse după zidurile mâncate de vreme și acoperite cu iederă ale curților pătrate, pășind cu șovăială pe aleile de pietriș ce le scârțâia sub picioare, fiindcă nu știau dacă au voie să intre acolo și nu aveau pe cine să întrebe. Unele părți ale orașului erau atât de pustii, că zidurile de calcar măcinate care mărgineau vechile alei păreau să tânjească după atenția oamenilor.

Obosiți și înfometați, au zărit un pub pe Alfred Street, un local cu tavane joase, podele de scânduri scârțâitoare și clienți gălăgioşi. Timizi, s-au aşezat la o masă retrasă de lângă fereastră. Toată lumea bea bere în pahare făcute pentru mâinile unor uriaşi. Când a venit chelnerița, o fată cu piercing în buza de jos, Mensur a comandat câte-o porţie de peşte cu cartofi prăjiţi pentru fiecare şi o sticlă cu vin alb.

— Ia închipuiţi-vă locul ăsta cu secole în urmă..., a zis el privind ţintă lambriul de stejar, de parcă ar fi conţinut un cod pe care îl putea descifra dacă se străduia îndeajuns.

Selma a dat din cap - deşi observase alte lucruri când se uitase în jur: studenţi bând bere într-un colţ, o femeie într-o rochie scurtă ce putea foarte bine să fie un maiou, un bărbat tatuat giugiulindu-şi iubita, al cărei decolteu era mai adânc decât prăpastia dintre ea şi soţul ei... Cum putea să-şi lase fiica singură în mijlocul acestor oameni? Occidentalii or fi avansaţi în ce priveşte ştiinţa, educaţia şi tehnologia, totuşi cum rămânea cu morala lor? O enerva că trebuie să-şi ţină gândurile numai pentru ea, ca să nu-i supere pe soţul şi pe fiica ei. Colţurile gurii îi erau întoarse în jos - semn al remarcilor înţepătoare pe care şi le înghiţea. Era nedrept că trebuia să fie tot timpul părintele cu principii, cel sâcâitor.

Neştiind de grijile pe care şi le făcea nevastă-sa, însă nu la fel de inocent când venea vorba de părerile ei, Mensur a zis:

— Suntem mândri de tine, Pericim.

Era a doua oară când Peri auzea asta din gura tatălui ei, totuşi s-a bucurat la fel de tare. În ciuda mijloacelor modeste, investise cu mult peste posibilităţile lor în educaţia ei. Era hotărâtă să nu-l dezamăgească.

— Trebuie să toastăm, a zis Mensur de cum li s-a adus vinul. În cinstea fiicei noastre sclipitoare!

Selma s-a întunecat la faţă.

— Ştii că Allah nu-mi dă voie să mă alătur vouă.

— Nu-i nimic, a liniştit-o Mensur. O să fiu eu păcătosul. Când mor, trimite-mi un bilet de trecere din rai.

— De-ar fi aşa de simplu, a răspuns Selma. Va trebui să te ridici în ochii lui Allah.

Mensur şi-a molfăit obrajii pe dinăuntru o clipă. S-o audă pe nevastă-sa predicându-şi cuvintele îngrijit ordonate avea asupra lui acelaşi efect ca şi când ar fi văzut un şir de piese de domino aşezate cu grijă în picioare. Nu-şi putea stăpâni impulsul de-a răsturna una.

— Vorbeşti de parc-ai şti ce gândeşte Allah direct de la sursă. Ai intrat în mintea Lui? De unde ştii ce vede El?

— Ştiu fiindcă ne spune în *Coran*, dacă te-ai sinchisi să-l citeşti, i-a răspuns Selma.

— A, vă rog, nu puteţi să nu vă ciondăniţi măcar o zi? a stăruit Peri. Ca să schimbe subiectul şi să destindă atmosfera, a adăugat: Deci o să mă întorc repede la Istanbul, pentru nuntă.

Hakan se căsătorea. Chiar dacă Umut – care se retrăsese într-un orăşel de pe malul Mediteranei după eliberarea din închisoare – nu se însurase încă, Hakan refuzase să-şi aştepte rândul, încălcând ordinea familială. La început, toţi bănuiseră că nerăbdarea lui avea o explicaţie jenantă, o sarcină mult prea înaintată pentru ca mireasa s-o poată ascunde, însă apoi devenise limpede că singurul motiv pentru graba viitorului mire era firea lui.

Şi-au terminat prânzul aproape în tăcere.

Când aşteptau nota, Selma a luat mâna fiicei ei şi i-a spus:

— Ţine-te departe de oamenii de nimic.

— Da, ştiu, mamă.

— Educaţia e importantă, dar există ceva mult mai important pentru o fată, înţelegi? Dacă-l pierzi, nici o diplomă nu o să-l răscumpere. Băieţii n-au nimic de pierdut. Fetele trebuie să fie cu ochii în patru.

— Mda…, a zis Peri ferindu-şi privirea.

Virginitatea, tabuul la care puteai doar face aluzie, însă căruia n-aveai voie să-i rosteşti numele. Se ivea adesea în multe discuţii între mame şi fiice, mătuşi şi nepoate. Un subiect de ocolit în vârful picioarelor, ca un individ cu toane adormit în mijlocul încăperii pe care nimeni nu îndrăzneşte să-l tulbure.

— Am încredere în fiica mea, s-a băgat în vorbă Mensur, care până la urmă băuse cea mai mare parte din vin singur și acum părea un picuț amețit.

— Și eu, a zis Selma. În alții nu am.

— Ce prostie să spui așa ceva, a protestat Mensur. Dacă ai încredere în ea, de ce-ți pasă atât de alții?

Buze Selmei s-au țuguiat într-o strâmbătură.

— Un om care-și bea mințile zi de zi nu are dreptul să facă pe nimeni prost, doar pe el.

Ascultându-și părinții cum încrucișează din nou săbiile – bătăliile lor nu se sfârșeau niciodată, nu reușeau niciodată să-și regleze conturile –, Peri nu putea face altceva decât să privească pe fereastră în inima orașului care avea să fie, cel puțin pentru următorii trei ani, universitatea, sanctuarul, casa ei. Teama făcea să i se strângă stomacul. Gânduri negre i se învârteau prin minte. Își amintea șofranul scump – nu condimentul contrafăcut, ci pe cel original – vândut în tuburi de sticlă delicate în bazarurile din Istanbul. Așa era și optimismul ei – limitat, îngrădit, perisabil.

Harta

Oxford, 2000

— Bună! a zis un glas din spate la câteva clipe după ce intraseră în clădirea colegiului ei, unde îi aştepta o studentă din anul al doilea desemnată să le arate împrejurimile.

Răsucindu-se pe călcâie, au văzut o tânără cu aer de sultană, cea care ar fi putut să fie în alt timp şi în alt spaţiu. Purta o fustă la fel de rozalie ca bezelele cu apă de trandafiri pe care Peri le adora în copilărie. Părul negru îi cădea în bucle largi pe spatele pe care şi-l ţinea perfect drept. Se dăduse cu ruj carmin sidefat şi cu fard de obraz. Însă ochii ei, negri şi foarte depărtaţi, conturaţi cu creion mov şi fardaţi cu cel mai viu turcoaz, te izbeau cel mai tare. Machiajul ei semăna cu steagul unei ţări instabile care îşi declara nu doar independenţa, ci şi imprevizibilitatea.

— Bine aţi venit la Oxford, a spus ea cu un zâmbet larg, întinzând o mână cu manichiura impecabilă. Numele meu e Shirin.

L-a pronunţat înghesuind în el câte vocale a reuşit: Shii-riin.

Deşi, cu nasul ei mare şi acvilin şi cu bărbia ieşită în afară, nu era drăguţă în sensul convenţional al cuvântului, avea o aură atât de puternică, încât putea trece drept frumoasă. Peri era aşa de fermecată de înfăţişarea tinerei femei, că a zâmbit larg, apropiindu-se de ea.

— Bună, sunt Peri…, iar ei sunt părinţii mei. *O să ne prefacem că suntem o familie normală pentru o zi*, şi-a spus în gând.

— Mă bucur să vă cunosc pe toţi. Am înţeles că sunteţi din Turcia. Eu m-am născut în Teheran, dar nu m-am mai întors acolo, a zis Shirin cu o fluturare nepăsătoare din mână, de parcă

Iranul ar fi fost chiar după colț, așteptând-o. Cred că de asta m-au rugat să vă arăt împrejurimile. Le place să ne pună pe toți la grămadă. Sunteți gata pentru tur?

Peri și Mensur au dat din cap cu entuziasm. Selma se uita dezaprobator la fusta scurtă, tocurile înalte și machiajul țipător al fetei. După ea, Shirin nu arăta a studentă. Și cu siguranță nu arăta nici a iraniană.

— Ce fel de studentă mai e și asta? a murmurat ea în turcă.

Peri, cuprinsă de teama irațională că fata britanico-iraniană ar putea înțelege turca, i-a șuierat:

— Mamă, te rog.

— Să mergem! a exclamat Shirin. De obicei începem cu colegiul nostru și apoi vizităm restul orașului. Dar eu nu fac niciodată nimic în ordinea corectă. Nu-mi stă în fire. Așa că urmați-mă, prieteni!

Shirin s-a lansat imediat într-o lungă prelegere despre istoria Oxfordului. Sporovăind, îi conducea tot mai departe pe străduțele șerpuitoare ale bătrânului oraș. Veselă și plină de viață, vorbea așa de repede, încât cuvintele i se revărsau din gură într-un torent vijelios care celorlalți li se părea greu de înțeles - mai ales Selmei, fiindcă nu vedea nici o asemănare între engleza demodată, bazată mai mult pe gramatică, pe care o învățase cu ani în urmă la școală - iar apoi o uitase cu viteza fulgerului - și păsăreasca pe care o auzea acum. Ca s-o ajute, Peri s-a oferit să-i traducă - deși destul de liber, fiindcă îndulcea, reformula și, la nevoie, chiar cenzura orice ar fi putut-o deranja pe maică-sa.

Între timp, Shirin le explica pe scurt că toate colegiile de la Oxford erau de fapt fundații autonome care se ocupau singure de treburile lor - un lucru care lui Mensur i s-a părut derutant.

— Dar trebuie să existe președinte, autoritate deasupra tuturor, a obiectat în engleza lui stricată și s-a uitat în jur de parcă se temea că orașul ar putea fi cuprins de anarhie.

— Trebuie să vă contrazic, a răspuns Shirin. Din experiența mea, autoritatea e ca usturoiul: cu cât folosești mai multă, cu atât miroase mai tare.

Mensur, care-și petrecuse cea mai mare parte din viața adultă tânjind după o autoritate centrală, una destul de puternică, solidă și laică încât să oprească avântul fundamentalismului religios, a ridicat alarmat privirea. Pentru el autoritatea era un liant – mortarul care ținea părțile unei societăți laolaltă în perfectă ordine. Fără ea, cărămizile aveau să cadă și întreaga structură să se prăbușească.

— Nu orice autoritate e neapărat rea, a insistat Mensur. Cum rămâne cu drepturile femeilor? Ce-ai spune dacă un lider puternic ar apăra femeile?

— Păi, aș spune: mulțumesc foarte mult, dar pot să-mi apăr și singură drepturile. N-avem nevoie de o autoritate înaltă care să facă asta în locul nostru!

Zicând toate astea, Shirin a aruncat o privire spre Selma, cercetându-i basmaua și haina lungă fără nici o formă. Peri, mereu sensibilă la negativitatea altora, și-a dat seama că antipatia maică-sii pentru Shirin era reciprocă. Fata britanico-iraniană părea să nutrească numai dispreț pentru femeile care-și acopereau capul – un dispreț pe care nu simțea nevoia să-l ascundă.

— Hai, mamă!

Peri a tras-o ușor pe Selma de braț – cel cu cicatricea de arsură – o amintire dintr-o zi de spălat covoare de acum mulți ani. Au rămas amândouă în urmă.

Pe treptele ce duceau spre intrarea în Ashmolean Museum, mama și fiica au zărit un cuplu sărutându-se cu foc. Peri a roșit de parcă ar fi fost prinsă chiar ea în brațele băiatului. Cu coada ochiului, a văzut-o pe Selma încruntându-se. Era aceeași femeie care nu o învățase nimic despre sex. Încă-și aducea aminte o zi din copilărie când, la hamam, o întrebase despre chestia pe care-o văzuse atârnând între picioarele unui băiat. În loc de răspuns, Selma se îndreptase furioasă spre mama băiatului și se lansase într-o tiradă care nu prea se auzea de din pricina apei ce curgea în fântânile de marmură, dar care, judecând după gesturile ei, trebuie să fi fost dură. Peri se simțise rușinată și vinovată că fusese curioasă în privința unui lucru în legătură cu care nu avea, evident, nici un drept să fie curioasă.

Totuşi, cu timpul, curiozitatea pusese din nou stăpânire pe ea. Într-un rând o întrebase pe maică-sa dacă se gândise vreodată să avorteze, dat fiind intervalul mare de timp dintre primele sarcini şi ultima. Părinţii ei ar fi putut să considere că familia lor era deja întreagă şi să hotărască să n-o mai aibă şi pe ea.

— Păi, a fost jenant. Aveam patruzeci şi patru de ani când ai venit pe lume, a răspuns Selma.

— De ce n-ai avortat? a insistat Peri.

— Pe-atunci era ilegal. Deşi ar fi fost unele căi. Dar, fireşte, ar fi fost un păcat, cu siguranţă. Mi-am zis că un păcat în ochii lui Allah e mai rău decât ruşinea faţă de vecini, aşa că am mers înainte.

Peri nu-i mărturisise niciodată maică-sii cât detestase răspunsul ei. Se aşteptase să spună ceva mai blând: *Nici nu mi-a trecut prin gând să pun capăt sarcinii, te iubeam deja prea mult* sau *Aranjasem să mă duc la o femeie care mă putea ajuta, însă în noaptea aia te-am văzut în vis, o fetiţă cu ochi verzi*... Dar, după cum stăteau lucrurile, Peri trăsese concluzia că era un copil-sandvici, născut între Păcat şi Ruşine: două trepte ale damnării.

*

Au vizitat împreună campusul colegiului unde avea să locuiască Peri. Camera ei se afla în una dintre curţile pătrate din faţă, într-o clădire magnifică, trecută pe lista monumentelor istorice, care în ochii familiei Nalbantoğlu semăna mai puţin cu un dormitor şi mai mult cu un muzeu. Oricât de impresionată ar fi fost de tavanele înalte, lambriurile de stejar şi tradiţiile atemporale, în acelaşi timp era dezamăgită în taină de mărimea şi simplitatea camerei sale. O chiuvetă, un şifonier, un birou, un pat, o masă, un fotoliu şi un dulap. Asta era tot – un contrast izbitor cu exteriorul spectaculos –, însă mai era şi libertatea palpitantă de-a locui singură pentru prima oară.

Pe când coborau scara îngustă, ferindu-se ca să treacă alți studenți, Shirin s-a întors și i-a făcut cu ochiul lui Peri.

— Dacă vrei cât mai mulți prieteni în cel mai scurt timp, lasă ușa deschisă. Așa oamenii o să bage capul înăuntru și o să zică „Bună!". O ușă închisă înseamnă: „Valea, nu vreau să fiu deranjată".

— Chiar? a șoptit Peri, ca nu cumva să le audă părinții ei. Păi, cum pot să învăț cu atâtea întreruperi?

Shirin a chicotit, de parcă faza cu învățatul era cel mai amuzant lucru pe care îl auzise în ziua aia.

În restul după-amiezii, le-a arătat celor trei Radcliffe Camera, cu forma ei circulară, Teatrul Sheldonian și Muzeul de Istorie a Științei, cu instrumentele sale rudimentare. Pe urmă s-au oprit la Bodleian Library. Shirin le-a explicat că „Bod", cum o numeau studenții și profesorii, are peste 160 de kilometri de rafturi subterane. Mai demult trebuia să depui un jurământ că nu ai de gând să furi cărțile. În bibliotecile anumitor colegii încă existau cărți legate cu lanțuri, ca în vremurile medievale.

Mensur a arătat spre o inscripție de pe un blazon atârnat pe perete.

— Ce înseamnă?

— *Dominus illuminatio mea* – „Dumnezeu e lumina mea", i-a răspuns Shirin ridicând ochii spre cer – greu de spus dacă fără intenție sau din batjocură.

Înțelegând mai degrabă gestul decât cuvintele, Selma și-a împuns soțul în coaste.

— Vezi, dacă o universitate din Turcia ar avea pe zid o inscripție asemănătoare despre Allah, te-ai enerva. Ai privi-o ca pe un cuib de fanatici! O tabără teroristă pentru atentatori cu bombă sinucigași! Dar aici n-ai nici o problemă cu inscripțiile religioase!

— Asta pentru că, în Europa, religia e de altă natură, i-a răspuns Mensur disprețuitor.

— Cum așa? a întrebat Selma. Religia e religie.

— Nu-i adevărat. Unele religii sunt mai... *religioase*, a contrazis-o Mensur părând, chiar și în urechile lui, un copil ursuz. Uite, în Europa, religia nu încearcă să domine totul și pe toată lumea. Știința e liberă!

— Știința a înflorit în al-Andalus[1], a răspuns Selma. Üzümbaz Efendi ne-a explicat totul, Allah să-l binecuvânteze. Cine crezi c-a inventat algebra? Sau moara? Sau periuța de dinți? Cafeaua? Vaccinarea? Șamponul? Musulmanii! Când europenii abia dacă se spălau, noi aveam hamamuri splendide, parfumate cu apă de trandafiri. Noi i-am învățat pe occidentali ce-i aia igienă, iar acum ne-o vând înapoi.

— Cui îi pasă cine ce-a inventat acum o mie de ani? a zis Mensur. Ia întreabă-te, femeie, cine-a profitat cel mai mult de pe urma științei!

— Tată, mamă, ajunge! a murmurat Peri, stânjenită că o străină asista la cearta părinților ei.

Shirin, fie pentru că simțise tensiunea și voia să pună puțin gaz pe foc, fie din pură întâmplare, le-a explicat mai departe că multe dintre cele mai vechi colegii de la Oxford s-au născut din fundații monastice creștine. Peri n-a tradus nimic din toate astea în turcă pentru maică-sa.

Urcând scările de la Bodleian Library, Peri s-a oprit să citească numele patronilor înscrise pe o placă de bronz. Din timpuri imemoriale, fără întrerupere, oamenii bogați și puternici sprijiniseră acea colecție magnifică. O întrista gândul că, dacă biblioteca ar fi fost construită în Istanbul, cam în aceeași perioadă, să zicem, ar fi fost dărâmată din temelii, poate de mai multe ori, și ridicată de fiecare dată într-un stil arhitectural diferit și sub un nume nou, în funcție de ideologia dominantă a vremii – până când, într-o zi, ar fi fost transformată în cazarmă și apoi, cel mai probabil, în centru comercial. A lăsat să-i scape un oftat.

— Ești bine? a întrebat-o Shirin oprindu-se chiar lângă ea.

---

1. Teritoriu stăpânit de musulmani în Peninsula Iberică în Evul Mediu, care ocupa, la apogeu, mare parte din Spania și Portugalia de astăzi.

— Mda, îmi doresc doar să avem asemenea biblioteci minunate în Turcia, a răspuns Peri.

— Speră în continuare, sora mea. Europenii tipăresc cărţi din Evul Mediu. Nu ştiu exact când s-au apucat şi cei din Orientul Mijlociu, însă ştiu sigur că suntem cu toţii condamnaţi - adică, Iranul, Turcia, Egiptul. OK, înţeleg, culturi bogate, muzică faină, mâncare bună. Dar cărţile sunt cunoaştere, şi cunoaşterea e putere, aşa-i? Cum s-ar putea umple prăpastia asta vreodată?

— Două sute optzeci şi şapte de ani, a zis Peri încet.

— Ce?

— Scuze, a zis Peri. Tiparul lui Gutenberg datează de pe la 1440. Câteva cărţi arabe au apărut în Italia în anii 1500. Dar în Imperiul Otoman au început să fie tipărite cărţi abia odată cu Müteferrika[1] - sub o cenzură draconică, fireşte. Mă rog, asta înseamnă o diferenţă de două sute optzeci şi şapte de ani.

— Eşti o tipă ciudată, a zis Shirin. Sigur o să supravieţuieşti la Oxford.

— Crezi? a întrebat Peri zâmbind.

Li s-a făcut sete, aşa că s-au oprit să bea o cafea la Piaţa Acoperită din apropiere. Cât s-au învârtit Peri şi Shirin să găsească o masă, Mensur şi Selma au plecat să caute toaleta, mergând la distanţă unul de celălalt.

— Că tot veni vorba de prăpăstii, între părinţii tăi pare să fie una destul de mare, a zis Shirin dintr-odată. Tatăl tău e cam de stânga, aşa-i? Iar mama ta...

— N-aş spune că-i de stânga, dar, da, e laic... kemalist, dacă ştii câte ceva despre Turcia. Iar mama e... (La fel ca Shirin, şi-a lăsat şi ea fraza în suspensie. Încetişor, Peri a cules o scamă nevăzută de pe mânecă şi a răsucit-o între degete. Nu mai întâlnise pe nimeni atât de direct şi de băgăcios, însă nu era nici pe jumătate atât de jignită pe cât simţea că ar trebui să fie. Totuşi a schimbat subiectul.) Deci te-ai născut în Teheran?

---

1. İbrahim Müteferrika (1674-1745) - diplomat, tipograf, editor gravor, scriitor şi traducător otoman de origine maghiară.

— Da, cea mai mare dintre patru fete. Bietul *baba*! Își dorea cu disperare un băiat, dar Șeitan i s-a strecurat în pat. *Baba* fuma ca un furnal și ciugulea ca o pasăre. *Mă omoară* – așa spunea. Regimul, nu noi. În cele din urmă a găsit o cale de scăpare. *Madarjan*[1] nu voia să plece, totuși, din dragoste, s-a învoit. Am fost duși pe-ascuns până în Elveția. Ai fost vreodată acolo?

— Nu, e prima oară când plec din Istanbul, a zis Peri.

— Ei, Elveția e faină, mult prea faină, faină la modul scăldată-în-caramel-topit, dacă mă-nțelegi. Patru ani din viață în somnorosul Sion. Mă crezi sau nu, odată am auzit o fată plângându-i-se tatălui ei că la supermarket nu se găseau bacele ei preferate! Adică, lumea e în fierbere, Zidul Berlinului a căzut, și tu vorbești despre bace? Deși eram doar o copilă, până și eu simțeam că în aer plutește ceva palpitant. Îmi place să văd ziduri căzând. OK, aveam o viață bună în Elveția, dar cam monotonă pentru gustul meu. De-atunci alerg ca să recuperez timpul pierdut.

Peri o asculta, expresia ei trecând de la curiozitate la încântare.

— Pe urmă am plecat în Portugalia. Mi-a plăcut acolo, dar lui *baba*, nu. Fuma încă, plângându-se întruna. Doi ani în Lisabona și, când am învățat și eu destulă portugheză, zdrang! Hai, copii, faceți-vă bagajele, plecăm în Anglia, ne-așteaptă regina! Aveam paișpe ani, pentru numele lui Dumnezeu. Când ai paișpe ani, ar trebui să te confrunți cu dramele tale, nu cu ale familiei. Oricum, în anul în care am ajuns aici, *baba* a murit. Doctorul a zis că plămânii i se prefăcuseră în cărbune. Nu crezi că-i cam ciudat pentru un medic să folosească o metaforă – se crede poet sau ce? (Shirin a bătut darabana cu degetele în masă și și-a cercetat manichiura.) Anglia era visul lui *baba*, nu al meu, și uite-mă britanică fix ca o tartă cu melasă, dar la fel de nelalocul meu ca o prăjitură de curmale!

— Unde te simți acasă? a întrebat Peri.

---

1. Mama (farsi).

— Acasă? (Shirin a țâțâit disprețuitor din buze.) O să-ți spun o regulă universală: acasă e acolo unde-i bunica ta.

Peri a zâmbit.

— Ce drăguț! Și unde-i bunica ta?

— La doi metri sub pământ. A murit acum cinci ani. Mă adora, eram prima ei nepoată. Vecinii au spus că a sperat să ne întoarcem până și-a dat ultima suflare. Acolo e acasă pentru mine! Lângă *mamani*[1] în Teheran. Deci, tehnic vorbind, sunt pe drumuri.

— Îmi... ăăă... pare rău, a zis Peri, simțind în ezitarea ei neputința de-a ține pasul cu extrovertiții, dintre care era evident că făcea parte Shirin.

— Știi cum îi zice cimitirului de-acolo? Raiul Zahrei. Destul de cool, așa-i? Toate cimitirele ar trebui să se cheme „rai". N-ar mai fi nevoie să-l deranjăm pe Atotputernic cu Ziua Judecății și cazane în clocot și poduri subțiri cât firul de păr și alte fleacuri. Mori, te duci în rai, și gata!

Peri a încremenit, fermecată și nedumerită deopotrivă. I se părea că noua ei prietenă, deși de aceeași vârstă, trăise de două ori pe-atât, fiindcă văzuse mai mult din lume decât văzuse întreaga ei familie. Nu mai auzise pe nimeni vorbind așa despre viața de apoi. Nici măcar pe tatăl ei, care-și manifesta adesea dezgustul pentru toate chestiunile legate de credință.

Mensur și Selma s-au întors curând. Cei doi găsiseră în sfârșit ceva în privința căruia erau de acord: Shirin. Din motive diferite, însă la fel de tare, fata îi supărase pe amândoi. Separat, fiecare se gândea să-i spună să se țină cât mai departe de fata britanico-iraniană, fiindcă o să aibă cu siguranță o influență proastă asupra ei.

*

După vreo oră de plimbat în cercuri năucitoare, și-au terminat turul în fața la Oxford Union. La despărțire, Shirin a îmbrățișat-o pe Peri de parcă ar fi fost două prietene care pierduseră de mult

---

1. Apelativ familiar pentru „bunică" (farsi).

legătura. Parfumul ei de mosc era atât de ameţitor şi de puternic, încât pentru o clipă Peri s-a simţit dezorientată, cu capul în nori.

Shirin i-a spus că englezii, deşi politicoşi şi manieraţi, pot fi prea rezervaţi şi prea prudenţi pentru o străină singură în altă ţară, aşa că ar face mai bine să se împrietenească cu ceilalţi studenţi străini sau cu unii care au un background cultural mixt – ca ea.

— Deci, bănuiesc că o să ne mai vedem? a zis Peri.

Vorbea serios. Pentru că, deşi puţin intimidată de Shirin, nu putea să nu se simtă atrasă de vorbăria interminabilă, încrederea în sine şi îndrăzneala ei. Tânjim mereu după ce ne lipseşte.

— Să ne mai vedem? a repetat Shirin pupându-i pe Selma şi pe Mensur pe obraji, deşi se ţineau amândoi băţoşi. Să fii sigură! Am uitat să-ţi spun: stăm în aceeaşi curte.

— Chiar? a întrebat Peri neîncrezătoare.

— Dap, a răspuns Shirin cu un zâmbet larg. De fapt, stai chiar vizavi de mine. Şi dacă îndrăzneşti să faci zgomot, o să fie vai şi-amar de tine... glumeam doar. Turcia şi Iranul, vecine exact ca pe hartă. O să fim cele mai bune prietene. Sau cele mai mari duşmance. Poate o să declanşăm un război. Al Treilea Război Mondial! Fiindcă ştii că asta o să se-ntâmple, aşa-i? O să izbucnească alt nenorocit de război, fiindcă Orientul Mijlociu e futut – ups, scuză-mă că vorbesc colorat.

Apoi s-a întors spre părinţii îngroziţi ai lui Peri, pronunţându-le greşit numele de familie:

— Nu vă faceţi griji pentru fiica dumneavoastră, domnule şi doamnă Naubaumtluu. E pe mâini bune. De-acum înainte o să fiu cu ochii pe ea.

Tăcerea

Oxford, 2000

După ce părinții ei au plecat la gară, cuprinsă de un sentiment dureros de singurătate, Peri s-a întors pe scările din curtea din față a colegiului ei. Oricât de palpitant ar fi fost să se elibereze odată de certurile și cârtelile lor, cel puțin îi cunoștea, iar lipsa lor o umplea de neliniște, de parcă i s-ar fi tras preșul de sub picioare și ar fi fost silită să meargă pe pietre ascuțite. Acum, că mulțumirea și exaltarea întregii zile se risipiseră, se simțea cuprinsă de o tulburare adâncă. Și-a dat seama că nu era așa de pregătită pentru următoarea mare etapă a vieții ei pe cât îi plăcuse să creadă. Mergând încordată prin vânt, atât de diferit de briza sărată a după-amiezilor târzii din Istanbul, a tras aer în piept și l-a lăsat să iasă încet. Nările ei căutau mirosurile familiare – midii pané, castane coapte, covrigi cu susan, mațe de oaie la grătar îmbinate cu parfumul arborilor lui Iuda primăvara și al tufelor de Daphne iarna. Ca o vrăjitoare nebună care a uitat rețetele poțiunilor ei, Istanbulul amesteca arome dintre cele mai surprinzătoare în același cazan: râncede și dulci; grețoase și îmbietoare. Aici, la Oxford, mirosul de rășină ce plutea în aer părea neclintit, de nădejde.

A urcat scara de lemn întunecoasă spre camera ei, unde și-a desfăcut valizele, a scos hainele și le-a pus pe umerașele din șifonier, și-a aranjat sertarele, a așezat fotografii de familie pe masă. Și-a pus jurnalul dedicat lui Dumnezeu lângă pat.

Își adusese câteva dintre cărțile preferate, unele în turcă, altele în engleză – *Bufnița oarbă* de Sādegh Hedāyat, *O femeie iubitoare*[1] de Alice Munro, *Dinţi albi* de Zadie Smith, *Orele* de Michael Cunningham, *Dumnezeul lucrurilor mărunte* de Arundhati Roy, *O viaţă fără legături*[2] de Oğuz Atay, *Oraşele invizibile* de Italo Calvino, *Un artist al lumii trecătoare* de Kazuo Ishiguro.

„De ce citeşti tot timpul scriitori occidentali?“, a întrebat-o odată singurul prieten pe care-l avusese.

Era în ultimul an de liceu pe vremea aia, iar el, cu trei ani mai mare, mergea deja la facultate, unde studia sociologia. Acuzaţia voalată din întrebare o luase prin surprindere. De fapt, Peri citea şi literatură turcă, şi străină. Avea tendinţa să se piardă în orice carte care îi aprindea imaginaţia şi îi trezea curiozitatea, indiferent de naţionalitatea autorului. Totuşi, în comparaţie cu lista de lecturi a băiatului, în a cărui bibliotecă se găseau în majoritate titluri turceşti – şi câteva ruseşti şi sud-americane, despre care spunea că nu sunt *corupte*, nefiind scrise *prin lentilele distorsionate ale imperialismului cultural* –, lista ei era prea europeană.

„Când mă uit la tine, văd o intelectuală orientală tipică în devenire“, zicea el. „Îndrăgostită de Europa, în dezacord cu rădăcinile ei.“

De ce rădăcinile erau atât de preţuite în comparaţie cu ramurile sau frunzele, Peri nu înţelesese niciodată. Copacii aveau o grămadă de lăstari şi filamente care se întindeau zilnic în toate direcţiile, dedesubtul şi deasupra vechilor straturi de pământ. Dacă nici rădăcinile nu voiau să stea într-un loc, de ce să aştepţi imposibilul de la oameni?

Oricum, fascinată de el, Peri simţise o împunsătură de vinovăţie. Deşi era o cititoare mai avidă, părea că-şi pierduse vremea hoinărind pe străzile lăturalnice şi uliţele dosnice din Oraşul Cărţilor, ispitită de darurile şi aromele sale. A încercat, o vreme, să nu dea banii pe cărţi occidentale, însă noua ei hotărâre s-a destrămat rapid. O carte bună e o carte bună şi asta era tot ce

1. *The love of a good woman.*
2. *Tutunamayanlar.*

conta. În plus, nici în ruptul capului nu înțelegea atitudinea aceea reacționară față de citit. În multe părți ale lumii, erai ce spuneai și făceai și, de asemenea, ce citeai; în Turcia, ca în toate țările chinuite de probleme de identitate, erai în primul rând ce respingeai. Părea că, cu cât oamenii vorbeau mai mult despre un scriitor, cu atât era mai puțin probabil să-i fi citit cărțile.

Până la urmă, relația lor, subminată mai puțin de gusturile diferite în materie de literatură și mai mult de părerile diferite despre relațiile intime, se sfârșise. Unii băieți din Orientul Mijlociu se enervau dacă le respingeai avansurile sexuale; totuși, pe de altă parte, în clipa în care răspundeai cu pasiune la dorințele lor, le pierdeai respectul. Te trezeai condamnată fie că spuneai „nu“, fie că spuneai „da“. Era o situație fără ieșire.

După ce a terminat de aranjat prin cameră, Peri a deschis fereastra plumbuită care dădea spre peluzele impecabile din grădina colegiului. O senzație de goliciune plutea în aer, încețoșând contururile tuturor formelor ce se zăreau în depărtare. Privind umbrele copacilor din apropiere, Peri s-a înfiorat de parcă un spirit sau djinn, fiindu-i milă de singurătatea ei, o atinsese ușor de tot. O fi fost copilul cețurilor? Nu credea. Nu-l mai văzuse de mult. Poate o stafie englezească. Oxfordul părea un loc prin care stafiile, nestingherite și nu neapărat înspăimântătoare, se pot plimba în voie.

Primul lucru care a surprins-o pe Peri la Oxford a fost tăcerea. Era, și a continuat să fie în lunile următoare, singura ciudățenie cu care îi venea greu să se obișnuiască – lipsa zgomotului. Istanbulul era nerușinat de gălăgios, zi și noapte; chiar și când închideai obloanele, trăgeai perdelele și îți băgai dopurile în urechi, învelindu-te cu pătura până sub bărbie, larma, doar puțin domolită, pătrundea prin pereți și ți se strecura în vise. Ultimele strigăte ale vânzătorilor ambulanți, huruitul camioanelor noaptea târziu, sirenele ambulanțelor, vapoarele de pe Bosfor, rugăciunile și înjurăturile, care se întețeau amândouă după miezul nopții, pluteau duse de vânt și nu voiau să se risipească. Istanbulul, la fel ca natura, nu putea suferi golurile.

Stând pe pat, lui Peri i s-a pus un nod în gât. Parcă o ajunsese din urmă neliniștea părinților ei, însă din motive numai de ea știute. Se simțea ca o impostoare. Se temea că n-o să reușească să se descurce acolo, printre studenți cu siguranță mai bine educați și mai elocvenți decât ea. Poate engleza pe care o învățase la școală, cizelată prin lungi nopți petrecute citind de una singură, n-avea să-i fie de-ajuns ca să țină pasul la unele cursuri avansate de filosofie, politică și economie. Deși se străduia s-o ascundă cât mai bine, teama ei de eșec era adâncă. A simțit un nod în gât. A fost surprinsă de cât de repede i s-au umplut ochii de lacrimi. Când acestea s-au prelins pe obraji, le-a simțit calde și familiare și, cumva, deloc triste.

O bătaie în ușă a trezit-o brusc la realitate. N-a apucat să răspundă, că ușa s-a deschis brusc și a intrat Shirin.

— Bună, vecino!

Peri și-a tras nasul fără să vrea și a zâmbit, încercând să se liniștească.

— Ți-am zis să lași ușa deschisă. (Shirin stătea în mijlocul camerei, cu mâinile în șolduri.) E vorba de un băiat?

— Ce?

— Plângi. Te-ai despărțit de prietenul tău?

— Nu.

— Bine, n-ar trebui să plângi niciodată din cauza unui bărbat. Atunci? Te-ai despărțit de o prietenă?

— Ce? Nu!

— OK, nu te arici, a zis Shirin ridicând mâinile ca pentru a-și cere scuze. Văd că ești pe bune - bățoasă ca spaghetele uscate. Eu sunt mai degrabă genul „paste proaspete".

Peri a făcut ochii mari.

— Dacă lacrimile alea nu-s pentru un păpușel, atunci trebuie să-ți fie dor de casă, a zis Shirin înclinând capul. Norocoaso!

— Norocoasă?

— Mda, dacă ți-e dor de casă înseamnă că ai una undeva.

Shirin s-a trântit în fotoliul de lângă masă și a scos din buzunar o sticluță de ojă - de un roșu atât de viu, încât părea că fuseseră omorâte mai multe animale pentru fabricarea lui.

— Te deranjează?

Din nou, Peri n-a apucat să răspundă, că fata şi-a scos papucii şi s-a apucat să-şi facă unghiile de la picioare. Un miros înţepător de chimicale a umplut aerul.

— Acum, că părinţii tăi au plecat, pot să te întreb câteva lucruri? a zis Shirin. Eşti religioasă?

— Eu? Nu prea..., a răspuns Peri cu greutate, ca şi cum i-ar fi dezvăluit un lucru pe care îi luase ceva timp să-l înţeleagă. Dar mă interesează Dumnezeu.

— Hmm... Am nevoie de mai mult. De exemplu: mănânci carne de porc?

— Nu!

— Dar vin bei?

— Da, uneori, cu tata.

— Aha, mă gândeam eu. Eşti jumi-juma.

Peri s-a încruntat.

— Ce vrei să spui?

Dar Shirin n-o mai asculta. Părea să caute din nou ceva prin buzunare. Negăsind, şi-a încreţit nasul, s-a ridicat şi s-a îndreptat spre camera ei de dincolo de casa scării, clătinându-se pe tocurile pantofilor ca să nu-şi strice pedichiura proaspăt făcută.

Curioasă şi puţin supărată, Peri a urmat-o în camera ei, a cărei uşă era larg deschisă. A rămas ţintuită, şocată de haosul dinăuntru. Truse de machiaj, mănuşi de dantelă, sticluţe de parfum, mere mâncate pe jumătate, pungi de chipsuri goale, cutii de coca-cola boţite, cărţi şi pagini rupte de prin reviste zăceau împrăştiate peste tot. Unele pagini fuseseră prinse pe pereţi, lângă un poster cu Coldplay şi o fotografie alb-negru a unei femei cu părul negru şi înfăţişare focoasă sub care scria „Forough Farrokhzad[1]". Din celălalt capăt al camerei se încrunta la ea un poster uriaş cu Nietzsche, cu mustaţa lui stufoasă. Alături era

---

1. Forough Farrokhzad (1935-1967) – poetă şi regizoare iraniană, a cărei operă a fost interzisă mai bine de un deceniu după Revoluţia iraniană din 1978-1979.

ceva care semăna cu o copie mărită a unei miniaturi persane, într-o ramă aurie strălucitoare. Sub ea stătea Shirin, scotocind prin rucsacul ei.

— Ce voiai să spui cu asta? a repetat Peri.

— Jumătate musulmană, jumătate modernă. Nu poți să vezi carnea de porc, dar n-ai nici o problemă cu vinul... sau votca... sau tequila... te-ai prins. Relaxată în ce privește Ramadanul, postești când și când, totuși mănânci în zilele dintre ele. Nu vrei să lași baltă religia, fiindcă nu se știe dacă există viață după moarte, mai bine nu riști. Dar nu vrei să renunți nici la libertăți. Un picuț din aia, un picuț din aialaltă. Marea fuziune a vremurilor: *Muslimus modernus.*

— Hei, mă simt jignită, a protestat Peri.

— Sigur. Un *Muslimus modernus* se simte întotdeauna jignit. Zicând asta, Shirin a scos din rucsac o sticluță cu lac – un strat de finisaj pentru unghiile ei – și a exclamat: L-am găsit!

Peri a privit-o cu asprime.

— Dacă sunt cine zici că sunt, atunci tu cine ești?

— O, sora mea, sunt doar o rătăcitoare, i-a răspuns Shirin. Nu aparțin nici unui loc.

Aplicând lacul pe unghiile de la picioare, a continuat să tune și să fulgere împotriva fanaticilor, ipocriților, conformiștilor și „ignoranților", cum îi numea ea. Ideile ei se revărsau aidoma unui râu, cuvinte lichide, clocotind, împroșcând, căutând. Susținea că oamenii care cred și cei care nu cred cu pasiune sinceră sunt la fel de demni de respect în ochii ei. Ce nu suporta erau cei care nu gândeau. „Imitatorii", cum îi numea ea.

În tăcerea care a urmat, Peri s-a simțit trasă în două direcții diferite. O parte din ea detesta fanfaronada demonstrativă a lui Shirin. Simțea furia fetei, însă față de ce – țara, tatăl, religia ei, *mullah*[1]-ii iranieni – nu putea fi sigură. O altă parte din ea se bucura ascultând-o pe Shirin, fiindcă descoperea în monologurile ei ecouri ale vocii propriului tată. Oricum, nu era deloc

1. Specialiști în drept religios în islamul șiit.

genul de discuție pe care s-ar fi așteptat să o poarte în prima seară departe de casă. Voia să pălăvrăgească despre cursuri, profesori, cele mai bune locuri de unde îți puteai lua o cafea sau un sandvici, amănuntele vieții de zi cu zi la Oxford.

A început să plouă; un răpăit ușor și monoton a umplut încăperea. Probabil că avea darul s-o liniștească pe Shirin, pentru că atunci când a vorbit din nou, glasul ei, deși încărcat de emoție, era mai calm.

— Scuză-mă că te bombardez cu rahaturile mele. Tu alegi în ce vrei să crezi, nu e treaba mea. Nu știu de ce m-am ambalat așa.

— E OK, a zis Peri. Mă bucur doar că mama nu-i aici.

Shirin a râs - un chicotit vesel, aproape copilăresc.

— Povestește-mi despre ceilalți studenți, a rugat-o Peri. Sunt toți foarte deștepți?

— Crezi că toți de la Oxford sunt niște Einsteini?! a exclamat Shirin pufnind la ultimul cuvânt. Vezi tu, studenții sunt ca *milkshake*-urile, de toate aromele. Aș zice că-s vreo zece feluri pe-aici.

Întâi veneau socio-eco-justițiarii. Vorbăreți, serioși, entuziaști, implicați în campanii ca salvarea pădurilor tropicale din Borneo sau a călugărilor budiști persecutați din Nepal, i-a explicat Shirin. Erau ușor de identificat după puloverele lălâi, colierele din mărgele, tunsorile oribile, blugii întorși, aerul hotărât, dar și după pixuri și clipboard-uri - fiind întotdeauna pregătiți să strângă semnături. Organizau priveghiuri noaptea, iar ziua împărțeau fluturași peste tot și o țineau dintr-o discuție aprinsă într-alta. Le plăcea grozav să te facă să te simți vinovat că nu ești parte din ceva mai mare și mai plin de sens decât viața ta măruntă.

Apoi veneau eurogunoaiele. Erau din familii europene bogate care păreau să se cunoască toate între ele; în vacanțe se duceau la schi în aceleași stațiuni și se întorceau etalându-și bronzurile și făcând paradă de pozele lor. Fiindcă practicau o formă sofisticată de endogamie, nu-și dădeau întâlniri decât între ei. La mic dejunurile prelungite mâncau o grămadă de pâine cu unt şi totuşi reuşeau să-şi păstreze silueta. Le plăcea să se plângă tot timpul de mâncare – cornurile-s vechi şi cappuccinoul e apă chioară – şi vorbeau întruna despre vreme.

Pe urmă venea gloata de la şcoala publică. Sociabili numai selectiv. Formau clici cu viteza luminii, alegându-şi de obicei prietenii pe baza şcolilor la care fuseseră. Plini de energie și încredere, se implicau într-o grămadă de activităţi extracurriculare. Erau aşi la vâslit, canotaj, sărit garduri, actorie; jucau crichet, golf, tenis, rugby, polo pe apă şi practicau *t'ai chi* sau karate în timpul liber. Toată acţiunea asta probabil că le făcea o sete grozavă, fiindcă se strângeau în „societăţi de băutori", de care profitau la maximum ca să se îmbrace în smoching şi să se înece în alcool, savurând din plin excluderea celor cărora le lipsea backgroundul social necesar ca să devină membri în cluburile lor. Ca să intri în ele trebuia să fii propus și orice viitor candidat putea fi exclus.

Apoi veneau studenţii străini: indieni, chinezi, arabi, indonezieni, africani... Majoritatea se încadrau în două categorii. Cei care, atraşi unii de alţii ca nişte magneţi, căutau familiarul. Mâncau, învăţau, fumau şi umblau în grupuri în care puteau vorbi limba maternă. Şi mai erau cei care făceau exact invers, vrând să se distanţeze cât mai mult posibil de compatrioţii lor. Aceştia din urmă aveau cele mai volatile accente, care se schimbau dramatic în încercările lor de a părea mai britanici sau, uneori, mai americani.

Pe locul cinci veneau tocilarii. Serioşi, studioşi, inteligenţi, curioşi, demni de respect, dar imposibil să ţi-i faci prieteni. Că era vorba de matematică, fizică sau filosofie, răsăreau ca ciupercile de pădure, preferând cotloanele umbroase locurilor în plin soare. Studiau disciplinele alese cu o pasiune care friza nevroza. Puteai să-i distingi chiar şi în mulţime, mergând grăbiţi de la bibliotecă la seminare, nerăbdători să discute diverse probleme cu profesorii pe coridoare, însă altfel absolut mulţumiţi de singurătatea lor; de fapt, se simţeau mult mai bine înconjuraţi de cărţile lor decât alături de ceilalţi la barul colegiului sau în sala comună pentru studenţi.

Ascultând-o pe Shirin, Peri a simţit cum entuziasmul se împleteşte cu neliniştea. Era pregătită şi în acelaşi timp se temea să descopere lumea aceea nouă în care trebuia să-şi adune puterile ca să păşească.

— Tu cum de ştii toate astea?

Shirin a râs.

— Fiindcă am ieşit cu băieţi – şi fete – din fiecare grup.

— Ai ieşit cu... fete?

— Sigur, pot să iubesc o femeie, pot să iubesc un bărbat. Mă doare undeva de etichete.

— A! a zis Peri încurcată. Păi... ăăă, cum rămâne cu a şasea categorie?

— Aha! a exclamat Shirin şi ochii i s-au luminat, umplându-se de fărâme de ambră. În ea intră cei care ajung aici într-un fel şi se schimbă în întregime. Pur şi simplu înfloresc. Răţuşte urâte preschimbate în lebede, dovleci – în caleşti, Cenuşărese – în eroine. Pentru unii studenţi, Oxfordul e ca o baghetă magică – te atinge şi... ta-daa! Te prefaci din broască în prinţ.

Peri a clătinat din cap.

— Cum?

— Păi, în multe feluri, însă de obicei datorită cuiva... un profesor, probabil. Cineva care te provoacă şi te face să te vezi aşa cum eşti.

Ceva din tonul lui Shirin a intrigat-o.

— Ţie aşa ţi s-a întâmplat?

— Mda, te-ai prins! Fac parte din a şasea categorie, a răspuns Shirin. Dacă m-ai fi văzut acum un an, nu m-ai fi recunoscut. Eram un ghem de furie.

— Şi ce s-a întâmplat?

— Profesorul Azur! a zis Shirin. El mi-a deschis ochii. El m-a învăţat să privesc în interior. Azi sunt o persoană mai calmă.

Dacă asta era varianta ei calmă, Peri nu voia să ştie cum arăta cealaltă Shirin.

— Cine e profesorul Azur?

— Nu știi? a plescăit Shirin din buze de parcă ar fi avut ceva dulce pe limbă. Azur e o legendă ambulantă pe-aici!

— Ce predă?

Un zâmbet a trecut peste fața lui Shirin.

— Dumnezeu.

— Serios?

— Serios, a zis fata. E și el un mic Dumnezeu. A publicat nouă cărți și tot timpul e în vreo comisie sau ia parte la vreo conferință. O adevărată celebritate, îți zic. Anul trecut, revista *Time* l-a inclus în topul celor o sută cei mai influenți oameni din lume.

Afară vântul se întețea, trântind o fereastră undeva în clădire.

— E-al naibii de greu să-i fii student! a continuat Shirin. Ne-a dat să citim de ne-au ieșit ochii! A fost o nebunie! Tot felul de ciudățenii: poezie, filosofie, istorie. Adică, îmi plac chestiile astea, nu mă înțelege greșit, altfel ce-aș mai căuta la științe umane, nu? Dar găsea numai texte despre care nimeni nu știa o iotă și ne cerea să le discutăm. Totuși era distractiv. La sfârșit eram cu totul alt om.

Când se punea pe vorbit, a observat Peri, Shirin îi dădea întruna înainte, ca o mașină cu frânele stricate, nefiind în stare să încetinească, darămite să se oprească, dacă nu intervenea vreo forță exterioară. Acum spunea:

— Ar trebui să te gândești să te înscrii la seminarul lui. Mă rog... dacă îți dă voie Azur, adică. E greu să-l convingi. Mai ușor ai face o cămilă să sară un șanț.

Peri a zâmbit.

— Avem același proverb în Turcia. De ce e așa de greu să fii acceptat la seminarul lui?

— Trebuie să fii eligibil. Asta înseamnă că trebuie să discuți cu îndrumătorul de studii și așa mai departe. Dacă e de acord, te duci la Azur. Asta-i cam nasol. E greu de mulțumit. Și-ți pune întrebări ciudate.

— Despre?

— Dumnezeu... bine și rău... știință și credință... viață și moarte... (Shirin s-a încruntat, căutând și alte cuvinte.) Totul. E ca un concurs universitar. N-am înțeles niciodată ce caută. La urmă alege doar o mână de studenți.

— Se pare că tu ai reușit să fii aleasă de două ori, a zis Peri simțind cum ceva vecin cu invidia îi urcă încet până-n gât, fără nici un motiv.

— Așa-i, a întărit Shirin, și era imposibil să nu-i observi mândria din glas.

O clipă s-a lăsat tăcerea.

— Mă mai văd cu el ca să-i cer sfaturi, cel puțin o dată pe săptămână, a bolborosit Shirin, incapabilă să tacă mai mult de un minut. De fapt, sunt cam leșinată după el. E ridicol de arătos. Nu, nu doar arătos. E sexy!

Peri stătea încordată pe scaunul ei, neștiind ce să răspundă. La prima vedere, veneau amândouă din țări musulmane, din culturi asemănătoare. Totuși, cât de diferită era de fata asta care părea absolut împăcată cu ea și cu sexualitatea ei.

— Uau, se pare că te-ai îndrăgostit de profesorul tău, a zis Peri și nu s-a putut abține să adauge: Nu e ceva greșit?

Shirin și-a dat capul pe spate și a scos un hohot de râs.

— O, e ceva foarte, foarte greșit. O să putrezesc în închisoare!

Jenată de propria naivitate, Peri a ridicat din umeri.

— Mă rog... seminarul sună promițător, dar trebuie să mă concentrez la alte lucruri.

— Adică, ești prea ocupată să fii o simplă muritoare, a zis Shirin pironindu-și noua prietenă cu privirea ei tăioasă. Dumnezeu va trebui să mai aștepte.

Deși se voia o glumă, remarca lui Shirin a fost atât de neașteptată și de gratuită, că a tulburat-o pe Peri. S-a uitat spre fereastră, la cerul cenușiu ca ardezia în care pălea și ultima geană de lumină. Vântul, ploaia, zgomotul unui oblon trântit, aerul rece ca iarna, chiar dacă era doar începutul toamnei – avea să și le amintească pe toate mulți ani de-atunci înainte. Era un moment decisiv în viața ei, deși nu avea să înțeleagă asta decât după ce trecuse.

Distracția

Istanbul, 2016

Antreurile dispărură printre complimente entuziaste adresate bucătarului. Piure de vinete afumate, pui cerchez cu usturoi și nuci, anghinare cu bob, flori de dovlecel umplute, caracatiță la grătar în sos de unt și lămâie. Când îl văzu pe cel din urmă, o umbră trecu peste fața lui Peri. De mult nu mai considera caracatița o mâncare, așa că o împinse ușor la o parte cu furculița. Epuizând intrigile din lumea fotbalului, invitații se aruncară asupra celuilalt subiect preferat al dineurilor din Istanbul: politica. Și, inevitabil, cineva puse întrebarea care nu poate lipsi când trei turci se strâng laolaltă: „Încotro ne îndreptăm?“.

Capitaliștii din partea asta de lume aveau o oarecare ipocrizie, se gândi Peri. Pe față erau conservatori declarați și susținători ai statu-quoului, iar pe ascuns fierbeau de furie și frustrare. Fără să amestece prea mult imaginea publică cu cea privată, elita – mai ales cea a oamenilor de afaceri – își petrecea întreaga viață uitându-se peste umăr. În public, își păstrau părerile pentru ei, din câte vedea, abținându-se să discute despre politică – asta dacă nu erau nevoiți, caz în care făceau câteva comentarii inofensive, nimic mai mult. Se mișcau prin societate cu un aer nepăsător, așa cum fac cumpărătorii ce trec pe lângă magazine aparent dezinteresați. Când dădeau peste ceva care îi deranja, adică destul de des, închideau ochii, își astupau urechile, își pecetluiau gurile. Totuși, între pereții casei lor, masca de nepăsare cădea și sufereau o metamorfoză. Apatia lor se preschimba în impertinență, mormăitul – în țipete, discreția – în aroganță.

La petrecerile private, burghezia din Istanbul nu se oprea o clipă din discuții afectate despre politică, parcă pentru a compensa tăcerea de-afară.

La Oxford, Peri învățase că burghezia occidentală, cu valorile sale liberale și individualiste și opoziția față de feudalism, avusese un rol progresist de-a lungul istoriei. Aici, clasa capitalistă era un gând întârziat, epilogul unei povești încă nespuse. Marx credea că burghezia crease o lume după chipul ei. Dacă *Manifestul comunist* ar fi fost scris în turcă și despre turci, ar fi fost oarecum diferit. Extrem de evazivă, burghezia din partea locului cedase în fața culturii care o înconjura. Ca un pendul fără odihnă, oscila între un elitism autoaprobator și o politică de autoestompare. Statul – cu S – era începutul și sfârșitul tuturor lucrurilor. Ca un nor de furtună pe cer, autoritatea Statului plutea amenințător peste orice casă din țară, fie că era un conac impunător sau o maghernită umilă.

Peri privi fețele din jurul mesei. Bogații, aspiranții la bogăție și superbogații erau toți la fel de nesiguri. Mare parte din liniștea lor sufletească depindea de capriciile Statului. Chiar și cei mai puternici se temeau să nu piardă controlul, chiar și celor mai prosperi le era groază de privațiuni. Trebuia să crezi în Stat din același motiv pentru care trebuia să crezi în Dumnezeu: frica. Burghezia, în ciuda extravaganței și opulenței sale, semăna cu un copil căruia îi e frică de tatăl lui – eternul patriarh, *baba*. În mijlocul nesiguranței, spre deosebire de omologii lor europeni, membrii burgheziei locale nu aveau nici îndrăzneală, nici autonomie, nici tradiție, nici memorie –, prinși între ce se aștepta de la ei să fie și ce-și doreau într-adevăr să fie. *Nu sunt foarte diferiți de mine*, își zise Peri.

Mirosurile amestecate de lumânări și mirodenii, ca un val de ceață deasă, pluteau deasupra lor. Aerul din încăpere părea mai greu și mai cald, în ciuda vântului răcoros ce bătea dinspre terasă, unde câțiva dintre bărbați ieșiseră să fumeze. Lui Peri nu-i scăpă faptul că exista o oarecare tensiune între anumiți invitați. Politica transforma prietenii în dușmani. Iar contrariul era la fel de adevărat: politica unea oameni care altfel aveau prea puţine în comun, prefăcând adversarii în camarazi.

În următorul sfert de oră, pe când se consumau aperitivele, posturile se schimbară, feţele se înăspriră, zâmbetele deveniră grave. Punctându-şi afirmaţiile cu semne de exclamare, invitaţii discutau despre viitorul Turciei. Dar, cum acesta era strâns legat de viitorul întregului glob, vorbiră şi despre America, Europa, India, Pakistan, China, Israel, Iran. Evident, toate le trezeau suspiciuni, însă unele mai mult decât altele. Lobby-uri sinistre şi marionetele lor conspirau împotriva Turciei, imperialiştii îşi manipulau lacheii, mâini ascunse ce controlau totul de la distanţă. Discutau despre relaţiile internaţionale cu aceeaşi vigilenţă pe care o rezervau aurolacilor sau drogaţilor de pe străzi, aşteptându-se să fie atacaţi sau jefuiţi în orice clipă.

Peri îi ascultă liniştită, deşi pe dinăuntru era pradă unei mulţimi de emoţii amestecate. Îşi dorea nespus să fie acasă, absolut singură şi învelită cu o pătură, citind un roman. Pe de o parte se simţea stânjenită că nu ştie să se bucure de seara aia, de mâncarea delicioasă şi de vinul rafinat şi că nu e destul de amuzantă, cum îi amintea adesea fiică-sa. Pe de altă parte îi venea să se îmbete, să se întoarcă la baie şi să facă zob acvariul cu peşti. Îşi amintea încă foarte viu povestea tatălui ei – bancuri de peşti negri ca smoala ciugulind versurile unui poem şi ochii unui poet.

Aşa se simţea şi ea în seara aia – de parcă Istanbulul îi mistuia sufletul.

Alergătoarea

Oxford, 2000

Studenţia la Oxford a avut două efecte imediate asupra lui Nazperi Nalbantoğlu. Primul era cinematografic. Cu vechile curţi pătrate şi grădinile sale liniştite, cu turlele ameţitoare şi zidurile sale crenelate, cu sălile de mese solemne şi capelele sale pline de demnitate, Oxfordul îţi dădea o senzaţie de deschidere, frumuseţe şi finalitate, de parcă fiecare detaliu ar fi fost parte dintr-o panoramă bine proiectată – o poveste filmică în care ea, boboaca, juca rolul principal. O stare de euforie. Sentimentul că urma să se întâmple ceva important şi că avea să fie în centrul său.

În multe dimineţi, Peri se trezea în culmea fericirii, explodând de energie şi ambiţie, de parcă n-ar fi existat lucru pe care să nu-l poată realiza dacă se străduia îndeajuns. După absolvire plănuia să rămână în universitate sau să-şi găsească o slujbă la vreo instituţie internaţională de top. Avea să câştige o grămadă de bani şi să le cumpere părinţilor ei o casă mare pe ţărmul mării – o să ocupe fiecare câte un etaj şi n-o să se mai certe niciodată. Hotărâtă să-şi facă tatăl mândru de ea, îşi vedea deja diploma de absolvire înrămată cu gust şi atârnată pe peretele din living, lângă portretul lui Atatürk. Seara, când toasta pentru eroul naţional, avea să salute şi realizările fiicei lui.

Celălalt efect pe care l-a avut Oxfordul asupra lui Peri era opusul primului. Al doilea era claustrofobic. Un fel aparte de-a se închide în sine, aproape de-a evada: locul era prea mare ca să-l cuprinzi dintr-odată şi nu putea fi descifrat decât bucată cu bucată. În asemenea dimineţi, Peri devenea retrasă, captivă în propria minte, intimidată de dificultatea seminarelor sau de metodele profesorilor și de formalismul despre care pretindeau că ar fi esențial studiului academic.

A aflat curând că nu e deloc cool să porți hanorace și ursuleți de pluș cu emblema universității; erau doar pentru turiști, deși Peri nu s-a putut abține să-și cumpere o cană. Când s-a întors acasă la nunta fratelui ei, a vrut să o ia cu ea și să i-o dea cadou maică-sii. Selma ar fi așezat-o, probabil, pe raftul ei, lângă caii de porțelan și cărțile de rugăciuni islamice.

Într-o dimineață, când luna se afla încă în înaltul cerului, Peri a văzut de la fereastră o studentă - cu căști în urechi și roșie în obraji - alergând prin curtea pătrată. Și ea încercase de vreo câteva ori în Istanbul, în ciuda obstacolelor pe care orașul i le scotea în cale. Aici era un fel de privilegiu, fiindcă nu trebuia să-ți mai bați capul cu trotuarele crăpate, gropile de pe străzi, hărțuirea sexuală, mașinile care nu încetineau nici măcar la trecerile de pietoni. În aceeași zi și-a cumpărat o pereche de adidași.

După câteva încercări nereușite, și-a găsit traseul ideal. Traversa High Street lângă Magdalen Bridge, alerga de-a lungul terenului Merton Field, străbătea pajiștea de la Christ Church și se întorcea făcând un ocol pe Addison's Walk, dacă o mai țineau puterile. Uneori pietrele de pavaj păreau să-i fugă de sub picioare și avea senzația că la capătul uneia dintre străduțele alea vechi o să descopere un portal spre alt secol. Cel mai greu îi era să-și intre în ritm, dar când reușea, putea s-o țină așa aproape o oră. După ce alerga mult timp, cu părul ud atârnându-i pe gât și inima bubuind atât de tare că aproape o durea pieptul, se simțea de parcă ar fi pătruns în altă lume, de parcă ar fi trecut pragul dintre tărâmul viilor și al morților. Știa că se gândește la moarte mult prea mult pentru o fată de vârsta ei.

Multă lume ieșea să alerge la Oxford - profesori, studenți, membri ai staffului. Era ușor să-i deosebești pe cei cărora le plăcea să alerge ca exercițiu de cei pentru care era o corvoadă şi se achitau de ea doar pentru că promiseseră cuiva - doctorului, partenerului - o versiune a lor mai în formă. Peri îi invidia pe alergătorii care erau clar mai buni decât ea, însă de cele mai multe ori se arăta mulţumită de performanţele ei - în weekend şi în toate zilele săptămânii. Când avea de lucru dimineaţa, alerga după lăsarea întunericului. Dacă era ocupată seara, se străduia să se scoale în zori. De câteva ori, mult prea rar ca să-i intre în obicei, vrând să-şi limpezească mintea, a ieşit să alerge noaptea târziu, când era atât de linişte că nu-şi auzea decât şuierul respiraţiei în timp ce trecea în viteză prin centrul oraşului. Această disciplină de fier, se asigura ea, avea să-i facă bine, nu doar fizic, ci şi emoţional.

Uneori, când se sincroniza cu vreun alt alergător, se întreba la ce se gândea el sau ea. Poate la nimic. Pentru Peri, acestea erau singurele momente când putea să-şi amuţească neliniştile şi să-şi risipească temerile. Alergând peste pajişti, trăgând în piept aerul umed care se putea preface în orice clipă în ploaie, simţea o uşurătate a fiinţei pe care nu o mai încercase niciodată, de parcă ea - Peri, Nazperi, Rosa - nu şi-ar fi strâns grijile în suflet aşa cum alţii colecţionează ambalaje de staniol auriu sau timbre străine; se simţea uşoară ca un duh, de parcă n-ar fi avut nici trecut, nici vreo amintire a lui.

Pescarul

Oxford, 2000

Săptămâna Bobocilor, aşa o numeau. Până să înceapă cu adevărat primul trimestru în acel octombrie, o grămadă de evenimente mondene şi distracţii au fost înghesuite în decursul câtorva zile pentru a-i ajuta pe proaspeţii studenţi să cunoască universitatea, oraşul şi împrejurimile, să-şi facă noi prieteni – poate şi duşmani – şi să se scuture de nervozitate aşa cum un arbore Gingko îşi scutură frunzele la primul îngheţ. Grătare, întâlniri cu profesorii, concursuri de gătit şi mâncat, five o'clockuri, petreceri cu dans, karaoke şi serate elegante... Îmbrăcată cu tricoul ei de boboacă, Peri se plimba degajată peste tot, discutând cu studenţi şi universitari. Cu cât vorbea mai mult cu oamenii, cu atât se convingea mai tare că toată lumea ştie ce face – toată lumea în afară de ea.

Peri aflase că universitatea – dornică să-şi schimbe imaginea de spaţiu rezervat câtorva privilegiaţi şi să mărească diversitatea studenţilor admişi şi-a ambianţei – anunţase recent un sistem de burse care să încurajeze candidaţii din medii defavorizate să se înscrie. A cercetat feţele din jur, observând o varietate de etnii şi naţionalităţi, însă mijloacele lor financiare erau mai greu de ghicit.

A remarcat că, dincolo de agitaţia frenetică, avea loc un schimb discret de priviri. Un băiat, mai ales, părea interesat de ea. Înalt, cu maxilar proeminent, păr blond tuns scurt, umeri puternici şi ţinută mândră – de la înot sau vâslit, bănuia fata – i-a zâmbit ca un gurmand în faţa unui fel de mâncare exotic.

— Stai departe de el, a șoptit un glas în urechea lui Peri.

S-a întors imediat. A văzut o fată cu văl, sprâncene arcuite și ochi conturați cu cel mai negru khol. Avea un piercing în nas – un cercel ca o micuță semilună.

— Clubul Nautic Universitar, foarte popular, a adăugat fata. A venit la pescuit de boboace.

— Cum?

— Tipul face chestia asta în fiecare an, se pare. Și pe urmă se laudă peste tot cu câți pești a reușit să prindă într-o săptămână. Cineva mi-a zis că încearcă să-și doboare recordul de anul trecut.

— Adică, peștii sunt... fete?

— Da, ironia e că unele dintre ele n-au nici o problemă să fie tratate ca niște pești strălucitori stupizi, îmbrăcați după ultima modă. (O notă glumeață i s-a strecurat în glas.) E greu să rupi lanțurile când unele dintre noi adoră să fie înlănțuite.

Peri a făcut ochii mari, încercând să-și închipuie cum ar arăta un pește în lanțuri.

— Ia întreabă-i pe oamenii de-aici: cine are nevoie de feminism? a continuat fata. O să spună: „A, femeile din Pakistan, Nigeria, Arabia Saudită, în nici un caz cele din Marea Britanie, noi am depășit de mult faza asta! Sigur nu cele de la Oxford, așa-i?". Dar realitatea e cu totul alta. Știai că studentele se descurcă extrem de prost aici? Există un decalaj de gen uriaș la rezultatele examenelor. O boboacă la Oxford are nevoie de feminism la fel de mult ca o mamă de la țară din Egipt! Dacă ești de acord cu mine, semnează petiția noastră.

I-a întins un stilou și o foaie cu antetul: „Brigada feministă de la Oxford".

— Hmm... ești feministă? a întrebat Peri prudent, fiindu-i greu să asocieze termenul cu înfățișarea fetei.

— Sigur, a răspuns fata. Sunt feministă musulmană, iar dacă unii cred că așa ceva e imposibil, e problema lor. Nu a mea.

Semnând, Peri și-a amintit dintr-odată de fostul ei prieten din Turcia. Nu era numai împotriva lecturilor din literatura europeană, ci și împotriva tuturor ideologiilor occidentale, dintre care feminismul era cel mai periculos, după părerea lui. *O diversiune care să le abată atenția surorilor noastre de la problema reală: lupta de clasă.* Nu era nevoie de o mișcare separată a femeilor, fiindcă dispariția exploatării economice avea să pună capăt automat oricărei discriminări. Emanciparea femeilor avea să vină odată cu emanciparea proletariatului.

— Mulțumesc, a zis fata luându-și înapoi stiloul și foaia. Apropo, pe mine mă cheamă Mona. Pe tine?

— Peri.

— Mă bucur să te cunosc, a zis Mona cu un zâmbet radios.

Peri a aflat că Mona e americano-egipteană. Născută în New Jersey, se mutase cu familia în Cairo când avea vreo zece ani. „Copiii ar trebui crescuți în cultura musulmană", zisese tatăl ei. Câțiva ani mai târziu, descoperind că viața în Egipt e mai grea decât se așteptau - ori că, în adâncul sufletului, erau cu toții americani adevărați -, se întorseseră în State. Mona era în anul al doilea la Oxford și schimba disciplinele ca să se concentreze pe filosofie. Mama ei purta văl, i-a zis ea, dar sora ei mai mare, nu.

— Am făcut alegeri diferite în viață.

Pe lângă faptul că era o apărătoare a feminismului, Mona se implica într-o mulțime de activități voluntare: Asociația de Ajutorare a Balcanilor, Asociația Prietenii Palestinei, Asociația de Studii Sufite, Asociația de Studii despre Migrație și Asociația Islamică de la Oxford, unde se număra printre membrii cei mai importanți. Voia să înființeze și o „asociație de hip-hop", fiindcă adora muzica. Inspirată de întâlnirea cu diverse culturi, scria versuri, sperând că cineva avea să le pună într-o zi pe muzică de rap.

— Uau, cum reușești să găsești timp pentru toate astea? a întrebat Peri.

Mona a clătinat din cap.

— Nu trebuie să găsești timp, ci pur și simplu să știi cum să ți-l organizezi. De aia ne-a dat Allah cinci rugăciuni pe zi - ca să ne organizeze viața.

Peri, care nu respectase niciodată cele cinci rugăciuni – nici măcar una, nici măcar în faza religioasă de după infarctul tatălui ei –, s-a bosumflat şi a zis încet:

— Pari în largul tău cu religia.

— Cred că s-ar putea spune că sunt împăcată cu mine însămi, a răspuns Mona uitându-se la ceas. Trebuie să plec, dar sunt sigură c-o să ne mai vedem. Tot timpul strâng semnături pentru vreo cauză bună.

Înainte să se despartă şi-au strâns mâinile – cu putere, ăsta era stilul Monei.

În seara aceea, Peri a scris în jurnalul dedicat lui Dumnezeu: *Unii oameni vor să schimbe lumea; alţii, pe partenerii sau prietenii lor. Mie însă mi-ar plăcea să-l schimb pe Dumnezeu. Asta ar fi ceva. N-ar avea toţi oamenii din lume de câştigat?*

*

La Istanbul, Peri încercase, de cele mai multe ori fără succes, să se poarte ca o extrovertită, deşi nu era, şi socializase mai mult decât simţea nevoia. La Oxford, cu toată presiunea culturală pe umeri, savura, nu, *preţuia ca pe-o comoară* singurătatea. Totuşi nu doar din cauză că era o introvertită s-a lipsit de o bună parte din distracţia din Săptămâna Bobocilor. A aflat că, deşi unele evenimente (ceaiurile în sala comună a studenţilor, întâlnirile cu profesorii) erau libere, altele (brioşele vegane, bezelele halal, pizzele vegetariene) se plăteau. Era mai bine pentru bugetul ei limitat să evite toată tevatura. S-a concentrat în schimb asupra listei ei de priorităţi: să-şi ia legitimaţia de student; să-şi cumpere manuale, second-hand, dacă se putea; să-şi deschidă un cont bancar de student. Hotărâtă să-şi dea seama cum ar putea trăi fără prea mari cheltuieli, a comparat preţurile din magazine şi supermarketuri.

Peri a fost probabil unul dintre puţinii studenţi care s-a bucurat când săptămâna, cu toată distracţia şi veselia ei, s-a sfârşit. Trimestrul a început imediat. Uşurată, a intrat într-o rutină alcătuită din cursuri, seminare, liste de lecturi şi eseuri. În acel mediu cu totul străin pentru ea, învăţatul era o funie groasă de care să se prindă, şi a făcut-o cu toată puterea.

Shirin venea şi pleca la diverse ore, lăsând în urmă o dâră de parfum ce stăruia în aer. Molecule ameţitoare de magnolie şi cedru. Deşi ritmurile vieţii lor de zi cu zi erau guvernate de obiceiuri incompatibile, luau tot mai des micul dejun şi prânzul împreună, vorbind despre cursuri, profesori şi, uneori, despre băieţi, un subiect care nu-şi pierdea niciodată atracţia. Peri, care nu avea prea multă experienţă în domeniu, o asculta pe Shirin cum trăncănea despre arta de-a ieşi la o întâlnire cu masculii speciei şi se simţea din ce în ce mai descurajată. Alături de prietenele experimentate, care flirtează fără nici un efort, asupra unei novice relative se abate deznădejdea, sentimentul că a rămas atât de în urmă încât a devenit o simplă spectatoare.

Peri a căutat seminarul despre care îi vorbise Shirin. L-a reperat pe o listă cu opţionale oferite de Catedra de filosofie, unele cu titluri impresionante şi complicate: „Critica atomistă a creaţionismului", „Holismul în psihologia şi epistemologia stoică", „Regii-filosofi ai lui Platon, viaţa bună şi minciuna nobilă", „Aquino: criticii şi colegii săi scolastici medievali", „Vederile lui Kant şi ale idealismului german despre filosofia religiei", „Probleme filosofice în ştiinţele cognitive".

Spre sfârşitul listei se zărea un titlu scurt: „Dumnezeu". Lângă el era o descriere: *Cercetând surse din toate timpurile, de la filologie la poezie, de la misticism la neuroştiinţă, de la filosofii orientali la omologii lor occidentali, acest seminar explorează despre ce vorbim când vorbim despre Dumnezeu.*

Şi, în paranteză, numele coordonatorului: Profesorul Anthony Zacharias Azur. Dedesubt mai era o notă: *Locuri limitate, discutaţi mai întâi cu coordonatorul. Avertisment: Acesta s-ar putea să fie sau nu seminarul potrivit pentru voi.*

Descrierea a intrigat-o, aroganţa ce se citea printre rânduri fiind la fel de ispititoare pe cât era de supărătoare. S-a gândit să se intereseze de seminar, dar în frenezia primelor zile a uitat cu desăvârşire.

Shirin avea dreptate: „Dumnezeu" trebuia să mai aştepte.

Caviarul negru

Istanbul, 2016

Felul principal – *risotto* cu ciuperci de pădure și friptură de miel cu șofran și sos de mentă cu miere – fu servit pe platouri de argint garnisite cu legume la grătar pe margine. Imaginea servitoarelor, în uniformele lor apretate, mărșăluind în încăpere și ridicând capacele de pe grămezi de carne aburindă era atât de teatrală, încât unii dintre invitați au aplaudat cu încântare. Încălziți de delicatese și vin, se înveseliră cu toții, devenind mai gălăgioși și mai îndrăzneți.

— Sincer, nu cred în democrație, zise un arhitect cu tunsoare militărească și un cioc perfect aranjat. (Firma lui scosese profituri uriașe din proiecte de construcție răspândite prin tot orașul.) Uitați-vă la Singapore – succes fără democrație. China la fel. Trăim într-o lume a vitezei. Deciziile trebuie luate cât ai clipi. Europa își pierde timpul cu dezbateri mărunte în timp ce Singapore înaintează în galop. De ce? Pentru că oamenii de-acolo sunt concentrați. Democrația e o pierdere de timp și de bani.

— Bravo! exclamă o designeră de interioare care era logodnica arhitectului și a treia soție în devenire. Mereu am spus că în lumea musulmană democrația e redundantă. Chiar și în Vest e o bătaie de cap, să recunoaștem, însă aici e total nepotrivită!

Soția omului de afaceri se arătă de acord.

— Imaginați-vă că fiul meu are o diplomă de master în afaceri. Soțul meu angajează mii de oameni. Dar familia noastră nu are dreptul decât la trei voturi. Fratele șoferului nostru, care a rămas în satul lor, are opt copii. Nu sunt sigură că au citit vreo carte în viața lor, însă au dreptul la zece voturi! În Europa lumea e educată. Democrația nu poate face nici un rău. Dar cu Orientul Mijlociu e cu totul altă poveste! Să acorzi voturi egale ignoranților e ca și cum ai pune o cutie cu chibrituri în mâna unui puști. S-ar putea să dea foc la casă!

Mângâindu-și ciocul cu încheietura arătătorului, arhitectul adăugă:

— Ei, nu propun să abandonăm urnele. Nu le-am putea explica asta celor din Vest. O democrație controlată e numai bună. Un grup de birocrați și tehnocrați sub conducerea unui lider inteligent și puternic. Atâta timp cât omul de la vârf știe ce face, n-am nimic cu autocrația. Altfel cum vom atrage investitori străini?

Toți întoarseră capetele spre singurul străin de la masă - un manager de fonduri *hedge*[1] american care vizita orașul. Se străduia să urmărească discuția cu ajutorul traducerilor sporadice care îi erau șoptite la ureche. Împins în lumina reflectoarelor, se foi stânjenit pe scaun.

— Nimeni nu vrea o regiune destabilizată, asta-i sigur. Știți cum numesc tipii de la Washington Orientul Mijlociu? Orientul Tulburiu! Scuze, oameni buni, dar e un haos.

Unii dintre invitați râseră, alții se strâmbară. Era un haos, însă era haosul lor. *Ei* puteau să-l critice după pofta inimii, dar nu și un american putred de bogat. Simțind energiile negative, managerul de fonduri *hedge* strânse din buze.

— Un motiv în plus ca să-mi susțin teoria, zise arhitectul între două înghițituri de *risotto*.

Apolitic timp de mulți ani, în ultima vreme manifesta tendințe șoviniste, deși prin vene îi curgea sânge pe jumătate kurd.

— Ei, întreaga regiune ajunge la aceeași concluzie, încuviință directorul de bancă. După eșecul total cu Primăvara arabă, orice

---

1. Fonduri de investiții cu număr limitat de investitori, administrate agresiv, ce au drept scop obținerea unei rate maxime de rentabilitate.

om normal trebuie să recunoască beneficiile pe care le oferă un lider puternic și stabilitatea.

— Democrația e *passé*[1]! Știu că pe unii s-ar putea să-i șocheze, dar îmi asum riscurile, continuă arhitectul, încântat că părerile lui începeau să fie acceptate. Sunt întru totul pentru dictatura binevoitoare.

— Problema cu democrația e că-i un lux, cum e caviarul negru, zise un chirurg plastician care avea o clinică în Istanbul, însă trăia în Stockholm. În Orientul Mijlociu nu ți-o permiți.

— Nici Europa nu mai crede în ea, adăugă jurnalistul înfigând furculița într-o bucată de miel. Uniunea Europeană se destramă.

— S-a purtat ca o pisică fricoasă când Rusia s-a prefăcut într-un tigru în Ucraina, spuse arhitectul, acum în toată măreția. Vă place sau nu, ăsta e secolul tigrilor. Sigur, n-o să te iubească nimeni dacă ești tigru. Dar o să se teamă de tine, și asta contează.

— Eu mă bucur că n-am fost primiți în UE. Atâta pagubă! zise gânditoare femeia din PR. Altfel am fi ajuns ca Grecia.

Se trase ușor de lobul urechii, țâțâi din buze și bătu de două ori în masă.

— Grecii? Își doresc să se întoarcă otomanii, erau mai fericiți sub stăpânirea noastră..., remarcă arhitectul cu un chicotit din care se întrerupse brusc când zări expresia lui Peri. (Se întoarse spre Adnan, făcându-i cu ochiul.) Mă tem că soția ta nu-mi gustă glumele.

Adnan, care asculta discuția cu bărbia sprijinită în palmă, îi zâmbi – pe jumătate morocănos, pe jumătate înțelegător.

— Sunt sigur că nu-i adevărat.

Ochii lui Peri căzură pe *risotto*-ul care i se răcea în farfurie. Ar fi putut să lase remarcile să treacă neobservate; cam ca fumul de la trabucurile altora, nedorit, totuși suportabil într-o anumită măsură. Dar își promisese cu ani în urmă, chiar după ce plecase de la Oxford, să nu mai tacă niciodată.

---

1. Trecut (fr.); în context, „de domeniul trecutului".

Dând din cap încordată, îi zise soţului ei:

— Ba e adevărat, nu-mi plac discuţiile de genul ăsta. Democraţia precum caviarul negru, statele ca nişte tigri... (Cum nu mai vorbise de ceva timp, toate capetele se răsuciră spre ea, iar Peri le întoarse privirile.) Uite ce-i, nu poate să existe o dictatură binevoitoare.

— De ce nu? întrebă arhitectul.

— Pentru că nu poate să existe un dumnezeu mărunt. Odată ce începi să te joci de-a Dumnezeu, mai devreme sau mai târziu lucrurile scapă de sub control.

Iar între timp prin minte îi alergau tot felul de gânduri despre profesorul Azur. *Pe undeva e şi el un Dumnezeu.* Poate că lucrurile n-ar mai fi luat-o razna dacă ar fi recunoscut că, la fel ca studenţii lui, era şi el doar un om?

— Fii serioasă, o întrerupse arhitectul. Aici nu suntem la Oxfordul tău sofisticat! Aici vorbim realpolitik[1]. Ne învecinăm cu Siria, Iranul şi Irakul. Nu cu Finlanda, Norvegia şi Danemarca. N-o să avem niciodată o democraţie pe model scandinav în Orientul Mijlociu.

— Poate că nu, răspunse Peri. Dar nu mă poţi opri să mi-o doresc. Nu ne poţi opri pe toţi să ne dorim ce ni se refuză.

— Dorinţă! Ce cuvânt! exclamă arhitectul aplecându-se înainte, cu palmele deschise pe masă. Acum păşeşti pe un tărâm primejdios.

Peri clătină din cap, conştientă că, după *Ghidul de patriarhat pentru avansaţi*, membrele Clubului Doamnelor Turce Decente nu puteau apăra în public meritele „dorinţei". Dar avea un chef nebun să renunţe la calitatea de membră - iar dacă nu putea, trebuia să fie dată afară. Se gândi la Shirin. Prietena ei bătăioasă cu siguranţă i-ar fi spus verde-n faţă arhitectului care-i părerea ei. Însufleţită de acel gând, Peri zise încet:

---

1. Politică bazată mai curând pe factori şi pe circumstanţe reale, decât pe ideologie sau concepte morale.

— Dacă vrei să-mi spui că ar trebui să iau lucrurile aşa cum sunt... că popoarele, ca nişte soţii bune şi ascultătoare, ar trebui să renunţe şi ele la visurile lor... la fanteziile lor... atunci percepţia pe care o ai asupra relaţiilor internaţionale - cât şi a femeilor - e mai eronată decât mi-am închipuit.

Pentru scurt timp se lăsă o tăcere aproape palpabilă, în care nimeni nu ştia ce să spună. În acele clipe apăsătoare, omul de afaceri ridică bărbia, îşi îndreptă umerii, bătu din palme ca un dansator de flamenco gata să intre în lumina reflectoarelor şi strigă, la fel de jovial ca înainte:

— Unde Dumnezeu e felul următor?

Uşa batantă dintre bucătărie şi salon se deschise şi servitoarele intrară cu paşi grăbiţi.

Aniversarea

Oxford, 2000

Era aniversarea de douăzeci de ani a lui Shirin, și o sărbătorea la Turf Tavern – un pub pe jumătate din lemn, peste care trecuseră secole, de pe o străduță de lângă zidul orașului vechi. Peri, care întârziase la petrecere, mergea hotărâtă cu cadoul sub braț. După ce își storsese creierii ce să-i cumpere, se oprise la ceva ce știa că o să-i placă la nebunie lui Shirin: o geacă de blugi cu mărgele strălucitoare viu colorate. O costase o mică avere.

Când a intrat în pubul cu lambriuri de stejar, o umezeală călduță, dată de băutură și râsete, a învăluit-o sub tavanul jos. Judecând după popularitatea lui Shirin, se aștepta să găsească acolo o mulțime de oameni, și așa și era. Un grup de prieteni zgomotoși o înconjurau pe sărbătorită, iar noul iubit stătea lângă ea, cuprinzând-o cu brațul pe după umeri. Cel de dinainte – un student la fizică în anul al doilea, deștept și drăguț – planificase în asemenea detaliu întâlnirile lor, încât o adusese la exasperare, zicea Shirin. „Am hotărât să mă despart de el imediat ce i-am văzut orarul săptămânal." Căsuțele pentru cursurile de dimineață, bibliotecă, sală și seminare erau toate ocupate. Intervalul de la 4.15 la 5.15 avea numele ei scris înăuntru. „Îți vine să crezi, Șoarece, m-a strecurat între 7.30 și 10.30 p.m.? Cină, film, sex."

Vocea puternică a lui Shirin a smuls-o din visare.

— Hei, a venit vecina mea. Bună!

Sărbătorita, îmbrăcată într-un top cu perle și paiete și niște blugi albi mulați, cu talie joasă, în care arăta fenomenal, a luat cadoul, pupând-o și îmbrățișând-o pe Peri.

— Unde-ai umblat? L-ai ratat pe invitatul de onoare. Tocmai a plecat.

— Cine?

— Azur, a zis Shirin cu ochii strălucind. A fost aici. Nu pot să cred că a venit. Ce tare! A stat doar câteva clipe, a ţinut un toast şi a plecat.

Părea că vrea să spună mai multe, însă cineva a tras-o de braţ ca să sufle în lumânările de pe tort. Peri s-a uitat în jur, fără să se aştepte să cunoască pe vreunul dintre prietenii sociabili ai lui Shirin, care stăteau în picioare, bând şi vorbind tare. Totuşi, spre surpriza ei, a zărit o faţă cunoscută: a Monei. Într-o tunică portocalie cu mâneci lungi purtată peste pantaloni şi cu un văl asortat, fata stătea într-un colţ, sorbind nişte coca-cola dintr-un pahar.

— Bună, Mona.

— Ce mă bucur să te văd, a zis Mona, uşurată că avea în sfârşit cu cine vorbi.

— Nu ştiam că eşti prietenă cu Shirin, a spus Peri aşezându-se alături.

— Ei, nu chiar prietenă, dar m-a invitat şi m-am gândit…, a răspuns Mona cu glas tot mai stins.

Peri a ghicit ceea ce fata nu zisese tare. Nu era uşor să refuzi o invitaţie de la una dintre cele mai populare studente din colegiu. Aşa că Mona - deschisă şi încrezătoare - venise, neştiind exact la ce să se aştepte. Acum, printre zeci de petrecăreţi veseli şi dezinhibaţi care se legănau pe ritmul unei melodii auzite doar de ei, se simţea cuprinsă de o stânjeneală pe care nu îndrăznea s-o arate.

Cele două fete au început să discute - cu feliile de tort dinainte -, în timp ce Shirin şi prietenii ei se distrau zgomotos.

— Pot să te întreb ceva? a zis Peri. Când ne-am întâlnit prima oară, mi-ai spus că tu şi sora ta aţi făcut alegeri diferite în viaţă. Asta înseamnă că… *preferi* să umbli cu capul acoperit?

— Sigur. Părinţii mi-au dat întotdeauna posibilitatea să aleg. *Hijab*[1]-ul e o decizie personală, o dovadă a credinţei mele. Îmi

1. Tip de văl care lasă faţa descoperită purtat de femeile musulmane.

oferă linişte şi încredere. (Mona s-a întunecat la faţă.) Deşi sunt hărţuită tot timpul din cauza asta.

— Chiar?

— Sigur, dar asta nu m-a oprit. Dacă eu, cu vălul meu, nu înfrunt stereotipurile, cine s-o facă în schimb? Vreau să agit lucrurile. Oamenii mă privesc ca pe-o victimă pasivă şi supusă a puterii masculine. Ei bine, nu sunt. Am o minte a mea. *Hijab*-ul nu a stat niciodată în calea independenţei mele.

Peri o asculta intrigată, fata părându-i-se o versiune mai tânără a mamei ei. Aceeaşi sfidare făţişă, aceeaşi hotărâre. Era un sentiment pe care îl cunoştea prea bine. Era obişnuită ca oamenii să turuie întruna, înfocaţi şi siguri pe ei. Ce avea ea de îi îndemna să-şi deschidă inima, nu reuşea să priceapă. Părea ciudat ca o fiinţă atât de ambivalentă cum era ea să fie copleşită de certitudinile şi izbucnirile celorlalţi.

— Versurile alea de hip-hop pe care le scrii... sunt despre religie?

Mona a râs.

— Hip-hopul e despre iubire. Poezie. Poate şi un picuţ de furie - împotriva nedreptăţii şi inegalităţii. Te face să te simţi puternic...

Un hohot de râs în fundal i-a întrerupt răspunsul. Cineva îl provocase pe iubitul lui Shirin la un concurs de băut bere din pahare înalte. Un pahar uriaş, de vreo nouăzeci de centimetri, cu un soi de bulă în loc de picior, a fost umplut cu bere, pe care băiatul o dădea pe gât cât de repede era în stare. A reuşit să-l termine, cu un rânjet de hienă pe faţă şi cămaşa leoarcă. În uralele mulţimii, i-a dat lui Shirin o sărutare lungă, umedă şi fericită, însă dintr-odată s-a oprit şi s-a năpustit afară, învins de nevoia de-a vomita.

— Cred că e mai bine să plec, a zis Mona.

— Vin cu tine, a răspuns Peri.

Nu că ar fi fost deranjată de băutură sau de purtarea sugestivă a Monei. Stânjeneala lui Peri era de altă natură. Pusă în faţa exuberanţei altora şi incapabilă să ţină pasul, întotdeauna se făcea mică, precum un arici care se strânge ghem – autoprotecție împotriva veseliei.

*

Când Peri și Mona au ieșit din pub, neobservate, era lună plină. Trecând pe sub „Podul Suspinelor“[1], s-au tot învârtit pe străzile lăturalnice slab luminate.

— Nu înțeleg, a zis Mona. De ce m-o fi invitat Shirin la ziua ei?

Peri se întreba și ea același lucru.

— Păi, îi place să-și facă prieteni noi.

Mona a clătinat din cap.

— Nu, trebuie să fie altceva. Nu mi-e foarte clar. Ne știm de ceva vreme, dar mereu am avut sentimentul că nu mă place din cauza... vălului, probabil.

Aducându-și aminte cum se holbase Shirin la mama ei, Peri a tăcut.

— Dacă-i așa, OK, nu-mi pasă. Dar de ce încearcă să se împrietenească cu mine? a zis Mona cu fața aprinsă de mândrie. Crezi că sunt paranoică?

— Nu, a răspuns Peri. Adică, da, un pic. Sunt sigură că puteți fi prietene.

— Ei, o să vedem, a zis Mona. Shirin îmi spune întruna că ar trebui să mă înscriu la seminarul profesorului Azur.

— Chiar? (Peri s-a încordat de parcă trupul ei ar fi simțit un pericol pe care mintea nu-l putea încă percepe.) La fel face și cu mine. Du-te la seminarul lui Azur, îmi spune.

— Deci nu sunt singura..., a zis Mona oarecum nedumerită. (A arătat spre Turl Street.) Mă rog, eu o iau încolo.

— OK, păi, noapte bună!

— Și ție, sora mea, a zis Mona. Ar trebui să ne întâlnim mai des.

---

1. Hertford Bridge – pasarelă ce leagă două părți din Hertford College peste New College Lane.

Apoi a luat hotărâtă mâna lui Peri într-ale ei, i-a strâns-o cu putere şi a dispărut în noapte.

*

Din nou singură cu gândurile ei, Peri s-a îndreptat spre Broad Street. Chiar înainte, în întuneric, a zărit o siluetă luminată de felinarul gălbui cu sodiu: o femeie fără adăpost care împingea un cărucior pentru copii ruginit, încărcat cu haine, cartoane, pungi de plastic – veşnic rătăcitoare de colo-colo. Peri a cercetat-o cu atenţie. Hainele îi erau soioase şi umede şi i se lipeau de trup; părul încâlcit îi era plin de praf şi de ceva care semăna a sânge uscat. Încetul cu încetul a desluşit mai multe detalii: bătăturile din palme, o vânătaie ce îi învineţea obrazul drept, pungile de sub ochi. Prin Istanbul zăreai tot timpul vagabonzi. Unii stăteau ghemuiţi prin colţuri ca să se ascundă de ochii străinilor, însă cei mai mulţi cerşeau atenţie, mâncare şi bani. Şi la Oxford erau vagabonzi, cu toate că nu la fel de mulţi ca în Istanbul, totuşi să vezi un om fără adăpost era cumva deconcertant, din cauza contrastului izbitor cu seninătatea minunată a oraşului.

Simţindu-se, în mod ciudat, atrasă de femeie, care înainta cu paşi mărunţi şi greoi, Peri s-a apucat s-o urmărească. Un miros fetid i-a ajuns la nas când vântul şi-a schimbat o clipă direcţia. Un amestec de urină, transpiraţie şi fecale.

Femeia fără adăpost vorbea singură, cu glas încordat.

— De câte ori trebuie să-ţi repet, ce naiba? a întrebat. (Chipul i s-a înăsprit cât a aşteptat un răspuns. A chicotit veselă, însă apoi s-a înfuriat imediat.) Nu, tâmpitule!

Peri şi-a simţit inima atât de grea, de parcă ar fi fost strivită de melancolie. Ce o deosebea pe ea – o studentă la Oxford cu perspective – de femeia aia care nu avea un ban? Exista o limită pe care societatea distinsă se temea s-o încalce – ca marginea acelei lumi plate care odată îi umplea de spaimă pe marinarii din vechime? Atunci, unde era graniţa dintre judecată şi nebunie?

Și-a amintit ce spusese hogea când fuseseră la el. Poate că avea dreptate. Poate că era *înclinată spre întuneric*. Femeia s-a oprit și s-a întors, privirea ei trecând prin Peri.

— Pe mine mă căutai, drăguță? a chicotit ea, dând la iveală un șir de dinți înnegriți de tutun. Sau îl căutai de Dumnezeu?

Peri s-a făcut albă ca varul. A scuturat din cap, incapabilă să răspundă. Făcând un pas înainte, a deschis pumnul ca să-i ofere monedele pe care le pregătise. Mâna femeii s-a ivit din mâneca hainei și le-a înșfăcat cu aceeași dexteritate ca o limbă de șopârlă ce înșfacă o insectă de pe-o frunză.

Peri s-a răsucit imediat pe călcâie, pornind spre colegiul ei, aproape alergând, speriată fără să știe de ce, sperând ca fiecare pas s-o ducă mai departe de femeia fără adăpost și de bănuiala furișă că amândouă aparțineau aceluiași loc.

*

În noaptea aia, Peri a stat trează până târziu, citind. Dacă ar fi aruncat o privire afară, pe peluză, ar fi văzut-o pe Shirin, care-și uitase ultima cheie, scoțându-și pantofii cu platformă și, ridicată de iubitul ei la fel de amețit, cățărându-se pe zidul de trei metri și jumătate al grădinii – despicându-și și pătându-și blugii albi între timp –, căzând pe un strat cu flori, ridicându-se cu greu și bătând la întâmplare la o fereastră de la parter, pe când cânta o melodie persană săltăreață.

Dicționarul

Oxford, 2000

Oxfordul nu ducea lipsă de puburi și locuri de mâncat pe măsura unui buget studențesc, însă Peri trecea rareori pragul vreunuia. Și, în ciuda faptului că erau mai bine de-o sută de cluburi și societăți în care ar fi putut intra, s-a ferit de toate, chiar și de Brigada feministă. Trebuia să-și păstreze direcția, și-a reamintit; orice altceva i-ar fi abătut mintea de la învățat. Asta includea și băieții. Să te îndrăgostești e un dezastru, dar să te dezdrăgostești e un dezastru și mai mare. Toate sentimentele și agitația; prânzurile, cinele și plimbările; apoi certurile pe tot felul de mărunțișuri și împăcările. Pe scurt, să pui o altă ființă, dacă nu în centrul vieții tale, atunci undeva pe-aproape, e un mare efort. Nu avea timp de așa ceva. Din când în când dădea peste câte un student cu care se înțelegea perfect din prima clipă, însă apoi evita să meargă mai departe. Era ceva rigid și robotic, aproape dictatorial, în felul în care Peri își impunea, în acele prime zile de colegiu, următoarea autodisciplină: învață, învață, învață.

Obișnuită cu succesele în toată viața ei școlară, era dureros de conștientă de eșecurile academice pe care le întâmpina de curând. Nu avea probleme când venea vorba să urmărească vreun curs. Să ia parte la seminare – dezbateri și teme scrise – se dovedea însă mult mai greu. Să-și aștearnă gândurile pe hârtie într-o altă limbă decât cea maternă era o provocare. Hotărâtă să nu eșueze, muncea pe brânci, nemulțumită de sine.

Îi era clar că pentru a excela la Oxford trebuia să-și îmbunătățească engleza. Mintea ei avea nevoie de cuvinte ca să se exprime pe deplin, așa cum un puiet are nevoie de ploaie ca să crească. A cumpărat grămezi de post-ituri colorate. Scria pe ele cuvintele peste care dădea și de care se îndrăgostea, cu gândul de-a le folosi cu prima ocazie – cum făcea orice străin, într-un fel sau altul.

Autotomy: proces de automutilare a unei părți a corpului, care se poate regenera ulterior, specific anumitor animale aflate în pericol.

Cleft stick (din Tolkien, *Stăpânul Inelelor*): a fi într-o situație dificilă.

Rantipole (din *Legenda călărețului fără cap*): individ fioros, nesăbuit, uneori arțăgos.

În primul eseu la filosofie politică, Peri scrisese: *În Turcia, unde politica de zi cu zi este nesăbuită, de fiecare dată când sistemul se află într-o situație dificilă, democrația este primul lucru tăiat și sacrificat într-un act de autotomie.*

Când i-a venit rândul să-i citească cu glas tare eseul ei coordonatorului de seminar, acesta a întrerupt-o la jumătate, părând în același timp nedumerit și amuzat.

„Sigur e în engleză?"

Peri a simțit că intră în pământ de rușine. Fraza care ei i se păruse atât de inteligentă, sofisticată și stilată suna ca o păsărească pentru un vorbitor nativ. Cum puteau un străin și un localnic să audă aceleași cuvinte atât de diferit? Refuzând să se lase descurajată, obsedată de nuanțe, continua să colecționeze cuvinte uluitoare. Îi aminteau de cochiliile spiralate și coralii rozalii netezîți de maree fără număr pe care le culesese în copilărie, când mergea cu familia pe plajă. Numai că, spre deosebire de acele suvenire drăguțe, dar neînsuflețite, cuvintele respirau, cât se poate de vii.

*

Simțul direcției nefiind punctul ei forte, Peri se rătăcea uneori explorând Oxfordul. În una dintre aceste plimbări, a descoperit o librărie numită Two Kinds of Intelligence[1]. Scândurile neregulate din podeaua ei scârțâiau cu oarecare simpatie când umbla prin camera din față; rafturile ce acopereau pereții se ridicau până-n tavan; în colț era un șemineu deasupra căruia atârnau gravuri vechi cu Oxfordul; un șir de trepte de lemn duceau în două cămăruțe ticsite cu volume alese pe sprânceană, ce reflectau gusturile deosebite ale proprietarilor în materie de filosofie, psihologie, religie și ocultism. Având fotografii înrămate pe pereți, fotolii puf pastelate pe care să se așeze cumpărătorii și un automat de cafea de la care te puteai servi gratis toată ziua, a devenit imediat locul ei preferat.

Proprietarii (ea – scoțiană, el – pakistanez) au rămas impresionați văzând că știa de unde vine numele librăriei. Era titlul unui poem de Rumi. Peri chiar își amintea câteva versuri: *Sunt două feluri de inteligență, una dobândită în copilărie, la școală... din cărți și din ce spune profesorul... cealaltă... inteligență... fluidă... un izvor lăuntric, revărsându-se afară.*

— Bravo! a zis femeia. Vino să citești aici când ai chef.

— Ca să-ți hrănești mai departe inteligența. Ambele feluri! a glumit bărbatul.

Peri a venit. Curând i-a intrat în obicei. Își lua cafea, punea o monedă în cutia pentru bacșiș și se instala într-un fotoliu puf, citind până când o durea spatele și îi înțepeneau picioarele. Se ducea des și la Bodleian Library. Își găsea un pupitru îndepărtat, stivuia pe el mai multe cărți decât ar fi putut să citească, desfăcea pe-ascuns o pungă cu sticksuri și își îngropa capul sub valuri de cuvinte.

Cumpăra vederi cu Oxfordul. Străzile medievale scăldate de soare, clădirile de piatră de culoarea mierii, grădinile umbroase ale colegiului... Pe câteva le-a trimis părinților, însă restul le-a păstrat pentru fratele ei Umut. Îi scria tot timpul, deși el îi răspundea rar, foarte scurt. Dar Peri n-a renunțat niciodată. Scria lucruri amuzante, chiar vesele. Nu era nici o nevoie să vorbească

1. Două feluri de inteligență.

despre temerile, migrenele, coșmarurile și singurătatea ei, care deja era, știa foarte bine, și blestem, și alinare. În schimb, vorbea despre felul de-a fi, straniu de fascinant, al englezilor, despre pragmatismul și imensa lor încredere în instituții, despre umorul lor ciudat.

Umut răspundea cu mesaje scrise pe hârtie liniată, bucățele rupte din pachete de biscuiți, calendare sau pungi de cumpărături. Dar o dată i-a trimis o vedere. Cu o mare indigo, o barcă pescărească roșie, briza domoală a Mediteranei și un nisip la fel de catifelat ca promisiunile... cu toate că și el își încerca mâna la arta de-a mima fericirea.

*

În timpul „meselor oficiale" – într-o sală seculară imensă –, înconjurată de portretele foștilor președinți ai colegiului, Peri stătea pe băncile de stejar, la mesele ornate cu argintăria colegiului, servită de ospătari în jachete albe și se simțea transpusă într-o altă dimensiune. Era o figură într-un portret, fantastică și romantică deopotrivă. Unele părți din colegiu nu se schimbaseră de secole, și îi plăceau mult atingerea și mirosul istoriei, ale continuității. De multe ori vizita bătrâna bibliotecă doar ca să respire aroma amețitoare a rafturilor ticsite. Cobora la subsol, unde răsucea un mâner ca să miște rafturile astfel încât să ajungă la cărțile de care avea nevoie. Printre miile de titluri ce erau fiecare un refugiu se simțea împlinită. Lucru ciudat, un gând îi revenea tot timpul în minte în mijlocul acelei vastități a cunoașterii: Dumnezeu.

Asta o nedumerea, fiindcă dintre toate însușirile pe care și le-ar fi atribuit nici una nu se apropia măcar de „religioasă" sau „spirituală". N-ar fi avut curajul să-i mărturisească vreodată asta maică-sii, însă erau momente când se îndoia că ar crede în ceva. Cultural vorbind, era musulmană, firește. Iubea Ramadanul și Eidul, fiecare umplându-i inima de căldură și mintea cu amintiri profunde ale mirosurilor și gusturilor. Pentru ea, islamul era reminiscența unei amintiri din copilărie - nespus de familiară și de personală, dar și cam vagă, îndepărtată în spațiu și timp. Ca un cub de zahăr ce i se topea în cafea - acolo fără a fi acolo.

Mereu i se păruse ciudat că atâția turci memorau rugăciuni arabe fără să aibă cea mai vagă idee despre ce spun. Că erau englezești sau turcești, Peri *adora* cuvintele. Le ținea în palme ca pe niște ouă din care stăteau să iasă puii, inimile lor micuțe bătând lipite de pielea ei, pline de viață. Le cerceta sensurile - pe cele ascunse și pe cele evidente, le studia etimologiile. Dar pentru nenumărați credincioși, cuvintele rugăciunilor erau sunete sacre pe care nu trebuia neapărat să le-nțelegi, ci mai degrabă să le imiți - un ecou fără început sau sfârșit, în care actul gândirii era subsumat actului imitației. În sânul adăpostit al credinței, găseai răspunsurile renunțând la întrebări; înaintai capitulând.

Peri a scris în jurnalul ei dedicat lui Dumnezeu: *Credincioșii preferă răspunsurile în locul întrebărilor, claritatea în locul nesiguranței. Ateii, la fel, mai mult sau mai puțin. Curios e că, atunci când vine vorba de Dumnezeu, despre care nu știm mai nimic, foarte puțini dintre noi spun: „Nu știu“.*

Îngerul

Oxford, 2000

De când venise la Oxford, Peri vorbise regulat la telefon cu tatăl ei, sunând dinadins la ore la care era mai probabil să răspundă el. Totuși, astăzi, când a sunat la Istanbul, a răspuns mama ei.

— Pericim..., a zis Selma drăgăstos, însă și-a schimbat repede tonul. *Vii* la nunta fratelui tău?

— Da, mamă, ți-am spus că vin.

— E un înger, ascultă la mine.

— Cine?

— Mireasa, firește, prostuțo.

Agitată din cauza pregătirilor, Selma lăuda virtuțile viitoarei nurori cu o exagerare care nu i-a scăpat lui Peri.

— Grozav, ne-ar prinde bine un înger în familie, a zis ea.

Simțea insinuarea învăluită în complimentele maică-sii, ca dulciurile care ascund ceva rânced în ambalajul strălucitor. Mireasa era fiica pe care n-o avusese niciodată – pioasă, domoală, ascultătoare.

— Ce-i cu tine? a întrebat-o Selma.

— Nimic.

Maică-sa a oftat.

— Trebuie să fii aici la noaptea hennei[1].

---

1. *Laylat al-henna'* – vechi ritual de nuntă arab ce constă în pictarea mâinilor miresei cu henna, despre care se crede că are puteri purificatoare și ocrotitoare.

Spre deosebire de nuntă, considerată responsabilitatea mirelui, noaptea hennei se număra printre îndatoririle familiei miresei.

— Mamă, am mai vorbit despre asta. Nu pot veni decât la nuntă.

— Nu e de-ajuns. Lumea o să bârfească. Trebuie să vii mai devreme.

Peri a dat ochii peste cap. Viteza cu care maică-sa reușea să-i strice buna dispoziție încă o uimea – de parcă Selma, și numai ea, ar fi știut exact în ce punct să-i strângă inima ca să-i facă sângele să alerge prin vene.

— Nu-mi permit să pierd mai multe cursuri, a răspuns Peri cu hotărâre.

Discuția a luat o întorsătură urâtă, fiecare acuzând-o pe cealaltă că e egoistă. După ce-a închis, Peri a simțit o furie clocotitoare față de tot ce fusese spus sau lăsat nespus, față de tot ce se rupsese între ele și nu putea fi reparat.

*

În noaptea aceea, Peri a dormit cu întreruperi. S-a trezit cu o durere de cap cumplită, în culmea migrenei. A scotocit prin sertare, însă n-a găsit nici un analgezic. Masându-și tâmplele, și-a lipit ochiul drept care-i pulsa de fundul unei cutii de conserve – asta o ajuta întotdeauna. S-a târât înapoi în pat și s-a ghemuit în așternut. Nu se aștepta să adoarmă, dar până să-și dea seama ce i se întâmplă visa deja.

O grădină cu copaci noduroși. Singură, îmbrăcată cu o rochie care flutura în vânt, Peri se plimba. Lângă un râu a zărit un stejar masiv. Acolo, atârnând de una dintre crengi, era un copilaș într-un coș, cu o pată întunecată ce îi acoperea jumătate de față. Peri și-a dat seama îngrozită că copacul era în flăcări, limbile lor lingând trunchiul de jos în sus. A înșfăcat o găleată și s-a apucat să o umple cu apă din râu. Curând era apă peste tot, învolburându-se în jurul picioarelor ei. Când a ridicat din nou privirea, copilaşul nu mai era în copac. Fusese luat de râul acum zgomotos. Peri a ţipat, începând să înţeleagă că făcuse ceva îngrozitor, iremediabil greşit.

Undeva se auzeau nişte bătăi uşoare, însă insistente. Peri a încercat să deschidă ochii, nefiind sigură dacă şi asta se întâmpla tot în vis.

— Sunt eu, Shirin, m-ai speriat de moarte, s-a auzit o voce de după uşă. Eşti bine?

Peri s-a ridicat, clipind confuză.

— Sunt bine, a răspuns.

Îşi simţea gâtul uscat ca frunzele moarte. Era oripilată că ţipase atât de tare încât fata o auzise din camera de vizavi.

— Nu plec până nu te văd cu ochii mei.

Peri s-a ridicat încet din pat şi a deschis uşa. Shirin era îmbrăcată cu nişte pijamale de mătase de culoarea piersicii şi avea o mască pentru ochi pe care o ridicase pe frunte. Ochii ei, fără machiaj şi înconjuraţi de un strat gros de cremă, păreau mai negri şi mai mici.

— Rahat! Ţipai ca o femeie dintr-un film de groază, a zis ea. Una dintre eroinele alea tâmpite care se reped la etaj când văd un psihopat în loc să deschidă uşa de la intrare şi să iasă naibii odată de-acolo.

— Scuze dacă te-am trezit.

— Nu-ţi bate capul, a zis Shirin încrucişându-şi braţele pe pieptul impresionant. Ai tot timpul coşmaruri?

— Uneori…, a recunoscut Peri şi, uitându-se la covorul asortat de pe jos, a zărit o pată pe care n-o mai văzuse înainte. Doar vise prosteşti.

— Care se repetă?

— Oarecum, da.

Shirin şi-a dat o şuviţă de păr după ureche şi a zis cu un glas care nu admitea nici o împotrivire:

— Am văzut cazuri de nebunie în familie, Dumnezeu ştie că şi eu sunt un pic dusă, şi sunt în stare s-o recunosc când o văd.

— Vrei să zici să sunt nebună?

— Nu cu acte în regulă, draga mea, dar țipătul pe care l-am auzit a fost ceva. Dacă ai o problemă psihologică, trebuie s-o rezolvi.

— N-am nici o problemă psihologică!

— Aiii!!! a scos Shirin un țipăt înfiorător, ca de sălbăticiune străpunsă de o săgeată. Așa mă enervează când oamenii se simt ofensați de cuvântul „psihologic"! Pun pariu că nu te supărai dacă-ți spuneam că ai o problemă hemoroidică.

— Hemoroidală, a corectat-o Peri.

— Mă rog, a zis Shirin uitându-se la post-iturile de pe pereți. Tu ești aia cu dicționarele.

— Uite, e foarte drăguț din partea ta că ai venit să vezi ce fac, dar sunt bine. (Prin fereastra plumbuită, luna arunca un dreptunghi de lumină deformat pe fața ei.) Trebuie să mă duc acasă, la nunta fratelui meu. Nu-mi pot permite să lipsesc de la cursuri, însă obligațiile de familie sunt pe primul loc. Mă simt puțin stresată.

Shirin a dat din cap.

— Bine, du-te la nuntă, dar când te întorci, trebuie să ieși mai mult. E OK să te distrezi un pic. Ești tânără, ai uitat?

— Nu sunt ca tine, a zis Peri încet.

— Adică îți place să fii nefericită?

— Sigur că nu!

— Sunt două feluri de-a scăpa de melancolie, a zis Shirin. Fie stai pe scaunul șoferului și calci accelerația în timp ce Madam Depresie urlă ca apucata pe bancheta din spate, fie o lași să conducă și îți bagă ea ție frica-n oase.

— Ce mai contează? a întrebat Peri. Dacă tot te faci zob de un copac?

— Mda, dar apuci tu să conduci, sora mea, nu băbăciunea aia tristă, Madam Depresie. E ceva, nu-i așa?

Simțind că nu putea să câștige disputa, Peri a încercat să schimbe subiectul în singurul fel care i-a venit în minte.

— Apropo, profesorul ăla de care mi-ai vorbit, Azur, i-am căutat seminarul.

— Serios? (O nuanță de trandafiriu a colorat obrajii lui Shirin.) Nu-i fermecător?

— Nu l-am întâlnit, doar am citit descrierea din lista de opțiuni.

— A! Ei, ce părere ai?

— Pare interesant.

Shirin s-a îndreptat spre ușă.

— Pot să-ți dau un sfat prietenesc? De la o iraniană la o soră turcoaică, în baza camaraderiei damnaților. Dacă reușești să intri la seminarul lui Azur, nu folosi niciodată cuvântul „interesant". Îl detestă. Spune că nimic din cuvântul „interesant" nu e nici pe departe interesant.

După asta, Shirin a ieșit și a închis ușa după ea, lăsând-o pe Peri cu coșmarurile ei.

Cutia muzicală

Istanbul, 2016

Sosi și desertul, servit pe farfurii de cristal: tort cu spumă de alune și cremă de ciocolată în mijloc și gutui coapte cu frișcă deasupra. Invitații începură să vorbească în cor, jumătate pierzându-se în complimente, cealaltă jumătate exprimându-și îngrijorarea.

— Ah, sigur am pus un kilogram pe mine în seara asta, zise femeia din PR bătându-se ușor pe burtă.

— Nu-ți face griji, le arzi deja până ajungi acasă, o liniști soția omului de afaceri.

— Doar continuă să discuți despre politică, zise jurnalistul. Așa se ard caloriile în țara asta.

Când servitoarea se opri lângă ea, Peri murmură:

— Nu, mulțumesc.

— Sigur, doamnă, zise femeia coborând glasul, o complice binevoitoare.

Dar gazda, auzind discuția, interveni din capul mesei:

— Nu, scumpo! Nu m-am supărat când ne-ai contrazis, însă n-o să fiu deloc încântată dacă nu guști din tortul meu.

Peri se văzu nevoită să cedeze. Mâncă și gutuia, și tortul. Nu înceta să se mire de ce femeile erau așa de dornice să se îngrașe una pe cealaltă. Ceva legat de „legea esteticii comparative“ – când cele mai multe erau durdulii, nici una nu părea să fie cu adevărat. Dar poate că era cinică. Vocea de mult uitată a lui Shirin îi răsuna în minte. „Crede-mă, Șoarece, nu destul de cinică.“

De îndată ce gazda, mulţumită acum, își întoarse atenția spre următorul invitat, Peri puse mâna pe paharul cu vin. Băuse mai mult decât de obicei în seara aia, deşi nimeni nu părea să observe, cu atât mai puţin ea. În barajul pe care-l ridicase de-a lungul anilor ca să împiedice emoţiile nedorite să i se reverse în suflet apăruse o fisură. Acum, prin crăpătura micuţă se strecura o dâră de melancolie. Între timp, altă parte a ei, conştientă de pericolul şi distrugerea pe care aceasta le putea provoca, era în alertă maximă, încercând înnebunită să astupe deschizătura pentru ca totul să se întoarcă la normal.

— Parcă venea un medium astăzi, zise iubita jurnalistului cu voce răguşită, de fumătoare.

Toată lumea ştia că e neliniştită din cauza zvonurilor - postate recent pe un website media - că jurnalistul fusese văzut luând o cină romantică împreună cu fosta soţie şi că cei doi s-ar putea să se împace.

— Trebuia să fie aici acum oră, îi răspunse omul de afaceri. Se pare că e blocat în trafic, săracul.

— Pfui, nici măcar mediumurile nu ştiu pe ce drumuri să meargă în Istanbul, glumi managerul de fonduri *hedge* american.

— O să vezi, prietene, tipul ăsta e cel mai bun, îl asigură omul de afaceri pe jumătate în engleză, pe jumătate în turcă. Se zice că a prevăzut criza financiară.

— Poate ar trebui să consultăm cu toţii câte un medium, fiindcă experţii în politică sunt inutili, iar experţii financiari sunt şi mai rău, zise femeia din PR.

Dintr-un impuls, Peri se ridică de la masă, scuzându-se.

— O, nu, te-am plictisit iar? o întrebă arhitectul pe deasupra paharului, cu ochi sticloşi - fiind un om meschin, îi purta încă pică pentru că-l înfruntase.

Peri îi aruncă o privire.

— Mă duc doar să dau un telefon acasă şi să văd dacă copiii sunt bine.

— Sigur, zise omul de afaceri. De ce nu mergi la etaj, în biroul meu? Acolo o să ai destulă linişte.

Peri împrumută mobilul soțului ei și urcă la primul etaj, ascultând între timp vocile de la masă.

*

Biroul omului de afaceri se lăuda cu un perete de sticlă ce oferea o priveliște spectaculoasă asupra Bosforului. Cu pereții îmbrăcați în piele, tavanul de lemn casetat, biroul masiv din mahon și marmură, scaunele înalte de culoarea gălbenușului de ou, obiecte de artă vechi și tablouri rafinate, încăperea semăna mai puțin cu un spațiu de lucru și mai mult cu salonul privat al unui cap al mafiei.

Un colț era decorat cu fotografii înrămate ale omului de afaceri – împreună cu politicieni, celebrități și oligarhi. Printre ei, Peri zări un fost dictator din Orientul Mijlociu, cu zâmbetul lui de porțelan, dând mâna cu gazda ei în fața unui soi de cort beduin complicat. În spatele său, din altă fotografie, se încrunta chipul neînduplecat al unui autocrat deja mort din Asia Centrală, faimos pentru că-și împodobise orașul natal cu propria imagine, chiar dând unei luni din calendar numele lui și alteia, pe al maică-sii. Peri trase adânc aer în piept, ținând un nor de fum imaginar în plămâni, neputând să respire. Ce căuta în conacul ăla construit cu bani strânși din secrete și umbre? În clipa aia, ca o pietricică într-un râu, se simți aruncată încolo și-ncoace de curent. Dacă ar fi fost acolo, profesorul Azur ar fi zâmbit și ar fi citat din cartea lui *Ghidul perplexității*: *„Nu există înțelepciune fără iubire. Nici iubire fără libertate. Și nici libertate dacă nu avem curajul să ne detașăm de ceea ce am devenit“*.

Grăbită, de parcă ar fi fugit de mintea ei, sună acasă. Cu capul rezemat de fereastră, cercetă priveliștea de-afară, așteptând ca maică-sa, care avea grijă de copii, să răspundă. Dincolo de geam, sub un corn de lună prea luminos ca să fie adevărat, orașul se întindea până departe – case înclinate de parcă și-ar fi șoptit secrete; străzi cu pante abrupte șerpuind până pe culmile dealurilor înalte; ultimele ceainării închizându-și obloanele și ultimii clienţi plecând... Se întrebă ce făceau copilele care îi furaseră geanta. Oare dormeau? Şi, dacă da, se culcaseră cu burţile goale? Lui Peri îi trecu prin minte că poate visau şi că, probabil, apărea şi ea în visele lor, o femeie nebună care-şi ţinea pantofii cu toc în mână şi alerga după ele pe străzi.

Selma răspunse după al patrulea apel.

— S-a terminat dineul?

— Nu încă, zise Peri. Suntem încă acolo. Băieţii sunt bine?

— Sigur, de ce n-ar fi? S-au distrat de minune cu bunica lor. Acum dorm.

— Au mâncat?

— Crezi că i-am lăsat flămânzi? Le-am făcut *manti**, l-au înfulecat imediat. Bieţii de ei, păreau să-i fi dus dorul.

Peri, care nu moştenise talentele culinare ale Selmei, prinse reproşul din glasul maică-sii.

— Mulţumesc, sunt sigură că le-a plăcut la nebunie, îi răspunse.

— Cu plăcere. Ne vedem dimineaţă. S-ar putea să mă culc până vă întoarceţi.

— Stai puţin! (Peri tăcu o clipă.) Mamă, poţi să-mi faci un serviciu?

Se auzi un fâşâit şi îşi dădu seama că maică-sa mutase telefonul la urechea stângă ca să audă mai bine. Îmbătrânise mult de la moartea soţului. Lucru ciudat, după toţii anii de ostilitate, lumea Selmei se prăbuşise în ziua morţii lui Mensur, de parcă rezistenţa împotriva soţului ar fi ţinut-o în viaţă pe deplin.

— În dormitor, în al doilea sertar, trebuie să fie un carnet, zise Peri. Unul turcoaz. Cu coperţi de piele.

— Cel pe care ţi l-a dat tatăl tău.

O urmă de amărăciune i se strecură în glas – chiar şi după toţi anii ăia, Selma detesta legătura strânsă dintre soţul şi fiica ei. Moartea lui Mensur nu-i schimbase deloc sentimentele. Peri

---

* Găluşte cu carne făcute în casă (tc.) (n.a.).

ştia asta din experienţă: e posibil să-i invidiezi pe morţi şi puterea pe care o au asupra celor vii.

— Da, mamă, zise Peri. E încuiat, dar găseşti cheia în ultimul sertar de jos. Sub prosoape. Pe ultima pagină e un număr de telefon. Al lui Shirin. Poţi să mi-l dictezi?

— Nu poţi aştepta până dimineaţă? întrebă Selma. Ştii că nu mai văd aşa de bine ca înainte.

— Te rog, trebuie să o sun, insistă Peri. În seara asta.

— Bine, aşteaptă puţin, zise Selma oftând. Să văd ce pot face.

— Şi, mamă...

— Da?

— După aceea poţi să încui din nou carnetul?

— Pas cu pas, zise Selma obosită. Nu mă zăpăci.

Peri auzi o bufnitură când maică-sa puse receptorul jos. Zgomotul unor paşi care se îndepărtau, greoi şi grăbiţi. Aşteptă, muşcându-şi buza de jos. În depărtare, sub luminile celui de-al Doilea Pod de pe Bosfor, apa era albastră-verzuie, culoarea speranţei. Îşi studie imaginea oglindită în fereastră, observându-şi dezaprobator burta lăsată. Totuşi nu începuse să îmbătrânească repede, cum se temuse. Poate că erau mai multe feluri de-a îmbătrâni. Unora li se veştejea întâi trupul, altora mintea, altora sufletul.

În acea parte a creierului care stoca memoria se afla o cutie – o cutie muzicală cu vopseaua emailată ciobită, din care răsuna o melodie obsedantă. În ea erau înghesuite toate lucrurile pe care memoria nici nu voia să le uite, nici nu îndrăznea să şi le amintească. Sub presiunea stresului ori a traumelor, sau poate fără nici un motiv, cutia se deschidea şi toate lucrurile din ea se revărsau afară. Tocmai asta simţea că i se întâmplă şi ei în seara aia.

— Nu l-am găsit, zise maică-sa răsuflând greu de efort.

— Vrei să încerci din nou, te rog? Spune-mi când îl găseşti.

— Mă uitam la televizor, protestă Selma, apoi îşi luă un ton mai conciliant. Bine, fac tot ce pot.

Lucrurile mergeau mai bine între ele chiar prin ceea ce le ţinuse la distanţă înainte: Mensur. Deşi în viaţă fusese un motiv de dezbinare, moartea lui le apropiase.

— Încă un lucru, se grăbi să adauge Peri, telefonul meu a fost furat. Dă-i un mesaj lui Adnan, dar nu spune nimic despre asta. Scrie doar „Sună acasă“ şi îţi telefonez eu.

— Ce se întâmplă? întrebă Selma. (Pentru o clipă se lăsă o tăcere bănuitoare.) Shirin nu-i fata aia îngrozitoare din Anglia?

Peri avu o tresărire.

— De ce vrei să vorbeşti cu ea? insistă Selma. Nu-ţi era prietenă.

Eram cele mai bune prietene, se gândi Peri, dar se abţinu s-o spună cu glas tare. Ea, Mona şi cu mine. Noi trei: Păcătoasa, Credincioasa şi Nehotărâta.

Zise în schimb:

— A trecut multă vreme de-atunci, mamă, suntem oameni în toată firea. Nu ai de ce să-ţi faci griji. Sunt sigură că Shirin a trecut peste toate astea.

Chiar pe când rostea acele cuvinte şi se străduia să le creadă, Peri ştia că probabil nu erau deloc adevărate. Shirin n-ar fi fost în stare să lase trecutul în urmă. Nu mai mult decât fusese Peri.

Centura de castitate

Oxford, Istanbul, 2000

Într-o după-amiază de pe la mijlocul iernii, când vântul avea gust de sare de mare și sulf, Peri a sosit în Istanbul pentru nunta fratelui ei. Îi fusese tare dor de orașul în care se născuse – oricât de singură s-ar fi simțit când locuia aici, se simțise și mai singură departe de casă. Ca pentru a împiedica melancolia să pună stăpânire pe ea, din clipa în care a lăsat jos valiza a fost copleșită de un șir nesfârșit de obligații – rude de vizitat, daruri de cumpărat, treburi de făcut.

Nu i-a luat mult să observe că, în lipsa ei, tensiunea se înălțase ca o piramidă în casa familiei Nalbantoğlu, făcând atmosfera apăsătoare și aerul greu de respirat. Unele resentimente erau vechi – obișnuitele ciondăneli pline de amărăciune care izbucneau între părinții ei. Totuși, altele erau recente, precipitate de pregătirile de nuntă. Familia miresei insistase să facă nuntă mare, una *demnă de fiica lor*. Sala pe care o închiriaseră a fost înlocuită în ultima clipă cu alta mai mare, asta însemnând că trebuiau să invite mai mulți oameni, să comande mai multă mâncare și, în ultimă instanță, să cheltuiască mai mulți bani.

În dimineața nunții, Peri s-a trezit în mirosurile îmbietoare care pluteau prin toată casa. Când s-a dus în bucătărie, a găsit-o pe maică-sa încinsă cu un șorț cu margarete gălbui, cocând trei feluri de *börek* – cu spanac, brânză și carne tocată. Frecând, ceruind, ștergând praful, spălând, Selma robotise cu o viteză supraomenească și părea să nu se mai poată opri.

— Zi-i femeii ăleia că o să se omoare muncind, i-a spus Mensur fiicei lui stând la masa din bucătărie, fără să ridice privirea de la ziar - un cotidian de centru-stânga la care era abonat de când își amintea Peri.

— Zi-i bărbatului ăluia că fiul lui se însoară. Se întâmplă o dată în viață, a replicat Selma.

Peri a oftat.

— Sunteți ca doi copii - de ce nu vorbiți unul cu celălalt?

Taică-su a întors pagina; maică-sa a rulat altă bucată de aluat. Așezându-se pe un scaun între ei, ca pentru a crea o zonă-tampon, Peri a întrebat:

— Cum a fost noaptea hennei?

Selma și-a mușcat buza de jos, aruncându-i o privire tăioasă ca un ciob de sticlă.

— Ai ratat-o. Ar fi trebuit să fii aici.

— Mamă, ți-am spus că n-o să ajung. Am avut cursuri.

— Păi, doar ca să știi, toată lumea a întrebat de tine. Au bârfit întruna pe la spatele meu. Fiul n-a venit, fiica n-a venit... Ce familie!

— Umut nu vine? a întrebat Peri.

— A zis că da. A promis. Am gătit mâncărurile lui preferate. Am spus la toată lumea că vine. Dar în ultima clipă m-a sunat și mi-a spus: „Mamă, am lucruri importante de făcut". Ce lucruri importante? Crede că-s proastă. Nu-l înțeleg pe băiatul ăsta.

Dar Peri îl înțelegea foarte bine. De când fusese eliberat din închisoare, Umut preferase să ducă o viață liniștită într-un orășel din sudul țării, făcând suvenire pentru turiști într-o cabană pe care el o numea „casa lui", cu un zâmbet la fel de fragil precum scoicile de pe urma cărora își câștiga existența. Îl vizitaseră de vreo câteva ori mai demult. Era întotdeauna politicos și rezervat, de parcă ar fi vorbit cu niște străini. Cea cu care trăia - o femeie divorțată cu doi copii - zicea că e bine, însă uneori dispoziția i se întuneca brusc: devenea morocănos, irascibil, nu mai era în stare să se dea jos din pat, nu mai era în stare să se spele pe față; câteodată era atât de *praf*, că trebuia să stea cu ochii pe el zi și noapte, nu pentru că se temea că le-ar putea face rău ei sau copiilor, ci de teamă că și-ar putea face rău lui însuşi; ţinea briciurile ascunse, fiindcă tăieturile alea nu se vindecă uşor; nici femeia n-a insistat asupra subiectului, nici cei din familia Nalbantoğlu n-au intrat în amănunte, speriaţi că s-ar putea să nu facă faţă.

— Îmi pare rău, veneam mai devreme dacă puteam, a zis Peri. (Nu avea de gând să se certe cu mama ei.) Cum a fost? Povesteşte-mi!

— O, ca de obicei, nimic pretenţios, a răspuns Selma. În schimb, se aşteaptă ca noi să-i scăldăm într-o ploaie de diamante.

Meticuloasă ca un contabil, maică-sa ţinea o evidenţă a banilor pe care îi dăduseră soţii Nalbantoğlu şi a celor daţi de cuscri, a oamenilor invitaţi din partea mirelui faţă de cei invitaţi din partea miresei şi aşa mai departe. Era ca şi când în mijlocul vieţii lor se ivise o balanţă: orice greutate punea una din familii pe un taler, cealaltă trebuia s-o egaleze. Dacă asta era un fel de luptă cu odgonul, se desfăşura cu cea mai mare corectitudine. Peri se minuna văzând-o pe maică-sa cum făcea comparaţii şi se plângea, pentru ca în clipa următoare să flecărească veselă la telefon cu mama miresei, glumind şi chicotind ca o şcolăriţă.

Indiferent de cheltuieli, mireasa avea calităţi pe care Selma le aprecia enorm - întâi şi-ntâi, ai ei erau nişte oameni foarte religioşi.

— Drept să spun, au adus un hoge sclipitor pentru noaptea hennei, a continuat maică-sa. Cu un glas ca de privighetoare! Toată lumea a plâns. Familia miresei e mai pioasă decât neamul nostru de şapte generaţii. Se trage din hogi şi şeici.

A rostit apăsat ultimele cuvinte, asigurându-se că ajung la urechile necredincioase ale soţului ei.

— Splendid! a răspuns Mensur din colţul lui. Asta înseamnă că în neamul lor sunt tot atâţia eretici. Peri, explică-i maică-tii. E un concept de bază al dialecticii. Negarea negaţiei. Fiecare doctrină îşi are anti-doctrina. Unde sunt mulţi sfinţi trebuie să fie şi mulţi păcătoşi!

Selma s-a încruntat.

— Peri, spune-i tatălui tău că vorbeşte aiurea.

— Tată, mamă, încetaţi, a zis Peri. E un noroc că fratele meu a găsit o femeie care-l face fericit. Asta-i tot ce contează.

O întâlnise pe mireasă de câteva ori. O tânără cu gropiţe în obraji, ochi căprui care se măreau la cea mai mică surpriză şi o slăbiciune pentru brăţările de aur; părea destul de timidă. Purta văl, prinzându-l într-un fel despre care Peri a aflat că se numeşte *stilul Dubai*. *Stilul Istanbul* era potrivit pentru feţele rotunde, *stilul Dubai* – pentru feţele ovale, iar *stilul Golf* – pentru feţele pătrate. Peri a fost mirată să descopere o întreagă linie de modă islamică ce fie apăruse recent, fie îi scăpase până atunci din vedere. Cu „*hijab*-uri *haute-couture*", „costume de baie burkini" şi „pantaloni halal", devenise deja un trend – şi o uriaşă industrie. Spre deosebire de mulţi laici pe care-i cunoştea, printre care şi tatăl ei, Peri nu se opunea invariabil purtătoarelor de văl – de unde şi prietenia pe care o legase rapid cu Mona. Prefera să nu ia în considerare ce au oamenii pe cap, ci în el. Şi în asta stătea dilema ei. Deşi accepta ţinuta miresei, în adâncul sufletului Peri o dispreţuia. Nu le mărturisise niciodată lucrul ăsta părinţilor, îi era greu să-l recunoască şi în sinea ei. Fata nu era foarte citită – probabil că ultima dată când pusese mâna pe o carte era încă la şcoală. Nu puteau purta o discuţie dacă nu implica subiecte care pe Peri n-o interesau deloc – serialele TV populare, dietele sărace în carbohidraţi. La drept vorbind, mireasa era la fel de ignorantă ca soţul ei, pe care Peri de asemenea îl dispreţuia puţin în secret. Nu-şi amintea să fi avut vreo discuţie adevărată cu Hakan.

Acest snobism intelectual al ei se limita la tineri. Nu o deranjau deloc bătrânii analfabeţi, care nu avuseseră acces la învăţătură. La orice tânăr de vârsta ei care părea să trateze cărţile ca pe nişte obiecte decorative ce se asortau cu mobila, Peri se uita oarecum de sus.

Dacă mă îndrăgostesc vreodată, şi-a promis, *am să mă îndrăgostesc de mintea cuiva. Nu o să-mi pese cum arată sau ce vârstă are, doar cum gândeşte.*

*

Locul închiriat pentru nuntă era marele salon al unui hotel de cinci stele cu vedere magnifică spre Bosfor. Fețe de masă din satin, cascade de flori din mătase, scaune cu funde aurii, un tort cu opt etaje cu arcade și frunze de zahăr făcute manual și un copac de cristal care-și schimba culoarea în centru. Peri își dădea seama că seara înghițise o bună parte din economiile părinților ei. Cheltuielile ei la Oxford împovăraseră deja bugetul familiei. Privind extravaganța din jurul ei, a hotărât să-și ia un job part-time imediat ce se întorcea în Anglia.

Curând au început să sosească invitații. Rude, vecini și prieteni din partea mirelui și a miresei și-au ocupat locurile la mesele împodobite înșiruite de partea cealaltă a sălii de dans. Între timp, tinerii căsătoriți păreau neliniștiți, el făcând cu mâna tuturor, ea privind în pământ; el prea gălăgios, ea mult prea tăcută. Mireasa purta o rochie ivorie din dantelă și tafta, cu mâneci lungi, brodată cu argintiu și bătută cu strasuri – o rochie prezentată drept „clasică și elegantă“ în broșura de vânzări. Era drăguță, deși puțin cam groasă, și – în centrul atenției – mireasa transpira deja. Mirele, îmbrăcat într-un smoching negru, părea mai în largul lui și-și scotea haina de câte ori i se făcea prea cald. Pe rând, invitații s-au apropiat de ei ca să îi felicite și să-și agațe darurile: bani de aur, lire, dolari. Rochia miresei era împodobită cu atâtea bancnote și monede prinse cu panglici, că – în momentul în care s-a ridicat să pozeze pentru o fotografie – ar fi putut să fie o sculptură contemporană într-un echilibru delicat între avangardă și nebunie.

Pe fundal, o formație rock de amatori cânta o gamă largă de melodii, de la cântece populare anatoliene la hituri Beatles, iar din când în când mai strecura și o melodie originală, oricât de discordantă. Cu toată împotrivirea celor din familia miresei, într-un colț se putea servi băutură. Mensur pusese piciorul în prag și amenințase că nu avea să ia parte la cea mai fericită zi din viața fiului său dacă *rakı*-ul, tovarășul lui de nădejde, e interzis. Cei mai mulți dintre invitați aleseseră băuturi fără alcool, însă erau și destui care depistaseră barul profan. Printre pionierii acestui tărâm interzis s-a numărat, surprinzător, unchiul miresei. La viteza cu care dădea pe gât paharele, nu i-a luat mult să se cherchelească – detaliu pe care Mensur l-a observat cu încântare.

Jucând rolul gazdei, Peri – într-o rochie acvamarin până la genunchi și cu părul strâns într-un coc atât de mare, că îi schimba centrul de greutate al capului – trebuia să discute cu invitații și să zâmbească întruna. Pe când alinta copiii, le săruta mâna bătrânilor și asculta flecărelile celor de vârsta ei, a zărit un tânăr care o privea atent. Nu era genul de privire masculină ce exprima atracție și se oprea la acea linie fină, ci una care presa, insista, cerea. Părea să nu priceapă că doar un mic pas despărțea insistența de agresivitate. Când ochii li s-au întâlnit, Peri s-a încruntat, sperând să-i dea de înțeles limpede că nu e interesată de el. Tânărul i-a aruncat un zâmbet superior, lăsându-i mesajul suspendat în aer, netransmis.

O jumătate de oră mai târziu, când Peri se îndrepta spre toaletă, bărbatul i-a tăiat calea. Punând o mână pe perete ca s-o împiedice să treacă, i-a spus:

— Arăți ca o zână. Clar, ai tăi ți-au dat un nume foarte potrivit.

— Scuză-mă. Nu ai ceva mai bun de făcut?

— Nu e vina mea. N-ar trebui să fii așa de frumoasă, a răspuns el mâncând-o din ochi.

Peri simțea că-i fierbe sângele în vine și i se împleticesc vorbele în gură.

— Lasă-mă în pace! N-ai nici un drept să mă deranjezi.

Surprins, el a clipit și, cu un efort exagerat, a lăsat brațul jos. Pe chipul lui, care cu câteva clipe în urmă afișase un zâmbet încrezător, se zărea acum o dușmănie evidentă.

— Toți mi-au zis că ești o îngâmfată. Ar fi trebuit să-i ascult. Doar pentru că mergi la Oxford îți închipui că ești mai bună decât noi!

— Asta, a răspuns Peri calm, nu are nici o legătură cu Oxfordul.

— Cățea obraznică, a murmurat el în barbă, însă destul de tare ca să-l audă.

Peri s-a albit la față privindu-l cum se îndepărtează țanțoș. Ce ușor e să treci de la simpatie la aversiune. În împărăția Orientului, inima bărbatului, asemenea sferei de la capătul unui pendul, oscilează de la o extremă la alta. Trecând de la adorație exagerată la dispreț exagerat, legănându-se deasupra grohotișului emoțional care până mai ieri era pasiune, bărbații iubesc prea mult, se înfurie prea mult, urăsc prea mult, mereu prea mult.

Când s-a întors în sală, Peri i-a găsit pe mire și pe mireasă înlănțuiți în dansul pe care-l aștepta toată lumea. Zeci de ochi erau ațintiți asupra lor din toate părțile. Drepți ca niște pari, cu mâinile țepene, își executau pașii fără să se atingă și se legănau în același timp – doi somnambuli captivi în același vis.

Peri s-a întristat. Prăpastia dintre fata pe care o purta înăuntrul ei și cea care se așteptau ceilalți să fie se adâncise mai tare ca niciodată. Simțea distanța de nedepășit dintre mediul din care venea și cel spre care voia să se îndrepte. Ea nu avea să fie o astfel de mireasă. Ea nu avea să trăiască viața mamei sale. Ea nu avea să fie inhibată, limitată și redusă la ceva ce nu era.

Un gând i-a trecut fulgerător prin minte: *N-o să mă mărit niciodată cu un bărbat din partea asta de lume.* Contrazicea tot ce fusese învățată și era atât de fermecător de greșit, atât de minunat de blasfemator, încât a trebuit să plece privirea ca să nu i-l citească cineva în ochi. Avea să-și aleagă soțul dintr-o cultură cât mai îndepărtată și mai diferită de a ei cu putință. Poate un eschimos. Unul pe care să-l cheme Aqbalibaaqtuq.

A zâmbit larg închipuindu-și cum tatăl ei avea să-l invite pe acest ginere inuit să dea pe gât câteva pahare împreună, cu ciorbă din capete de pește, carne crudă de balenă și aripioare de focă marinate pe post de aperitive. Pe când maică-sa avea să insiste să se convertească la islam, să se lase circumcis și așa mai departe. Aqbalibaaqtuq urma să devină Abdullah. Apoi, fratele ei Hakan avea să-l scoată în oraș pentru un curs rapid de masculinitate turcească. Aqbalibaaqtuq avea să-și petreacă o bună parte din timpul liber la ceainărie, jucând cărți și trăgând din narghilea. Curând, dacă petrecea destulă vreme într-o companie proastă, urma să-și însușească purtările arhetipului masculin național, reclamând privilegiile acordate sexului său. Iubirea lor arctică avea să se topească rapid la dogoarea obiceiurilor patriarhale.

*

Petrecerea s-a sfârșit după miezul nopții. Rând pe rând, invitații rămași și-au luat la revedere, iar membrii formației și-au strâns instrumentele și au plecat, lăsând în urmă doar familia. A doua zi dimineață, tinerii însurăței aveau să se îmbarce în voiajul de nuntă de o săptămână. Destinația lor era un hotel dintr-o stațiune exclusivistă de pe coasta turcească a Mediteranei, care își făcuse un nume și iscase discuții aprinse pentru că înființase restaurante, piscine și discoteci halal, toate cu separeuri pentru ambele sexe. Până și plaja și marea erau împărțite în separeuri pentru femei și pentru bărbați.

Dar în noaptea aceea, la insistențele Selmei și pentru că era mai convenabil, aveau să doarmă în casa familiei Nalbantoğlu, aflată mai aproape de aeroport. Părinții miresei – care stăteau în partea cealaltă a orașului – erau invitați să rămână și ei acolo. Așa că s-au înghesuit cu toții în dubiță, cărând pungi și coșuri și buchetul din mătase care, după atâtea ore, avea petalele boțite și zdrențuite.

Era neobișnuit de frig pentru perioada aceea din an, vântul izbindu-se cu furie în geamuri, ca un duh neîmpăcat.

Pe când dubița gonea pe străzile spălate de ploaie, Peri a văzut-o pe mama miresei scoțând din geantă o panglică stacojie – centura de castitate – și legând-o la mijlocul fiicei sale. Asta a surprins-o, deși știa că în multe părți ale țării era un obicei comun. Fără să se mai gândească la ea, a încercat să schimbe o vorbă cu Hakan, care stătea alături. Fratele ei părea obosit și absent, iar Peri a zărit pe fruntea lui o peliculă fină de sudoare. Curând s-a cufundat și ea în tăcere.

Spitalul

Istanbul, 2000

Când au ajuns acasă, tinerii însurăței au primit dormitorul principal, iar părinții miresei, pe al lui Peri. Selma și Mensur, neavând de ales, au fost siliți să împartă patul din camera fiului lor. Iar Peri a trebuit să se mulțumească cu sofaua din living.

De cum a pus capul pe pernă, s-a simțit cuprinsă de epuizare. Pe jumătate trează, pe jumătate adormită, a auzit un murmur îndepărtat, vorbe plutind în aer chiar înainte să fie stinsă și ultima lumină. Cineva se ruga. A încercat să ghicească cine, însă glasul părea lipsit de vârstă sau de gen. Poate că visa deja. Liniștită de ticăitul ceasului din hol, prea somnoroasă ca să se mai spele măcar pe dinți, cu pieptul ridicându-se și coborând în ritmul respirației, a adormit.

În toiul nopții, vreo oră mai târziu, Peri s-a trezit cu o tresărire. I se părea că auzise un zgomot, însă nu era sigură. S-a sprijinit într-un cot, încordată și nemișcată. Cu urechile ciulite, așteptând, s-a întrebat dacă ea asculta întunericul sau era tocmai pe dos. Ținându-și respirația, și-a numărat bătăile inimii: trei, patru, cinci... zgomotul s-a auzit iar. Cineva plângea. Printre suspine se auzea un foșnet neîntrerupt, stăruitor, ca și cum ar fi suflat vântul printr-un crâng înainte de furtună. O ușă s-a deschis și s-a trântit, dacă nu din întâmplare, atunci împinsă de mâna unui om furios.

Deși simțea că ceva nu e în regulă, Peri s-a întins la loc, sperând că orice ar fi fost avea să se stingă de la sine. Dar zgomotele s-au întețit. Șoaptele au devenit țipete, pe hol răsunau pași, iar în fundal nu se mai auzeau suspine, ci gemete, strigătul unui suflet îndurerat.

— Ce e? a zis Peri tare, ridicându-se din pat, iar glasul ei a pătruns înainte în tenebrele casei.

A ajuns în camera în care părinţii ei ar fi trebuit să doarmă. Maică-sa era trează, în picioare, pământie la faţă. Taică-su se plimba încolo şi-ncoace, cu mâinile împreunate, cu părul în dezordine. Fratele ei Hakan era şi el acolo, cu o ţigară aprinsă între degete, trăgând din ea cu o disperare exagerată. S-a uitat la ei şi a copleşit-o senzaţia stranie că nu-i cunoştea pe nici unul dintre oamenii aceia – străini care se dădeau drept cei dragi.

— De ce e toată lumea trează? a întrebat Peri.

Fratele ei i-a aruncat o privire tăioasă, cu ochii îngustaţi ca nişte lame de cuţit.

— Du-te în camera ta!

— Dar...

— Du-te, ţi-am zis!

Peri a făcut un pas înapoi. Nu-l mai văzuse niciodată pe Hakam în starea aia, deşi îi stătea în fire să se enerveze şi să înjure din orice, însă de data asta furia lui era atât de nestăpânită şi de violentă, încât părea o sălbăticiune ce dăduse buzna în încăpere.

În loc să se întoarcă în living, Peri a cotit spre dormitorul principal, unde a găsit uşa întredeschisă şi pe mireasă stând pe marginea patului în cămaşa de noapte, cu părul negru revărsat pe umeri. Părinţii ei stăteau de o parte şi de alta, cu buzele strânse ca nişte linii subţiri.

— Jur că nu-i adevărat, a zis mireasa.

— Atunci de ce spune aşa ceva? a repezit-o maică-sa.

— Îl crezi pe el sau pe fiica ta?

Maică-sa a tăcut o clipă.

— O să cred ce-o să spună doctorul.

Încet, ca în transă, Peri a înţeles cauza zgomotelor pe care le auzise mai devreme: fratele ei ieşise din dormitor tunând şi fulgerând, convins că soţia lui nu era virgină.

— Ce doctor? a bâiguit mireasa.

Ochii ei înroşiţi şi speriaţi priveau oraşul de dincolo de fereastră. Cerul negru ca smoala, cu luna ascunsă în spatele unui nor, sângera în zare, vestind zorii.

— Doar aşa ne putem lămuri, a zis femeia ridicându-se grăbită, apucând-o pe fiica ei de mână şi trăgând-o din pat.

— Mamă, nu, te rog, a şoptit mireasa cu o voce mai mică decât o perlă.

Dar femeia n-o asculta.

— Du-te şi adu hainele, i-a zis soţului ei, care a dat din cap, din obişnuinţă dacă nu pentru că era de acord.

Roşie la faţă, Peri a alergat înapoi la părinţii ei.

— *Baba*, te rog, opreşte-i. Se duc la spital!

Mensur, în pijamaua lui de bumbac, avea figura nenorocită a cuiva care fusese aruncat în mijlocul unei piese de teatru fără să ştie replicile. S-a uitat la fiică-sa, apoi la mireasă şi la mama ei, care acum treceau prin faţa lor, îndreptându-se spre uşă. Aceeaşi neputinţă o arătase cu ani în urmă, în noaptea când poliţia făcuse o razie în casa lor.

— Haideţi să ne calmăm, a zis el. Nu e nevoie să implicăm nişte străini. Acum suntem o familie.

Mama miresei i-a tăiat vorba cu o fluturare din mână.

— Dacă fata mea e vinovată, am s-o pedepsesc cu mâna mea. Dar dacă băiatul vostru minte, Allah mi-e martor că o să-l fac să regrete amarnic.

— Vă rog, nu trebuie să facem nimic la mânie..., a zis Mensur.

— Lasă-i să facă ce vor, s-a băgat în vorbă Hakan, scoţând fum de ţigară pe nări. Şi eu vreau să aflu adevărul. Am dreptul să ştiu cu ce fel de femeie m-am însurat.

Peri s-a uitat cu gura căscată la fratele ei.

— Cum poţi să spui aşa ceva?

— Tu să taci! i-a răspuns Hakan cu o voce stinsă, care nu se prea potrivea cu duritatea mesajului. Ţi-am zis să nu te bagi.

*

În mai puţin de jumătate de oră stăteau toţi pe bancheta din sala de aşteptare a celui mai apropiat spital. Toţi, mai puţin mireasa.

Din noaptea aceea, pe care avea s-o revadă în minte ani la rând de atunci încolo, lui Peri i s-au întipărit în memorie câteva detalii: crăpăturile din tavan ce desenau harta unui continent uitat; pantofii asistentei ce ţăcăneau pe pardoseala de beton; mirosul de dezinfectant amestecat cu cel de sânge şi puroi; vopseaua verde-muşchi de pe pereţi; semnul URGENŢ cu ultima literă lipsă; şi gândul tulburător, care-i sfredelea creierii, că oricât de ireal i se părea tot ce se întâmpla, ar fi putut să fie supusă aceluiaşi consult, dacă părinţii ar fi măritat-o într-o familie care ţinea la astfel de lucruri. Da, Peri a înţeles asta şi şi-a simţit inima grea.

Auzise despre crizele din noaptea nunţii, însă presupusese mereu că astfel de lucruri li se întâmplau altor oameni – ţărani din sate uitate de Dumnezeu, provinciali care n-aveau mai multă minte. Familia ei nu era una care să se încurce cu teste de virginitate într-un spital dărăpănat. De mică fusese tratată la fel ca fraţii ei, dacă nu chiar favorizată. A fost preţuită, răsfăţată şi iubită de amândoi părinţii. Totuşi, crescând într-un cartier înghesuit, unde din spatele fiecărei perdele dantelate pândea câte o pereche de ochi, privind şi judecând, îşi dădea seama de limitele pe care nu trebuia să le încalce – ce să nu poarte, cum să se aşeze în public, când să se întoarcă acasă după o seară în oraş – ...mă rog, în cea mai mare parte din timp. În ultimul an de liceu, valul de rebeliune şi sfidare care i-a prins în tăvălug pe cei mai mulţi dintre colegii ei şi i-a purtat până departe n-a afectat-o din prima, lăsând-o ancorată într-o moralitate infailibilă. Pe când tinerii de vârsta ei încălcau tabuuri şi îşi frângeau inimile cu aceeaşi ardoare, Peri ducea o viaţă liniştită. Dar apoi s-a îndrăgostit şi dragostea, pe cât de scurtă, pe atât de năvalnică, spulberase toate limitele ei bine păstrate. Fără ştirea părinților, mersese până la capăt cu iubitul ei de stânga. Abia acum își dădea seama cât de fragilă era poziția ei de „fiică iubită". Se simțea ca o ipocrită. Uite-o stând acolo și așteptând rezultatul testului de virginitate al altei fete când ea însăși nu era virgină.

— De ce durează atât? E vreo problemă? a întrebat tatăl miresei ridicându-se, doar ca să se așeze imediat la loc.

— Sigur că nu, l-a repezit soția lui.

Femeia era atât de agitată, încât asistenta de serviciu a trebuit să vină de două ori să-i spună să vorbească mai încet.

A trecut o oră, sau așa li s-a părut. Doctorița și-a făcut în sfârșit apariția, cu părul strâns, cu ochii scânteind în spatele ochelarilor. I-a cercetat cu un dispreț nedisimulat. Era evident că detesta ce era nevoită să facă și că îi detesta pe ei și mai mult pentru că îi ceruseră asta.

— Fiindcă sunteți nerăbdători să știți, e virgină, a anunțat doctorița. Unele fete se nasc fără himen, iar unele himene se pot rupe în timpul contactului sexual sau al unei simple activități fizice fără vreo sângerare.

Părea să se folosească intenționat de argumente medicale ca să-i umilească – o răzbunare pentru situația jenantă în care o puseseră pe mireasă.

— I-ați distrus sănătatea mentală acestei tinere. Vă sfătuiesc s-o duceți la un psiholog, dacă vă pasă într-adevăr de ea. Acum vreau să plecați toți. Avem pacienți cu probleme grave. Oamenii ca voi ne fac să pierdem timpul.

Fără să mai adauge ceva, doctorița s-a răsucit pe călcâie și a plecat. Nimeni n-a deschis gura vreun minut. Apoi mama miresei a rupt tăcerea.

— Allah e mare! a strigat ea. Au încercat să păteze onoarea fiicei mele. Dar Domnul Dumnezeul meu i-a plesnit peste față și le-a spus: „Cum îndrăzniți să întinați o fecioară? Cum îndrăzniți să târâți prin noroi un boboc de trandafir?".

Cu coada ochiului, Peri l-a văzut pe tatăl ei plecând capul și fixând pardoseala de ciment, de parcă și-ar fi dorit să se caște și să-l înghită.

— Fiu-tău n-a fost în stare de nimic, ascultă la mine! Dacă nu-i destul de bărbat, de ce dai vina pe fata mea? Mai degrabă ar fi trebuit să-l duci pe fiu-tău știi-tu-unde!

— Gata, dragă, calmează-te! a murmurat soțul ei, care părea stânjenit și deloc sigur că era abordarea potrivită.

Amestecul lui n-a făcut decât s-o stârnească și mai tare pe femeie.

— De ce, mă rog? De ce să-i scutesc de umilință?

O ușă de pe culoar s-a deschis și a apărut mireasa. S-a îndreptat spre ei cu pași măsurați, fără nici o grabă. Cât ai clipi, maică-sa s-a năpustit spre ea bătându-se cu pumnii peste coapse de parcă ar fi jelit.

— Bobocul meu de trandafir, ce ți-au făcut? Dar-ar Domnul să se afunde în noroiul în care au încercat să ne târască pe noi!

Ignorând-o, fata s-a îndreptat spre ieșire. Când a trecut pe lângă socri și pe lângă soțul ei, a ridicat bărbia, refuzând să privească pe cineva în ochi. Peri i-a observat mâinile cu manichiura perfectă, pictate cu henna și palmele presărate cu mici semiluni roșii. Detaliul ăsta a marcat-o mai mult decât toate lucrurile la care a fost martoră în noaptea aceea nenorocită. Urmele pe care o fată și le sapă în palme cu unghiile în timpul unui test de virginitate.

— Feride... așteaptă...

Era prima oară când Peri îi rostea numele. Până atunci fusese întotdeauna „ea“ sau „tu“ sau pur și simplu „mireasa“.

Deși a încetinit puțin, Feride nici nu s-a oprit, nici nu s-a întors. Mergând drept înainte, a ieșit pe ușile automate și a dispărut, cu părinții după ea.

Peri a simțit că îi clocotește furia în vine – din cauza fratelui ei, ale cărui egoism și nesiguranță duseseră la nenorocirea aia; din cauza părinților ei, care nu se străduiseră îndeajuns să pună capăt jignirii; din cauza tradițiilor vechi de secole care stabileau că valoarea unui om stă în ce are între picioare; dar mai ales din cauza ei. Ar fi putut să facă ceva s-o ajute pe Feride și totuși nu făcuse nimic. Mereu i se întâmpla asta. În momentele de stres, tocmai când trebuia să acționeze și să dea dovadă de hotărâre, cădea într-un soi de letargie, de parcă ar fi fost împinsă de o mână nevăzută, de unde se uita cum lumea din jur pălește și se încețoșează, iar sentimentele i se întunecă, exact ca niște becuri stinse unul câte unul.

*

Pe drumul spre casă, în dubița închiriată pentru nuntă, familia Nalbantoğlu era singură. În timp ce Hakan conducea și Mensur stătea în spate, uitându-se pe geam, Peri s-a așezat lângă maică-sa.

— Ce-o să se întâmple acum? a întrebat-o.

— Nimic, *inshallah*, a răspuns Selma. O să cumpărăm bomboane de ciocolată, mătăsuri, bijuterii... și o să ne cerem iertare. O să facem tot ce ne stă în puteri ca să ne răscumpărăm greșeala, deși a fost ideea lor să mergem la spital, nu a noastră.

Peri s-a gândit o clipă.

— Cum poate supraviețui o căsătorie după așa un început îngrozitor?

Maică-sa a zâmbit pieziș, lumina unui felinar de pe stradă împărțindu-i fața în două: jumătate strălucire, jumătate umbră.

— Crede-mă, Pericim, multe căsătorii au supraviețuit unor lucruri și mai rele. O să fie bine, *inshallah*.

Peri a rămas zgâindu-se la ea, văzând-o poate pentru prima oară cu adevărat. I-a trecut prin minte că și căsnicia părinților ei s-ar putea să nu fie ceea ce părea și că iubitul ei tată s-ar putea să nu fie întotdeauna gentlemanul care credea ea că este.

Gândurile i-au zburat la fotografia de nuntă pe care ai ei o țineau în dulap, înrămată, dar nu la vedere. Mensur și Selma, amândoi tineri și zvelți, stăteau țepeni unul lângă altul, fără să zâmbească, de parcă abia atunci ar fi priceput gravitatea a ceea ce făcuseră. În spatele lor se zărea un decor absurd cu orhidee sălbatice și gâște în zbor. Pe capul încă descoperit, Selma purta o cunună împletită din margarete - frumusețea lor plasticoasă fiind la fel de falsă ca fericirea lor.

Peri a luat mâna maică-sii, mai degrabă din instinct decât cu intenție, și a strâns-o ușor. I-a trecut prin minte că mama care i se păruse întotdeauna fragilă și plângăcioasă s-ar putea să aibă o rezistență lăuntrică aparte. Selma trata crizele sentimentale la fel ca treburile casnice. Culegea cu sârguință bucățile împrăștiate, la fel cum curăța bibelourile de prin casă. De parcă i-ar fi ghicit gândurile, maică-sa a zis:

— Credința mă ajută. Trebuie să existe un motiv pentru care am trecut prin așa ceva. Noi nu-l știm încă, dar Allah îl știe.

Peri și-a dat seama după roșeața din obraji și sclipirea din ochi că Selma e sinceră. Credința, oricum ar fi înțeles-o, îi insufla o senzație de abandonare ce ar fi putut să fie un motiv de slăbiciune dacă nu ar fi făcut-o mai puternică. E într-adevăr religia o forță în stare să le inspire pe femeile care altfel au o putere limitată într-o societate concepută de și pentru bărbați sau e numai o altă unealtă care să le supună mai ușor?

A doua zi, Peri a luat avionul înapoi spre Anglia, cu mintea clocotind de întrebări și incapabilă să hotărască dacă e mai bine să caute răspunsuri sau să le lase netulburate.

Hoitarul

Istanbul, 2016

După ce termină de vorbit cu maică-sa, Peri coborî scara principală împodobită cu imitații de urne grecești, traversă pardoseala de marmură și se întoarse la masă. Pe de o parte se simțea dezamăgită că nu făcuse rost de numărul de telefon al lui Shirin, pe de altă parte, ușurată. Nu avea idee ce i-ar fi spus și, chiar de găsea cuvintele potrivite, nu știa dacă ea ar fi ascultat-o. O sunase de câteva ori mai demult, imediat după plecarea de la Oxford, însă Shirin fusese prea supărată ca să stea de vorbă cu ea, rana fiind prea proaspătă. Deși trecuseră o grămadă de ani de-atunci, nu exista nici o garanție că lucrurile aveau să stea altfel.

În râsetele invitaților, care-i zgâriau urechile, Peri intră în salon și o găsi pe femeia din PR lângă bufet, așteptând-o.

— Hei, l-am sunat pe fratele meu cât ai fost plecată, zise femeia cu un zâmbet care nu i se citea și în ochi. A fost încântat să afle că ai studiat la Oxford în aceeași perioadă. Sunt sigură că aveți cunoștințe comune.

Peri îi răspunse cu aceeași încordare.

— Poate, dar Oxfordul e o universitate mare.

— I-am spus că ai o fotografie cu profesorul implicat în scandal. A fost foarte surprins.

Peri strânse din dinți, pregătindu-se pentru ce avea să urmeze.

— Cum îl chema? Mi-a spus fratele meu, dar am uitat.

— Azur, răspunse Peri, numele arzându-i limba ca o scânteie.

— Exact, ştiam eu că e ciudat! exclamă femeia din PR, pocnind din degete ca să-şi sublinieze ideea. Ăăă, fratele meu era curios... m-a rugat să te întreb: i-ai fost studentă?

— Nu, nu-l cunoşteam prea bine, răspunse Peri fără ezitare. Fetele din fotografie erau studentele lui. Eu eram doar prietenă cu ele. Oricum am pierdut legătura.

— Ah, zise femeia din PR, o umbră de dezamăgire trecând peste chipul ei, însă nu era gata s-o lase baltă. Poţi încerca să le găseşti pe Facebook. Eu aşa am reînnodat legătura cu toate prietenele mele din facultate - chiar şi cu unele din şcoala primară. Avem zilele noastre de întâlnire...

Peri dădu din cap, dornică să scape de femeia aceea care, ca o armată inamică ce îi invada teritoriul, îi jefuia intimitatea, trecutul. N-avea să-i spună niciodată de câte ori căutase numele lui Azur pe Google - realizările şi cărţile lui, pozele cu el - şi cercetase fascinată sutele de postări despre el; apoi căutase informaţii despre scandal, după care el renunţase să mai predea, deşi continua să dea interviuri şi să ţină prelegeri.

— Fratele meu îşi aminteşte că umblau zvonuri că e înscrisă şi o tânără turcoaică la cursul lui. A spus că toată lumea vorbea numai despre asta.

Tensiunea umplu spaţiul dintre ele ca o băltoacă.

— Ce vrei să sugerezi? întrebă Peri, uimită de răceala din glasul ei.

— Nimic, eram doar curioasă.

Lui Peri îi trecu fulgerător prin faţa ochilor imaginea vagabondului. Trupul lui sfrijit, ochii pătrunzători, peticele de eczemă de pe mâini. Femeia aia, deşi răsfăţată de soartă şi plină de bani, era şi ea o toxicomană. Peri şi-o închipuia ţinând în mână o pungă de plastic doldora de nenorocirile şi secretele murdare ale altor oameni, în care îşi băga nasul şi trăgea cu nesaţ, ca să ia o pauză de la propria viaţă.

— Aş vrea să am ceva mai interesant să-ţi povestesc, zise Peri, iar cuvântul „interesant" o făcu să şovăie o fracţiune de secundă. (Remarca aceea, cu toate că îi era destinată femeii băgăreţe, părea să se adreseze numai ei.) Am fost o studentă liniştită, deloc genul care să fie implicată în vreun scandal.

Femeia din PR îi zâmbi, cu înţelegere parcă.

— Data viitoare când vorbeşti cu fratele tău, spune-i că trebuie să fi fost vorba de altcineva.

— A, sigur.

Tot restul cinei, Peri evită s-o privească în ochi pe femeia din PR. Nu se simţea prost pentru că minţise. Nu avea de gând să-şi dezvăluie trecutul unei străine, în nici un caz uneia ca un hoitar care se hrăneşte cu fărâme de bârfe. De altfel, nu era chiar o minciună, dacă se gândea mai bine. La urma urmei, o fată diferită, o Peri diferită de femeia de astăzi, fusese odată studenta preferată a profesorului Azur şi, mai târziu, cauza ruinei lui.

Alergare pe înserate

Oxford, 2000

Întoarsă la colegiu, Peri s-a îngropat în studiu. Dimineața, când își bea cafeaua – atât de diferită de cea turcească, dulce și tare – se uita la studenții și la profesorii cu expresii preocupate care strângeau la piept cărți și notițe în timp ce alergau de la o clădire la alta; se întreba câți dintre ei gustaseră viața în altă parte. Cât de ușor era să presupui că Oxfordul – sau orice alt loc, la drept vorbind – este centrul lumii.

Miercuri a plecat de la bibliotecă pe înserate. Citise aproape trei ore și mintea îi era plină de idei. Și-o închipuia ca pe o casă întortocheată, cu multe camere în care strângea toate lucrurile pe care le citea, auzea sau vedea și unde erau cercetate, procesate și înregistrate de un mic funcționar, un homunculus aflat în întregime în slujba ei fără ca ea să-și dea seama. Era posibil, credea Peri, ca gândurile cuiva să-i fie ascunse chiar și lui însuși.

A hotărât să iasă la alergat. După o scurtă oprire prin cameră ca să lase cărțile pe care le împrumutase și să se schimbe în hainele de alergat, a pornit spre Holywell Street, găsindu-și încet-încet ritmul. Vântul rece care îi biciuia obrajii era ca un balsam.

Bicicliștii treceau tăcuți pe-alături, farurile lor clipind conspirativ în întuneric. Oamenii mergeau cu bicicleta oriunde – la magazine, la restaurante, la seminare –, și una dintre plăcerile ei era să-i vadă pe profesori pe biciclete, cu pardesiurile umflate ușor de vânt. Ea nu prea știa să meargă pe bicicletă. Era unul dintre lucrurile alea la care trebuia să mai lucreze – ca fericirea.

Abătându-se de la traseul ei obişnuit, a alergat pe străzi şi alei ce păreau pustii. A tras în piept mirosul plantelor iernatice necunoscute, a dat colţul şi s-a oprit, gâfâind zgomotos. S-a trezit în faţa unui afiş lipit pe un zid.

MUZEUL DE ISTORIE NATURALĂ
DE LA
UNIVERSITATEA OXFORD
PREZINTĂ
DEZBATEREA DESPRE DUMNEZEU
CU
PROFESORII ROBERT FOWLER, JOHN PETER ŞI A.Z. AZUR.
VENIŢI SĂ ASISTAŢI LA O DEZBATERE SPECTACULOASĂ
ÎNTRE CELE MAI SCLIPITOARE MINŢI ALE TIMPURILOR
NOASTRE

Peri a făcut ochii mari. S-a uitat la data şi locul de pe afiş. Era chiar în ziua aia. La 5 p.m. La Muzeul de Istorie Naturală.

Începuse deja. Muzeul se afla la cel puţin trei kilometri, iar ea nu avea bilet şi nici bani la ea, chiar dacă s-ar mai fi găsit bilete. Nu ştia cum o să intre şi totuşi, pe loc, s-a întors în direcţia muzeului, a tras adânc aer în piept şi s-a pus pe alergat.

A Treia Cale

Oxford, 2000

Până când Peri, cu părul răvăşit şi sudoarea şiroind pe gât, a ajuns la destinaţie, soarele apusese deja într-un cer jos, de culoarea ambrei. S-a apropiat de clădirea neogotică ce fusese concepută ca o „catedrală a ştiinţei". Arhitectura din Oxford se împărţea în două categorii: cea a rememorării şi cea a visării. Muzeul de Istorie Naturală se înscria în amândouă. Pe când pietrişul îi scârţâia sub picioare, Peri s-a gândit că clădirea – independent de colecţiile dinăuntru – le cerea vizitatorilor săi admiraţie şi respect.

La intrarea principală erau doi controlori, un băiat şi o fată – studenţi din câte se părea – care purtau cămăşi albastru-deschis la fel şi aveau aceeaşi mină plictisită. Unul dintre ei a dat din cap înspre ea.

— Am venit pentru dezbatere, a zis Peri străduindu-se să-şi recapete răsuflarea.

— Ai bilet? a întrebat băiatul – un tânăr deşirat, cu buza de jos ieşită în afară şi fruntea acoperită de o claie de păr roşcat.

— Ăăă... nu, a răspuns Peri neliniştită. Şi n-am nici portofelul la mine.

— Oricum n-ar fi contat, a zis băiatul clătinând din cap. Biletele s-au vândut cu săptămâni în urmă.

Cuvintele, de parcă ar fi avut o voinţă proprie, s-au revărsat din gura lui Peri:

— Oh, dar am alergat tot drumul până aici!

Auzind răspunsul ei, atât de răsunător şi de spontan, fata a zâmbit cu înţelegere.

— Oricum e pe sfârşite, ai întârziat.

Agăţându-se de un fir de speranţă, Peri a întrebat:

— Cel puţin pot să arunc o privire?

Fata a ridicat din umeri. Nu avea nici o obiecţie. Dar băiatul era de altă părere.

— Nu putem permite aşa ceva, a zis el, cu tonul cuiva care, trezindu-se dintr-odată într-o poziţie de autoritate, era hotărât să profite la maximum de pe urma ei.

— Dezbaterea e filmată. O să fie proiecţii gratuite mai încolo, a anunţat-o fata.

Peri nu era mulţumită, totuşi a dat din cap.

— OK, mersi.

S-a răsucit pe călcâie. Supărată, în lumina slabă a înserării arăta ca un copil dezamăgit. Dacă ar fi întrebat-o cineva de ce-şi dorea atât de tare să intre, singurul răspuns pe care l-ar fi putut da era „din instinct". Ceva îi spunea că multe dintre întrebările care îi răcâiau cotloanele minţii erau puse acolo. Tocmai convingerea asta a împins-o să facă ce-a făcut pe urmă.

În loc să se îndrepte spre strada principală, Peri a dat ocol clădirii în căutarea unei uşi laterale. N-a fost nevoie. S-a ivit altă ocazie de-a intra când a observat, uitându-se peste umăr spre intrare, că fata nu mai era acolo. Celălalt controlor a aşteptat câteva secunde, apoi a dispărut în clădire.

Fără să stea pe gânduri, Peri a profitat de faptul că uşa nu era păzită şi a intrat în muzeu. Ajunsă înăuntru, a înaintat cu grijă, cu toate simţurile în alertă, aşteptându-se pe jumătate ca băiatul roşcovan să se repeadă la ea din vreun colţ şi s-o scoată afară. Dar nu se zărea nicăieri. Urmând semnele pe care scria Dezbaterea Despre Dumnezeu, a ajuns curând într-o sală mare, ticsită de lume.

Pe rânduri strânse, publicul alcătuit din studenţi şi universitari stătea fascinat, cu privirea ţintă la cei patru oameni de pe scenă. Unul dintre ei era un faimos jurnalist de la BBC care modera discuţia şi părea să încheie evenimentul. Peri i-a studiat pe cei trei profesori, întrebându-se care era Azur.

Primul – un bărbat înalt, slab, cu ochi oblici inteligenți – avea chelie și o barbă căruntă cu care se juca nervos de câte ori auzea ceva ce nu-i convenea, costum gri, cămașă roz în carouri, bretele cu cleme metalice și o urmă de beligeranță care-i scăpa din când în când de sub zâmbetul elaborat. Își privea mai tot timpul mâinile, de parcă ar fi conținut un mister pe care spera să-l descopere.

Al doilea, cel mai bătrân dintre toți, avea o față lătăreață, ten roșcat, păr cărunt rar și o burtă pe care uita s-o ascundă când se entuziasma. Purta o haină cărămizie, care fie îl strângea, fie îl incomoda în vreun fel, fiindcă nu se simțea deloc în largul lui, încovoiat în scaun, neatent. Lui Peri i s-a părut un om blajin, care ar prefera să-și petreacă timpul cu studenții sau cu nepoții decât să discute despre Dumnezeu pe un podium.

Al treilea vorbitor, care stătea mai la o parte de ceilalți doi, în stânga moderatorului, avea păr blond-închis ce îi cădea în valuri elegante pe guler și nas proeminent, aflat într-un echilibru perfect între hidos și magnific. Ochii îi străluceau ca niște mărgele de obsidian în spatele ochelarilor clasici cu ramă de baga neagră când se uita la public cu un zâmbet plictisit de lume. Peri nu se putea hotărî dacă placiditatea lui era semnul unui suflet împăcat cu sine sau reflexia unui hybris bine șlefuit. Era la fel de greu de ghicit ce vârstă are. Zveltețea încordată a ținutei sugera că e mai tânăr decât ceilalți, iar purtarea lui degaja o însuflețire care putea sau nu să se datoreze tinereții sale relative. Peri nu se îndoia că era profesorul pe care îl lăuda întruna Shirin.

— Cred că vorbesc în numele tuturor celor prezenți când spun că am avut parte de o discuție fascinantă, plină de idei provocatoare la care să medităm, se entuziasma moderatorul.

Părea de fapt epuizat și ușurat că evenimentul se apropia de sfârșit. Peri s-a întrebat ce se petrecuse înainte de venirea ei, fiindcă simțea un val de tensiune sub furnirul politeții academice.

— Acum a venit timpul să dăm cuvântul publicului. Câteva reguli de bază: puneți întrebări scurte și la obiect. Așteptați, vă rog, microfonul care circulă prin sală și nu uitați să vă prezentați înainte de-a vorbi.

Un freamăt de entuziasm a străbătut sala, ca o adiere peste un lan de porumb. S-au ridicat imediat câteva mâini, curajoșii și îndrăzneții.

Un student a vorbit primul. După ce s-a prezentat pe scurt, s-a lansat într-o tiradă despre dicotomia bine-rău, începând cu Grecia și Roma din Antichitate până în Evul Mediu. Când a ajuns pe la Renaștere, publicul dădea deja semne de nerăbdare, așa că jurnalistul l-a întrerupt.

— OK... voiai să pui vreo întrebare sau aveai doar de gând să ne ții o predică laică?

S-au auzit râsete în public. Studentul a roșit și, când a cedat în sfârșit microfonul - tot fără să fi pus vreo întrebare -, a făcut-o fără nici o tragere de inimă.

Pe urmă s-a ridicat un cleric în sutană neagră, probabil un pastor anglican - Peri nu era în stare să-i deosebească. A zis că îi plăcuse dezbaterea, însă fusese uimit să-l audă pe primul vorbitor susținând că religia nu admite nici un fel de discuții libere. Istoria religiei creștine e plină de contraexemple. Semințele multor universități din Europa, printre care și a lor, au fost sădite cu ajutorul teologiei. Ateii au dreptul la propria opinie atâta timp cât nu denaturează faptele, a încheiat el.

A urmat un scurt schimb de replici între cleric și profesorul cu barbă, care era „ateul" în chestiune, din câte a priceput Peri. Profesorul a răspuns că religia, departe de a fi o aliată a discuțiilor libere, e inamica lor de secole. Când a pus la îndoială învățăturile rabinilor, Spinoza n-a fost lăudat pentru inteligența lui, ci a fost alungat din sinagogă. Același tipar tulburător poate fi văzut de-a lungul întregii istorii a creștinismului și islamului. Ca om devotat științei și clarității, el nu putea fi pus sub stăpânirea dogmei.

Următorul membru al publicului care a luat microfonul a fost o doamnă între două vârste foarte elegantă. Știința și religia nu au cum să fie vreodată partenere, a zis ea, dând exemple de filosofi – din Orient și din Occident – care au fost persecutați de autoritățile religioase de-a lungul istoriei. S-a luat de al doilea profesor care, și-a dat seama Peri, pe lângă faptul că era un savant renumit, era un om extrem de evlavios.

Acest al doilea profesor, deși nu la fel de elocvent precum colegul lui ateu, a vorbit blând, cu un accent irlandez pronunțat, rostind fiecare cuvânt fără grabă, ca pe o delicatesă ce trebuia savurată. A spus că, din punctul lui de vedere, nu există nici un conflict între știință și religie. Cele două pot să meargă mână în mână, dacă încetăm să credem că sunt ca apa și uleiul. El cunoștea mai mulți oameni de știință, experți fiecare în domeniul lui, care erau creștini devotați. Cum susținea Darwin, care nu se socotise niciodată ateu, este absurd să te îndoiești că un om ar putea fi în același timp teist și evoluționist înfocat. Mulți oameni de știință salutați astăzi ca „atei de neclintit“ sunt, de fapt, teiști în adâncul inimii.

Între timp Peri, care nu găsise nici un loc liber, se sprijinea de perete. L-a studiat pe Azur, care asculta discuția cu părul căzându-i pe frunte, cu fața luminată de o strălucire enigmatică și cu bărbia odihnindu-se în palmă. N-avea să rămână prea mult în poziția aceea, fiindcă următoarea întrebare îi era adresată.

O tânără din primul rând s-a ridicat. Cu umerii trași înapoi, cu coada de cal prinzând reflexele luminilor din tavan, stătea dreaptă și hotărâtă. Chiar și din spate, Peri și-a dat seama că e Shirin.

— Profesore Azur, ca spirit liber, am o problemă cu religia în care m-am născut. Nu pot suporta aroganța așa-zișilor „experți“ sau „gânditori“ și nici platitudinile meschine ale imamilor, preoților și rabinilor. Scuzați expresia, dar să fiu a naibii dacă nu e o șaradă absolută. Când vă citesc cărțile, descopăr o voce care se adresează furiei mele. Vorbiți cu convingere despre problemele sensibile. Și îmi arătați cum să empatizez cu ceilalți. Când vă apucați de scris, aveți în minte un cititor distinct?

Azur a înclinat capul într-o parte cu un zâmbet ușor, de înțelegere și complicitate – o nuanță care i-a scăpat lui Peri. Cu coada ochiului, a zărit o cămașă albastră cu model care a distras-o. Era controlorul cu care vorbise afară! Temându-se că o caută pe ea, s-a lipit cu totul de perete. Dar tânărul, cu o privire fioroasă în care se citea clar dușmănia, se uita spre scenă, cu fălcile încleștate, cu ochii ațintiți la un singur vorbitor: Azur.

De îndată ce Shirin s-a așezat, băiatul a înaintat poticnit prin mulțime, mergând în zigzag. S-a oprit alături și s-a aplecat foarte mult spre ea, cerându-i microfonul. Peri n-avea idee ce se petrece între ei, însă a văzut cum spinarea lui Shirin se încordează. Punând în cele din urmă mâna pe microfon, băiatul s-a întors spre vorbitori, aproape strigând cu vocea lui tunătoare.

— Am eu o întrebare pentru profesorul Azur!

Profesorul s-a întunecat la față. Felul în care a dat din cap, încet și precaut, sugera că-l cunoaște pe tânăr.

— Te ascult, Troy, a zis.

— Domnule profesor, ați scris în una dintre primele cărți ale dumneavoastră - cred că în *Distruge dualitatea* - că nu vreți să vă angajați în dezbateri cu atei sau teiști, dar iată că exact asta faceți acum, dacă nu cumva vorbesc cu o clonă. Ce s-a schimbat? Greșeați atunci sau faceți o greșeală acum?

Azur i-a aruncat un zâmbet - diferit de cel cu care o privise pe Shirin - care emana încredere și răceală.

— Ai dreptul să-mi critici afirmațiile atâta timp cât le citezi corect. N-am spus că nu aș participa niciodată la o dezbatere alături de atei și teiști. Am spus că... (A ridicat dintr-o sprânceană.) Are cineva un exemplar? Trebuie să văd exact ce-am spus.

S-au auzit râsete în sală.

Moderatorul i-a întins o carte. Azur a găsit imediat pagina căutată.

— Aici e!

Dregându-și glasul - cam teatral, i s-a părut lui Peri -, a început să citească:

— „Întrebarea preponderentă dacă Dumnezeu există stârnește una dintre cele mai plictisitoare, nefructuoase și nesăbuite dispute în care s-au angajat oameni altminteri inteligenți. Am văzut, mult prea des, că nici teiştii, nici ateii nu sunt pregătiţi să renunţe la Hegemonia Certitudinii. Aparentul lor dezacord este un cerc de refrene. Nici măcar nu e corect să numim această încleştare de cuvinte «dezbatere», de vreme ce se ştie că participanţii, indiferent de punctul de vedere, sunt intransigenţi în poziţia lor. Acolo unde nu există posibilitate de schimbare, nu e loc pentru un dialog real".

Azur a ridicat capul şi a cercetat atent publicul înainte de-a închide cartea.

— Vedeţi, să iei parte la o dezbatere deschisă e pe undeva ca şi cum te-ai îndrăgosti. (Glasul îi era liniştit, iar gesturile bogate erau emfatice şi domoale.) Când se termină eşti cu totul alt om. De aceea, prieteni, dacă nu doriţi să vă schimbaţi, nu vă băgaţi în discuţii filosofice. Asta am spus în trecut şi asta spun şi acum.

Din public s-au auzit ropote de aplauze.

— Mă tem că nu prea mai avem timp. O ultimă întrebare din partea ascultătorilor noştri, a anunţat moderatorul.

S-a ridicat un bătrân.

— Pot să-i întreb pe distinşii profesori dacă au un poem despre Dumnezeu preferat, chiar dacă cred sau nu în El?

Publicul s-a foit nerăbdător pe scaune.

Primul profesor a zis:

— Poemele mele preferate au tendinţa să se schimbe odată cu trecerea timpului... dar în momentul ăsta îmi trec prin minte câteva versuri din „Prometeu" de Lordul Byron.

Titan! Al omenirii chin,
Mereu dispreţuit de zei,
În ochii-ţi, veşnice scântei,
S-a oglindit întreg, hain.
Ţi-a fost răsplată suferinţa
Care ţi-a măcinat fiinţa
Şi lanţul, vulturul, o stâncă
Tortura crâncenă şi-adâncă...[1]

---

1. Byron, *Opere vol. I, Poezia*, trad. de Virgil Teodorescu, Editura Univers, Bucureşti, 1985, p. 184.

— Nu sunt prea bun la memorat poezii, a zis al doilea profesor. O să încerc să-mi aduc aminte ceva din T.S. Eliot.

Mulţi scriu cărţi şi chiar le tipăresc,
Dornici să-şi vadă numele pe o copertă,
Mulţi nu citesc decât programul curselor de cai,
Citit-ai mult, însă Cuvântul lui DUMNEZEU nu l-ai citit.
Mult construit-ai, însă nu e Casa lui DUMNEZEU aceasta.[1]

Deşi era rândul lui, Azur a rămas tăcut încă o clipă ce părea nesfârşită. Apoi, în liniştea nerăbdătoare, a zis:

— Poemul meu e din marele poet persan Hafiz. S-ar putea să schimb puţin cuvintele fiindcă, aşa cum ştiţi, orice traducere e o trădare.

Vorbea atât de încet, încât Peri a trebuit să se aplece înainte ca să-l audă. A observat că şi alţii din public făceau acelaşi lucru.

Am învăţat atâtea de la Dumnezeu,
Că nu mă mai pot numi
Creştin, musulman, budist sau evreu.
Adevărul mi s-a împărtăşit în aşa măsură,
Că nu mă mai pot numi
Nici bărbat, nici femeie, nici înger sau măcar suflet pur.

Rostind aceste versuri, Azur a ridicat ochii şi s-a uitat drept înainte peste public. Deşi nu se uita la cineva anume şi părea la fel de detaşat de admiratorii şi de criticii săi, în clipa aceea Peri n-a putut să nu simtă că vorbele lui o vizau.

Moderatorul a aruncat o privire la ceas.

— Mai avem timp pentru o ultimă remarcă din partea fiecărui vorbitor, a anunţat. Domnilor, cum v-aţi rezuma părerile într-o frază?

---

1. T.S. Eliot, *Opere poetice 1909-1962*, Editura Humanitas, Bucureşti, 2011, „Corurile din «Stânca»“, trad. de Şerban Foarţă şi Adriana-Carmen Racoviţă, p. 313.

Profesorul ateu a răspuns:

— Am să repet un citat celebru şi am să mă opresc aici: *Religia e un basm pentru cei care se tem de întuneric*[1].

— Atunci, ateismul e un basm pentru cei care se tem de lumină, a parat profesorul evlavios cu accentul lui irlandez.

Toate capetele s-au întors spre Azur.

— Mie chiar îmi plac basmele, a zis el ştrengăreşte. Colegii mei greşesc în aceeaşi măsură. Unul vrea să nege credinţa, celălalt - îndoiala. Nesiguranţa, domnilor, e o binecuvântare. Nu o strivim. O celebrăm. Ea este drumul spre a Treia Cale.

— Acestea fiind spuse, aş vrea să le mulţumesc distinşilor noştri invitaţi şi să pun punct aici dezbaterii noastre, a intervenit moderatorul, îngrijorat că remarcile lui Azur ar putea încinge din nou discuţia.

Apoi a comentat că evenimentul din seara aceea era un exemplu perfect de dezbatere sinceră, necenzurată, deschisă, în cea mai bună tradiţie britanică şi oxfordiană.

— Să-i aplaudăm încă o dată cu căldură pe toţi vorbitorii noştri! Şi nu uitaţi că imediat vor da autografe pe cărţile lor.

Publicul s-a lansat într-un ropot prelung de aplauze. Apoi, cei care ţineau neapărat să aibă un exemplar cu autograf, s-au repezit spre un stand ticsit cu cărţile profesorilor, în timp ce alţii şi-au făcut loc până la scenă, sperând să poată schimba un cuvânt cu unul dintre vorbitori, iar alţii au rămas aşezaţi, şuşotind între ei. Restul publicului şi-a târşâit hotărât picioarele spre ieşire.

Între timp, cei trei vorbitori s-au mutat la masa pregătită într-o parte. În faţa fiecăruia, organizatorii aşezaseră câte un trandafir galben.

Peri a înaintat pas cu pas împreună cu mulţimea, trăgând cu urechea la discuţiile din dreapta şi din stânga ei. Chiar înainte să fie împinsă afară din sală, s-a oprit şi s-a întors, de parcă ar fi vrut să cuprindă toate detaliile din raza privirii ei. L-a văzut

---

1. Afirmaţie a fizicianului Stephen Hawking.

pe moderator băgându-şi notiţele în servietă. I-a văzut pe ceilalţi doi profesori vorbind cu cititorii. Şi a văzut coada dezordonată de admiratori din faţa lui Azur – până când a dispărut încet-încet în mijlocul valului de trupuri.

Optimizatorul

Istanbul, Oxford, 2001

Primul trimestru s-a terminat în ceață. Peri, din nou acasă în vacanța de Crăciun, a încercat să se convingă că sănătatea tatălui ei nu se înrăutățise și că preocuparea maică-sii pentru curățenie nu devenise o obsesie. Toată casa mirosea a clor și apă de colonie cu aromă de lămâie. Pe fiecare calorifer atârnau rufe la uscat, spălate atât de des încât aproape că se decoloraseră și își pierduseră modelele, iar dedesubt se strânseseră mici bălți, ca niște lacrimi vărsate după lucrurile uzate.

De revelion stăteau în fața televizorului, tată și fiică, ronțăind castane coapte și uitându-se la o dansatoare din buric – felul tradițional în care Mensur sărbătorea sosirea noului an. Selma, ca întotdeauna, se retrăsese devreme în camera ei, nu ca să doarmă, ci ca să se roage. Cum Umut și Hakan plecaseră de acasă, erau doar ei, tată și fiică – exact ca în trecut. N-au vorbit prea mult, de parcă tăcerea lor ar fi avut o limbă aparte. Tocmai ritualurile, ritualurile *lor*, îi lipsiseră cel mai mult lui Peri – să facă plimbări lungi pe țărmul mării, să gătească *menemen*, să joace table pe măsuța de lângă cactusul de pe pervaz.

O săptămână mai târziu, Peri s-a întors la Oxford. Cele două drumuri succesive îi cam secătuiseră bugetul, așa că a hotărât să-și ia o slujbă part-time. Dar și-a mai pus ceva în minte: să afle mai multe despre profesorul Azur.

*

Trimestrul de primăvară a început cu noi speranţe şi decizii. Peri a stabilit o întâlnire cu îndrumătorul ei ca să-i ceară câteva sfaturi. Un bărbat cu ochelari cu rame de sârmă şi aer tot timpul distrat, de parcă ar fi încercat să rezolve în minte o ecuaţie de gradul al doilea, dr. Raymond era scund, cu fălci ferme. Îi încuraja pe toţi studenţii cu care lucra să găsească *programul perfect pentru a-şi optimiza resursele intelectuale*. În schimb, aceştia îi născociseră o poreclă: Domnul Optimizator.

Dr. Raymond şi Peri au discutat pe larg despre cursurile pe care ar trebui să le urmeze în anul al doilea. Nu că ar fi existat prea multă flexibilitate. Programul era mai mult sau mai puţin fix, permiţând doar câteva ajustări minore.

— Ar fi un seminar la care mă gândesc. Toată lumea spune că e fantastic, a zis Peri dintr-odată. Mă rog, nu chiar toată lumea, o prietenă de-a mea.

— Care anume? a întrebat dr. Raymond scoţându-şi ochelarii.

De-a lungul anilor, văzuse de multe ori studenţi îndrumându-se greşit unii pe alţii. Pe deasupra, tinerii aveau tendinţa să-şi schimbe părerea la fel de des cum îşi schimbau primele cinci melodii preferate. Cursul în legătură cu care se extaziau la începutul trimestrului îl înjurau cum le venea la gură la sfârşit. În cei douăzeci şi trei de ani de când preda la colegiu, ajunsese la concluzia că e mai bine să nu le dai studenţilor prea multe opţiuni. Alegerea şi confuzia sunt surori siameze.

Neştiind ce gânduri treceau prin mintea îndrumătorului ei, Peri a continuat:

— O serie de seminare despre Dumnezeu. Ţinute de profesorul Azur. Îl ştiţi?

Colţurile gurii profesorului, ridicate într-un zâmbet amabil, s-au întors aproape imperceptibil în jos. Doar o tresărire uşoară din sprânceană i-a trădat stânjeneala.

— A, ştiu *de* el. Cine nu ştie?

Mintea lui Peri încerca înnebunită să demoleze intonaţia acelei remarci aparent simple. Deja învăţase că englezii au un fel indirect de a-şi exprima părerile. Spre deosebire de turci, nu îşi comunică duşmănia prin duşmănie sau ura printr-o ură îndoită. Nu, conversaţia lor are o mulţime de straturi. Cea mai mare stânjeneală poate fi transmisă printr-un zâmbet reticent. Fac complimente când, de fapt, vor să aducă acuzaţii; îşi îmbracă criticile în elogii criptice. *Dacă aş fi actriţă şi aş juca prost*, şi-a zis Peri, *turcii m-ar bate cu nuiele ţepoase de ilice, pe când englezii, cu trandafiri, îmi închipui - încrezători că prind mesajul datorită spinilor. Două stiluri total diferite.*

Între timp, dr. Raymond tăcea, gândindu-se cum să abordeze acea problemă delicată. Când a vorbit din nou, a rostit cu grijă fiecare cuvânt - ca un părinte care-i explică un fapt de viaţă nedorit unui copil bosumflat.

— Nu sunt întru totul convins că ar fi alegerea potrivită pentru tine.

— Dar aţi spus că pot alege o materie care mă interesează atâta vreme cât este pe lista de opţiuni, şi aceasta e, am verificat.

— Poţi să îmi spui cumva de ce vrei să-ţi alegi acest seminar?

— E o materie... importantă pentru mine din motive de familie.

— Motive de familie?

— Dumnezeu a fost mereu un subiect de dispută la noi în casă. Sau religia, mai degrabă. Mama şi tatăl meu au păreri opuse. Aş vrea să studiez problema cum se cuvine.

Dr. Raymond şi-a dres glasul.

— Păi, avem norocul să deţinem una dintre cele mai vaste colecţii de cărţi din lume; poţi citi despre Dumnezeu cât doreşti.

— N-ar fi mai bine să fac asta sub îndrumarea unui profesor?

Era o întrebare la care dr. Raymond prefera să nu răspundă, aşadar a rămas tăcut.

— Azur e un cunoscător, fără îndoială, însă trebuie să te previn că metoda lui de predare este, cum să spun?, cam neortodoxă.

Nu se potrivește oricui. Seminarul împarte studenții în două categorii - unii îl adoră, pe alții îi face profund nefericiți. Și la mine vin să se plângă.

Peri nu s-a îngrijorat. Lucru ciudat, lipsa de entuziasm a îndrumătorului ei i-a stârnit și mai tare curiozitatea - acum era chiar mai dornică să se înscrie la seminar.

— Ține minte că e un seminar restrâns. Azur acceptă puțini studenți și așteaptă ca ei să fie prezenți în fiecare săptămână, cu toate cărțile citite și toate temele făcute. E mult de muncă.

— Nu mă tem de muncă, a zis Peri.

Dr. Raymond a lăsat să-i scape un oftat sonor.

— Atunci, sigur, du-te și vorbește cu Azur, roagă-l să îți arate programa. Și nu s-a putut abține să adauge: Dacă are una.

— Ce vreți să spuneți, domnule?

Dr. Raymond n-a răspuns imediat, o urmă de neliniște trecând peste chipul său de obicei amabil. Apoi a făcut ceva ce nu făcuse niciodată în lungii ani cât fusese profesor la Oxford: să vorbească de rău un coleg în fața unui student.

— Uite ce-i, Azur e privit ca un excentric pe-aici. Se crede un geniu, și geniile își închipuie că nu trebuie să se supună legilor oamenilor de rând.

— O! a exclamat Peri. Și e adevărat?

— Ce?

— Că-i un geniu?

Dr. Raymond și-a dat seama că cinismul pe care-l afișase se întorcea împotriva lui și că orice-ar spune mai departe l-ar înfunda și mai tare. Expresiei lui serioase i-a luat locul una degajată.

— A fost o glumă...

— O glumă? Înțeleg...

— Nu te grăbi, ia-o ușor, a zis dr. Raymond și și-a pus ochelarii la loc pe nas, semn că discuția se încheiase. Vezi cum ți se pare mai întâi. Dacă ai îndoieli, vino și vorbește din nou cu mine, nu o să ne fie prea greu să găsim altă opțiune. Una mai potrivită.

Peri a sărit în picioare, auzind doar ce voia să audă.

— Minunat, mulțumesc, domnule!

După plecarea ei, dr. Raymond și-a răsfrânt buzele, gânditor. Cu fălcile mai încleștate ca înainte, cu nările dilatate și degetele împreunate sub bărbie, a rămas o vreme nemișcat în fotoliul său. Pe urmă a ridicat din umeri, hotărând că făcuse tot ce i-a stat în puteri. Dacă fata aia prostuță se înhăma la mai mult decât putea duce, numai ea avea să fie de vină.

Tinerețe

Istanbul, 2016

Deniz, oprindu-se în spatele scaunului pe care stătea Peri, îi dădu o sărutare fugară pe obraz și îi șopti la ureche:

— Mamă, vreau să plec.

Chipul fetei prindea toată lumina candelabrului din sticlă de Murano. Prietena ei aștepta alături, răsucind o șuviță de păr pe un deget. Cele două adolescente păreau plictisite. Oricât și-ar fi dorit să fie incluse în lumea celor mari, o găseau plictisitoare și, probabil, previzibilă.

— Ne duce Selim acasă, adăugă Deniz.

Nu-i cerea voie maică-sii să plece, doar o anunța că pleacă. Cealaltă fată, a directorului de bancă, venea și ea – o petrecere în pijamale pusă la cale în ultima clipă. Deja își făcuseră planul. Probabil că aveau să stea treze până târziu, ascultând muzică, trimițând SMS-uri prietenilor, ronțăind snackuri, râzând de pozele postate de oameni pe Instagram și de videoclipurile de pe YouTube. Totuși, Deniz avea să se plângă, fiindcă strânsese în adâncul sufletului o grămadă de nemulțumiri, de parcă ar fi trăit într-un centru de detenție și nu în casa părinților ei iubitori.

— Bine, scumpo, răspunse Peri, fiindcă avea încredere în șoferul lui Adnan, care lucra pentru ei de mulți ani. Poți să pleci mai devreme. N-o să ajungem nici noi foarte târziu.

Invitații zâmbiră. Câțiva dădură ochii peste cap. Era o discuție familiară tuturor celor care aveau copii la vârsta adolescenței.

— Ciao, fetelor! le strigă directorul de bancă din colțul lui.

— Haideți să vă conduc până la mașină, zise Peri și-și împinse scaunul în spate.

Adnan se ridică.

— Nu, rămâi aici, draga mea. Mă duc eu.

Ochii i se luminară când îi întâlni privirea. Nu mai părea supărat din cauza pozei polaroid. Lăsase baltă subiectul. Era bun la asta, știa când s-o lase baltă – spre deosebire de Peri. Îi zâmbi degajat, zâmbetul care însemna că lua responsabilitatea asupra lui și punea lucrurile în ordine. Chibzuit și practic, Adnan adora să rezolve probleme, iar dacă nu le putea rezolva, știa cum să se descurce cu ele. Atât de diferit de Peri. Pentru ea, problemele erau ca mușcăturile de insecte: le scărpina întruna. Nu putea să le lase să se vindece, nici să le dea pace. Pe când lui îi plăcea să repare lucruri stricate – și oameni stricați. *Cum altfel s-ar putea explica atracția lui pentru instabilitate?* își zise Peri. *Cum altfel s-ar putea explica atracția lui pentru mine?*

Când soțul și fiica ei trecură pe lângă ea, Peri se ridică și îl sărută pe Adnan pe buze, cu toate că știa că unii invitați aveau să privească gestul ei ca pe-o dovadă de proastă-creștere, iar alții – ca pe un comportament indecent.

— Mulțumesc, dragul meu.

Uneori, când îi mulțumea pentru lucrurile mărunte din viață, simțea că de fapt îi mulțumește pentru cele importante, pe care știa că e mai bine să le lase nespuse. Da, îi era recunoscătoare, era recunoscătoare sorții care i-l dăruise. Cu toate astea, știa că recunoștința nu înseamnă iubire.

Ascultă-mă, Șoarece, sunt două feluri de bărbați: frângătorii de inimi și reparatorii. Ne îndrăgostim de primii, dar ne căsătorim cu ceilalți. Detesta să vadă că viața, viața ei, demonstra teoria lui Shirin.

Cu ochii plini de afecțiune, Peri îi zâmbi fiicei sale. Se pregătea s-o îmbrățișeze, însă ceva din expresia fetei spunea: *Nu, mamă, te rog, nu în fața oamenilor ăstora.*

— Te iubesc, îi șopti Peri.

Deniz rămase tăcută o clipă.

— Şi eu te iubesc. Ce-ţi face mâna?

Peri ridică bandajul murdar de sânge uscat pe margini.

— E bine. Mâine o să fie ca nouă.

— Doar nu mai face aşa ceva, şopti Deniz, de parcă ea ar fi fost mama îngrijorată şi Peri – fiica rebelă. Apoi se întoarse veselă spre invitaţi: Noapte bună tuturor. Nu fumaţi. Ţineţi minte că vă face rău.

— Noapte bună, îi răspunseră toţi în cor.

— O, tinereţe! exclamă soţia omului de afaceri imediat ce fetele ieşiră din încăpere. Cât aş vrea să pot da timpul înapoi. La şaizeci de ani te simţi tânăr ca la patruzeci? Totul e o mare minciună.

— Vorbeşte pentru tine, îi zise omul de afaceri soţiei sale. Eu mă simt tânăr ca o monedă abia bătută. Ai grijă că s-ar putea să divorţez şi să-mi iau un model mai nou.

Jurnalistul izbucni într-o tuse falsă.

— Totuşi, îmbătrânitul devreme e un fenomen oriental. Uitaţi-vă la occidentali. Aşa ridaţi şi încărunţiţi cum sunt, se plimbă prin străinătate. Mă simt prost când văd bătrânei americani îmbulzindu-se în Hagia Sofia noastră sau sărind peste pietre în Efes. Cum îşi spun – pantere cenuşii? Încă n-am văzut vreun babalâc de şaptezeci de ani din Orientul Mijlociu colindând lumea. Turci, arabi, iranieni, pakistanezi... Avem idei măreţe despre lume – dar n-o vedem niciodată!

Arhitectul, care îşi expusese toată seara sensibilităţile naţionaliste, îi aruncă o privire fioroasă.

Soţia omului de afaceri, dintr-odată ocupată să scrie un mesaj pe telefonul mobil, înălţă capul, cu chipul strălucind.

— Veşti bune! Mediumul ajunge în zece minute, tocmai am primit un mesaj de la el.

— Minunat, zise femeia din PR lăsându-se pe spătarul scaunului. Avem atâtea întrebări să-i punem. Copiii au plecat, avem din nou paharele pline – de-acum putem să vorbim fără perdea. Mi-ar plăcea să dezgrop câteva secrete în seara asta.

Femeia îi făcu atunci cu ochiul lui Peri, care nu-i întoarse gestul.

Străina pitorească

Oxford, 2001

Cum nu mai avusese alt job înainte, Peri n-avea idee de unde să înceapă să-şi caute unul. În ciuda programului încărcat, ca să nu mai vorbim de viza de student, care îi dădea dreptul la un număr limitat de ore de muncă pe săptămână era hotărâtă să se angajeze undeva. Aşa că s-a dus direct la prietena ei exuberantă, care avea o părere despre orice – chiar şi despre lucruri care îi erau total necunoscute.

— Îţi trebuie un CV care să arate experienţa ta în câmpul muncii, şi-a dat cu părerea Shirin.

— Păi, n-am nici una.

— Ei, inventează! Cine-o să verifice dacă ai fost sau nu chelneriţă la vreo pizzerie din Istanbul?

— Vrei să mint?

Shirin a dat ochii peste cap.

— Of, puterea semanticii! Sună îngrozitor când o spui în felul ăsta. Foloseşte-ţi imaginaţia, asta-i tot ce-ţi spun. E ca şi cum ţi-ai cosmetiza puţin biografia. Nu-mi spune că eşti împotriva cosmeticalelor!

O clipă, cele două fete au stat şi şi-au privit feţele: una machiată, cealaltă fără urmă de cosmetice. Shirin a rupt în cele din urmă tăcerea.

— Cred că ar fi mai bine să-ţi dau o mână de ajutor.

*

A doua zi dimineață, devreme, Peri a găsit un plic împins pe sub ușă. Se pare că Shirin îi pregătise deja un CV.

Un minut mai târziu, Peri bătea la ușa prietenei sale. De cum a auzit un mormăit slab, a dat buzna înăuntru, fluturând o foaie de hârtie.

— Ce-i asta? N-am făcut nici unul dintre lucrurile astea!

Vocea lui Shirin, care stătea încă în pat, cu capul îngropat sub o pernă, s-a auzit înfundat:

— Offf, știam eu că bunătatea nu e răsplătită niciodată.

— Apreciez ajutorul tău, a zis Peri, dar aici scrie că am fost barmaniță într-un club underground la modă din Istanbul până când a ars din temelii. Într-un incendiu premeditat! Și că am lucrat la biblioteca unde se păstrează manuscrisele otomane, fiind specializată în măscărici și eunuci! O, încă ceva: că pe timp de vară aveam grijă de o caracatiță dintr-un acvariu privat!

Shirin, ridicându-se în capul oaselor în pijamalele ei roz-somon, și-a dat jos masca de pe ochi și a chicotit.

— Poate că m-a luat un picuț valul la ultima.

— Numai la ultima? Cum crezi c-o să mă ajute aiurelile astea să-mi găsesc un job part-time?

— N-o să te ajute. Dar o să facă din tine o curiozitate exotică. Crede-mă, britanicii educați pun imediat botul la multiculturalism. Nu prea mult, însă exact cât trebuie. Oamenii ca mine și ca tine au voie să fie puțin... *excentrici.* Asta ne face amuzanți. Așa că poți foarte bine să umfli lucrurile și să profiți. Dacă străinii nu vin cu emoții tari – și cu mâncare bună –, de ce i-ar vrea cineva în Anglia?

Peri a tăcut.

— Ascultă, ce crezi că știu britanicii de rând despre țara ta? Își închipuie că pe-acolo toată lumea fie înoată cu delfinii și mănâncă toată ziua calamari, fie umblă în *burqa* și scandează sloganuri islamiste.

Peri a clipit; o mulțime de imagini îi invadau mintea.

— Ce vreau să spun e că fie au o impresie luminoasă - plaje cu nisip și ospitalitate orientală, genul ăsta de rahaturi -, fie una întunecată - fundamentaliști islamici, brutalitatea poliției și *Expresul de la miezul nopții*[1]. Când vor să fie drăguți cu tine, o aruncă în joc pe prima, când vor să te provoace, pe a doua. Nici cei mai educați nu sunt imuni la clișee. (Shirin s-a ridicat să se spele pe față în chiuveta de lângă perete.) Îți place sau nu, ce auzi din gura mea e adevărul gol-goluț, oricât de crud ar părea. Trebuie să înfrunți stereotipurile, sora mea.

— Și asta-i calea cea mai bună - falsificarea? a întrebat Peri uitându-se la CV-ul din mâna ei.

— Asta-i o cale a naibii de bună, a răspuns Shirin trecându-și degetele prin păr.

Mânată de vinovăție, Peri a bătut străzile cu CV-ul ei. Întâi s-a uitat în vitrinele magazinelor după anunțuri cu „Angajăm personal". Nu era nici unul. Adunându-și curajul, a intrat într-o cofetărie și a vorbit cu managerul. A fost refuzată politicos. Apoi și-a încercat norocul în pubul unde fusese cu părinții ei. Același rezultat. Al treilea loc a fost librăria ei preferată - Two Kinds of Intelligence. Patronii n-au fost mirați să audă întrebarea lui Peri. Studenții se opreau tot timpul acolo în căutarea unui job part-time.

— Ai mai lucrat undeva, draga mea? a întrebat soțul.

Peri a ezitat.

— Mă tem că nu. Dar știți cât îmi plac cărțile.

Soția a zâmbit.

— Asta e ziua ta norocoasă! Am tot căutat pe cineva care să ne ajute în următoarele câteva săptămâni. Nu putem promite că o să te păstrăm după aceea. Poate doar uneori, când suntem aglomerați. Ce spui?

— E perfect! a zis Peri, abia venindu-i să-și creadă urechilor.

Când ieșea din librărie, a zărit pe un raft *Rubaiatele* lui Omar Khayyam - poetul preferat al tatălui ei. Cu o introducere a traducătorului, Edward FitzGerald, și bogată în ilustrații, ediția

1. Film din 1978, regizat de Alan Parker și distins cu două Premii Oscar, a cărui acțiune se petrece în Turcia.

aceea veche ca o bijuterie era irezistibilă. Din fericire, i-au făcut o reducere considerabilă.

Afară a început să burnițeze. Stropi fini, calzi, care i-au înseninat dispoziția. A zâmbit, a pus CV-ul în carte și s-a uitat la ceas. Mai avea o oră până la primul seminar. I-a trecut prin minte că are destul timp să-l caute pe Azur și să facă rost de programa pentru seminarul despre Dumnezeu. Din tot ce spusese Shirin despre el – ca să nu mai vorbim de tulburarea ei când îl văzuse pe scenă – se temea puțin să-l întâlnească față-n față.

Gândindu-se încă la profesor, a deschis la întâmplare cartea de poezii, care erau suflarea și sufletul lui Khayyam:

Iubire,-am putea conspira cu El,
Noi doi, să schimbe Firea în vreun fel?[1]

A citit versurile încet, cu grijă. Era în ele o prevestire a lucrurilor ce aveau să vină? Atunci, care era aceea? Dacă ar fi văzut-o căutând semne în cuvintele unui poet care trăise cu aproape o mie de ani înainte, tatăl ei nu s-ar fi bucurat deloc.

Dar Peri nu credea că încalcă regula de aur a tatălui ei consultându-l pe Khayyam.

— De asta îmi place așa de mult poezia, a murmurat ea ca pentru sine. Pot să ating, să văd, să aud, să miros și să gust poeziile. Toate simțurile mi se trezesc, crede-mă, *baba*!

De aceea, era timpul să dea în sfârșit ochii cu profesorul.

1. Trad. de Petru Dimofte.

PARTEA A TREIA

Scatiul

Oxford, 2001

Neştiind unde să-l găsească pe profesorul Azur, Peri a încercat să ghicească şi s-a gândit că o să dea peste el la Divinity School. Dacă preda un seminar despre Dumnezeu, sigur acolo trebuia să fie.

Solemnă şi modestă, clădirea aceea medievală era cea mai veche structură construită pentru cursuri şi prelegeri din Oxford. Din depărtare, cu arhivoltele, uşile sculptate şi arcurile sale butante, părea mai degrabă o acuarelă delicată a unui pictor visător decât o capodoperă arhitecturală. Un soi de speranţă somnoroasă plutea în aer, de parcă bătrânele pietre, sătule de atâtea decenii de linişte, aşteptau ceva – sau aşa i s-a părut lui Peri când s-a apropiat de clădire în ziua aia.

Ceva a atras-o înăuntru, ceva înălţător şi spiritual din liniile sublime ale tavanului boltit de secol XV. N-a oprit-o nimeni să intre, chiar părea să nu fie nimeni în încăperea lungă, luminată de ferestre gotice în stil perpendicular, în afară de un student care stătea turceşte pe jos, absorbit de o carte. Auzind paşii lui Peri, a ridicat privirea. În lumina ce pătrundea pieziş printr-o fereastră înaltă, trăsăturile i s-au înceţoşat o clipă, apoi s-au limpezit – fruntea îngustă, părul roşcat, obrajii pistruiaţi. Era controlorul care nu-i dăduse voie să intre la Dezbaterea Despre Dumnezeu, cel care îl atacase pe profesorul Azur de faţă cu toată lumea. Şi-a amintit numele lui doar pentru că aducea cu al vechiului oraş turcesc Troia.

— Bună, a zis Peri precaută.

— Bună, a răspuns el şi a zâmbit recunoscând-o.

— Erai la muzeu zilele trecute. Lucrezi acolo? a întrebat Peri.

— Numai ca voluntar. Sunt un student modest – exact ca tine.

Peri se aştepta pe jumătate s-o certe pentru că se strecurase în sala unde se ţinea dezbaterea, însă fie n-o zărise, fie prefera pur şi simplu să nu discute despre asta. Vorbea în schimb degajat, întrebând-o de unde e şi ce studiază. Dezbrăcat de orice urmă de autoritate, era abordabil, chiar prietenos.

— Îl caut pe profesorul Azur, a zis Peri când discuţia a început să lâncezească. Ştii pe unde-o fi biroul lui?

Faţa lui Troy a rămas încremenită o clipă. Glasul, când a vorbit din nou, îi era găunos, ca un balon dezumflat.

— N-o să-l găseşti aici. Divinity School a devenit clădire administrativă. Oricum, de ce-l cauţi?

Fiindcă nu se aştepta să fie luată la întrebări, Peri s-a bâlbâit.

— Ăăă... Sunt interesată de seminarul lui.

— Nu-mi spune că ai de gând să te înscrii la „Dumnezeu".

— De ce nu? a întrebat Peri. Ce e în neregulă cu el?

— Totul, a răspuns Troy. Tipul e un lup în blană de oaie!

— Nu-ţi place de el?

— M-a eliminat de la seminar. Apropo, îl dau în judecată. O să-l târăsc prin tribunale.

— Uau, nu ştiam că studenţii pot să facă aşa ceva, a zis Peri. Adică... Îmi pare rău să aud că ai avut o problemă.

— Problemă? a repetat Troy plin de dispreţ. Azur e dracu' gol. Mefisto. Ştii cine e?

— Sigur, din *Faust*.

Troy a părut plăcut surprins că o fată din Turcia ştia de Faust.

— Uite, pari de treabă, dar eşti străină, n-o să fii în stare să-ţi dai seama cât de nebun e omul ăsta. Trebuie să mă asculţi. Stai departe de Azur!

— Păi, mersi că m-ai avertizat, a zis Peri şi orice urmă de simpatie se înfiripase între ei a dispărut. Dar o să hotărăsc singură!

Troy a ridicat din umeri.

— OK, e alegerea ta. Are un birou la colegiul lui. Intrarea e pe Merton Street. În curtea din față, caută a treia scară pe stânga. O să vezi la intrare o listă de nume scrise cu alb pe negru.

Peri i-a mulțumit, deși în sinea ei și-a zis că e destul de ciudat că se arată așa de dornic s-o îndrume spre un om pe care-l vede ca pe un diavol.

*

Colegiul profesorului Azur era pe o veche alee pietruită ce se desprindea din High Street, pe care intrai printr-o arcadă gotică de culoarea mierii și o curte pavată.

Peri a găsit ușor scara. Pe peretele de-afară, scrise cu creta, se vedeau rezultatele ultimului concurs de canotaj, iar deasupra o pereche de vâsle încrucișate. În vestibul, a citit numele din căsuțele de pe panou: prof. T.J. Patterson, G.L. Spencer, prof. M. Litzinger… și prof. A.Z. Azur, la etajul întâi. A străbătut coridorul cu dale de piatră strâmt și întunecos. Pe dreapta era o ușă cu pragul de sus arcuit sub greutatea vechimii, puțin întredeschisă, pe care era prinsă o foaie de hârtie.

Profesorul A.Z. Azur

Program: marți 10 a.m.-12 p.m. / vineri 2-4 p.m.

Teorie: Dacă aveți vreo întrebare, veniți în orele de program

Contra-teorie: Dacă aveți o întrebare urgentă în afara orelor de program, intrați & vedeți ce se întâmplă

Gândiți-vă bine dacă în cazul vostru se aplică teoria sau contra-teoria

Cum nu era nici marți, nici vineri, Peri știa că ar trebui să plece și să se întoarcă altă dată. Totuși ambiguitatea notei informative i-a dat curaj. A bătut la ușă – un gest zadarnic pentru că, dată fiind tăcerea care domnea înăuntru, a simțit că nu are cine să răspundă. A bătut iar, ca să fie sigură. Din străfundurile încăperii, a auzit un sunet prea melodios ca fie scos de un om, evocator, poate al unui cărăbuş ce-şi caută perechea sau al unui fluture ce iese din crisalidă. Peri a ascultat cu atenţie, încordându-şi tot trupul. Din nou, tăcere desăvârşită.

S-a simţit dintr-odată împinsă de curiozitate, de foamea aceea mistuitoare de lucruri care nu-ţi sunt la îndemână. Într-o clipită, a hotărât să arunce o privire înăuntru şi apoi să plece în tăcere, la fel cum venise. A împins uşa încetişor. Uşa a scârţâit.

Nimic n-o pregătise pentru priveliştea care-o aştepta. Sub o lumină gălbuie ca şofranul ce pătrundea printr-o fereastră glisantă care dădea spre o grădină englezească superbă, se înălţau turnuri de cărţi, însemnări, manuscrise şi gravuri. Pereţii erau acoperiţi de rafturi cu cărţi din podea până în tavan. De-a curmezişul camerei, între rafturile aşezate în paralel, erau întinse sfori de felurite culori – ca frânghiile de rufe din cartierele sărăcite ale Istanbulului –, de care erau prinse cu cârlige note şi hărţi. În faţa uşii era un birou vechi, din lemn de cireş, cu picioare în formă de labe de leu, cu fiecare centimetru acoperit cu alte şi alte cărţi. Dintre paginile lor se iţeau bileţele roşii, ca nişte limbi micuţe care ieşeau din gură cu o prefăcută surpriză. Fotoliul, canapeaua şi măsuţa pentru cafea, până şi covoraşul stacojiu ţesut de mână, erau acoperite cu tomuri peste tomuri. Dacă existase vreodată un altar închinat cuvântului scris, numai acesta putea să fie.

Dar nu bogăţia de cărţi, nici dezordinea din încăpere o făcuseră să încremenească. Înăuntru era captivă o pasăre, un scatiu cu pene galbene-verzui şi coadă în furculiţă. Probabil că intrase pe fereastră şi zbura încolo şi-ncoace, căutând frenetic libertatea pe care abia o pierduse. Peri a înaintat cu şovăială câţiva paşi şi şi-a ţinut respiraţia. Făcându-şi palmele căuş, a încercat să prindă acea fiinţă delicată cu cea mai mare grijă, însă pasărea, îngrozită de prezenţa ei, intrase acum într-o stare de frenezie. Zbura înnebunită în cerc, se năpustea dintr-un colţ într-altul şi uneori ajungea amăgitor de aproape de fereastra deschisă, totuşi nu reuşea să descopere ieşirea.

Cu mişcări agile, Peri a pus exemplarul din *Rubaiate* pe un teanc de cărţi, apoi s-a căznit să deschidă mai larg fereastra veche şi grea. Dar probabil că aceasta era înţepenită undeva deasupra, fiindcă nu putea fi împinsă mai mult. Peri a încercat din toate puterile s-o urnească. Pasărea, înnebunită de spaimă din cauza zgomotului, a săgetat pe lângă ea şi s-a izbit de geam, dincolo de care, atât de aproape şi totuşi atât de departe, se întindea cerul nemărginit. Tremurând din pricina izbiturii, s-a aşezat pe un raft, destul de aproape încât Peri să-i vadă ochii ca două mărgele sticlind de spaimă. A privit cu milă fiinţa aceea graţioasă; chinurile prin care trecea în mediul străin care ei îi erau atât de cunoscute.

Peri s-a uitat după ceva care s-o ajute să urnească fereastra. Cercetând în dreapta şi-n stânga, a detectat un miros pe care nu reuşea să-l identifice. Amestecată cu izul prăfos al cărţilor, se simţea mireasma dulce-acrişoară de grepfruturi ce putrezesc într-un bol de bambus, strălucirea lor pastelată contrastând cu nuanţele pământii care dominau încăperea. Dincolo de ea, o altă mireasmă. Nu i-a luat mult să-i găsească sursa. Pe pervaz, într-un suport de bronz în care se formase un deget de cenuşă, ardea un beţişor parfumat. A zărit un cuţitaş pentru scrisori al cărui capăt ascuţit era perfect ca să desfacă şuruburile care, acum vedea, blocau fereastra. După ce le-a desfăcut pe amândouă, a împins încă o dată fereastra, care a alunecat în sus până la jumătate mai uşor decât se aşteptase. Acum nu mai trebuia decât să îndrepte pasărea spre ceea ce devenise o şansă mai mare de-a scăpa. Scoţându-şi puloverul, s-a apucat să-l fluture prin aer.

— E vreun dans nou sau ceva de genul ăsta? a întrebat o voce din spate.

Peri a tresărit aşa de tare, că a lăsat să-i scape un ţipăt. Când s-a întors, l-a văzut pe profesorul Azur stând în uşă cu o mână rezemată de toc şi privind-o cu un zâmbet amuzat. De aproape, părul său lung şi castaniu avea nuanţe aurii, ca nişte fire de aur ţesute într-o tapiserie în tonuri închise. Astăzi nu purta ochelari.

— O, îmi pare foarte rău, s-a grăbit ea să spună, făcând un pas înainte și apoi trăgându-se imediat un pas înapoi. Chiar n-am vrut să dau buzna așa, fără să cer voie.

— Atunci de ce-ai făcut-o? a întrebat el, părând într-adevăr dornic să știe.

— Ăăă... am văzut pasărea asta.

— Ce pasăre?

Peri a arătat în stânga ei, unde stătuse scatiul cu o clipă în urmă, însă acum locul era gol. S-a uitat neliniștită în jur. Scatiul dispăruse fără urmă.

— Trebuie să fi ieșit pe fereastră în timp ce noi vorbeam.

Un minut întreg a rămas tăcut, iar în privirea ațintită asupra ei se citea o stranie familiaritate, de parcă Peri ar fi fost o carte citită demult pe care încerca acum să și-o aducă aminte. Pe urmă a zis:

— Era ambră, apropo.

— Poftim?

— Aroma bețișorului parfumat la care te uitai, a zis el. Joia le vine rândul celor cu ambră. Ard în fiecare zi alt fel de bețișoare. Îți place ambra?

Lui Peri i-a stat inima în loc pentru o clipă. Da, îi cunoștea puterea.

— Femeile romane purtau la ele bulgări de ambră. Unii spun că pentru parfum, alții, că le apăra de vrăjitoare.

Peri a făcut ochii mari. Nu-și putea da seama dacă de vină era avertismentul dat de Troy sau ceva din prezența lui Azur, dar se simțea neliniștită.

— Nu-mi spune că ți-e teamă, a adăugat Azur văzându-i stânjeneala.

— De ambră?

— De vrăjitoare!

— Sigur că nu, s-a grăbit Peri să răspundă. (Dacă o văzuse cercetând bețișorul parfumat, îi spunea o voce lăuntrică, probabil că stătuse acolo destul cât să vadă și pasărea.) Repet, domnule profesor, îmi pare rău că am intrat în cameră.

— Cât de des îți ceri scuze? a întrebat el. De două ori în trei minute. Dacă așa faci de obicei, e cam mult, nu crezi?

Peri a roșit. Avea dreptate. Chiar că-și cerea scuze întruna – pentru că întârziase câteva minute la o întâlnire, ori că dăduse drumul prea repede ușii pe care-o ținea deschisă pentru cineva care venea în urma ei, ori că incomodase pe cineva trecând pe lângă el pe trotuar, ori că atinsese ușor vreun cumpărător cu căruciorul la supermarket... Își cerea scuze tot timpul.

— Uite o ipoteză, a zis Azur dându-și părul din ochi. Oamenii care își cer scuze inutil au și tendința să mulțumească inutil.

Peri a înghițit în sec.

— Poate sunt doar niște suflete neliniștite care încearcă să supraviețuiască. Fac tot ce le stă în puteri să țină pasul cu ceilalți, însă știu că între ei se cască tot timpul o prăpastie.

— Ce fel de prăpastie? a iscodit-o Azur.

— Ca și cum n-am fi cu adevărat din lumea asta, a răspuns Peri, dar și-a regretat imediat vorbele.

De ce-i destăinuia sentimentele ei acelui bărbat, care nu era numai un străin, ci și un profesor, adică la o distanță de două ori mai mare de lumea ei?

Azur a trecut pe lângă Peri, s-a așezat la birou, a scris ceva pe o foaie de hârtie și a prins-o cu un cârlig de sfoara de deasupra capului său.

— Deci te temi că ceilalți studenți ar putea crede că nu ești una de-a lor? O impostoare care se preface că e la fel ca toată lumea? Crezi că ești... diferită? Posedată? Ciudată? Nebună?

— N-am zis asta, a protestat Peri.

Își simțea fiecare mușchi din corp încordat, așteptând următoarea lovitură.

Fără să ia seama la reacția ei, Azur a continuat:

— Spune-mi, ce te face să crezi că nu meriți să fii la Oxford?

— N-am zis nici asta! (Ochii i-au căzut pe carpeta stacojie care-i amintea de covoarele de-acasă.) Oamenii de-aici sunt așa de deștepți, a adăugat privindu-și picioarele.

— Și tu nu ești?

— Sunt, dar trebuie să muncesc din greu. Ceilalţi studenţi se adaptează uşor la viața universitară. Pe când pentru mine e mai complicat, a răspuns Peri, abia acum amintindu-şi de ce se află acolo. De fapt, aş vrea să ştiu mai multe în legătură cu seminarul despre Dumnezeu. Dr. Raymond mi-a sugerat să vorbesc direct cu dumneavoastră.

— Aaa... dr. Raymond.

Azur părea să nu aibă o părere prea bună despre „îndrumătorul ei moral" - consilierul ei academic –, însă n-a insistat. A scos în schimb o notiță dintr-o carte legată în piele, a cercetat-o cu o strâmbătură, a făcut-o ghemotoc, a aruncat-o cu dexteritate într-un coş pentru hârtii și a anunțat:

— Te gândeşti să-l urmezi în primul trimestru, presupun. Acum nu mai sunt locuri și există deja o listă de aşteptare.

Peri nu prevăzuse așa ceva. De cum a auzit că nu se poate înscrie, și-a dorit cu și mai multă ardoare să-l urmeze.

— Totuși, a zis Azur văzându-i dezamăgirea, e un student care va trebui să renunțe. Așa că s-ar putea să am un loc liber la un moment dat.

Peri s-a luminat la față. Cu toată nerăbdarea ei, s-a simțit puțin stânjenită când i-a trecut prin minte că studentul la care se referea era probabil Troy.

— Era un băiat...

— Da... e furios și agresiv, a zis Azur. Oamenii furioşi şi agresivi nu-l pot studia pe Dumnezeu.

Între ei, desfășurându-se ca un pergament, s-a așternut tăcerea. Din spatele biroului, Azur și-a ațintit privirea asupra lui Peri.

— Acum, spune-mi de ce vrei *tu* să urmezi acest seminar?

— În familia mea, credința e un subiect care dezbină. Tatăl meu e...

— Părinții tăi nu sunt aici. Eu te întreb *pe tine*.

— Păi, mă simt tot timpul nesigură când vine vorba de credinţă... și curioasă. Trebuie să-mi limpezesc gândurile.

— Curiozitatea e sacră. Iar îndoielile sunt o binecuvântare, a zis Azur reluând părerile pe care le exprimase la dezbatere.

Cât despre limpezirea gândurilor, sunt ultimul om de la Oxford la care să vii pentru așa ceva.

O pasăre a ciripit afară și Peri s-a întrebat dacă nu era chiar scatiul, întors în sânul naturii care, oricât de plină de primejdii și de cruzime, era totuși acasă. Distrată, n-a observat că profesorul s-a aplecat și s-a întins după cartea de poezii pe care ea o pusese jos.

— Aha! Ce-avem aici? Ia uite, o veche ediție din *Rubaiate*! a exclamat Azur.

Peri n-a apucat să reacționeze în vreun fel, că profesorul o deschisese deja și găsise CV-ul dinăuntru.

— O, e doar..., s-a bâlbâit ea.

Cu un amestec de încântare și neîncredere, Azur a studiat pagina pe care i-o pregătise Shirin.

— Măi, măi. Ai avut grijă de-o caracatiță?

Peri a înghețat.

— O creatură misterioasă, extrem de inteligentă, a zis el. Cam două treimi dintre neuronii ei se află în tentacule, după cum sunt sigur că știi.

Neavând de ales, Peri s-a arătat de acord.

— Crezi că tentaculele unei caracatițe au fiecare o minte a lor? a întrebat Azur. (Spre ușurarea lui Peri, nu părea să aștepte un răspuns.) Decenii întregi oamenii au crezut că, cu cât un animal are creierul mai mare, cu atât e mai inteligent. Asociau inteligența cu mărimea creierului. Ce chestie sexistă! Bărbații au mai multă materie cenușie decât femeile. Și apoi vine caracatița, acest animal magnific, și demontează miturile cu cele șase brațe ale ei – nu opt, apropo, oamenii numără din greșeală și picioarele. Dacă în locul unui creier centralizat, mare și stângaci, următorul pas în evoluție ar fi o rețea complexă de creiere multiple?

Peri a simțit un fior de încântare străbătându-i tot trupul aproape împotriva voinței sale. Și-a dat seama că îi plăcea să-l asculte.

— Cum devine tot mai inteligentă odată cu vârsta, dacă ar trăi mai mult, caracatița ar fi cea mai sclipitoare specie de pe pământ. Dar Aristotel, cel mai mare dintre toţi filosofii, credea că de fapt caracatiţele sunt proaste. Acum, ce ne spune asta despre Aristotel?

Peri avea senzaţia extrem de stranie că, orice turnură ar fi luat, discuţia lor nu mai era despre un filosof şi o moluscă, ci despre Azur şi ea însăşi.

— Că greşea, din cauză că era părtinitor, a răspuns ea. Credea că o caracatiţă nu are nimic interesant. Ştia deja ce era de ştiut. Aşa că n-a fost în stare să vadă că era plină de surprize.

Profesorul a zâmbit.

— Chiar aşa... Peri, a zis aruncând o privire la numele ei de pe CV. Precum caracatiţa lui Aristotel, Dumnezeu e o enigmă care se cere explorată.

— Dar e ceva diferit. Nu trebuie să *credem* într-o caracatiţă – ştim deja că există. Pe când cu Dumnezeu e altă treabă, nici nu ne putem pune de acord dacă există sau nu.

Azur s-a încruntat.

— Seminarul meu nu are nici o legătură cu credinţa. Scopul lui e cunoaşterea.

Vocea lui avea o fermitate neaşteptată. Meditativă şi intolerantă. Peri bănuia că, atunci când profesorul vorbea cu sine, lucrând până târziu noaptea sau plimbându-se în dimineţile înrourate, acesta era tonul pe care îl folosea.

— Seminarul despre Dumnezeu e o întâlnire a minţilor curioase. Venim din tot felul de medii, însă avem în comun un lucru. Dorinţa de cunoaştere! E un program care presupune lectură susţinută şi cercetare. Nu-mi pasă dacă eşti sau nu credincioasă. Pentru mine, studenţii au un singur păcat: lenea.

Peri a întrebat prudent:

— Şi programa...?

— O, sfânta programă! Academia urăşte improvizaţia. Studenţilor trebuie să li se spună ce vor citi în fiecare săptămână, trebuie să fie anunţaţi cu o lună înainte. Altfel intră în panică!

Zicând asta, a deschis un sertar, a scos o foaie, a pus-o în exemplarul din *Rubaiate* şi i l-a întins.

— Uite-o, dacă ţii neapărat s-o consulţi, a zis păstrându-i CV-ul.

— Mulţumesc, a răspuns Peri, deşi bănuia că în hârtia pe care o ţine în mâini nu e mai mult adevăr decât în CV-ul pe care i-l făcuse Shirin.

— Înainte să pleci, a adăugat Azur, spuneai că eşti confuză şi curioasă şi că pari să-ţi complici mult viaţa: acestea sunt cele trei *C*-uri esenţiale unui studiu onest al posibilităţii lui Dumnezeu.

— Adică confuzia şi curiozitatea…

— Şi complicarea! Unii o numesc chiar haos! a zis Azur. Oricine posedă *C*-urile necesare se află în cea mai bună poziţie pentru a-l studia pe Dumnezeu.

Neştiind sigur dacă asta înseamnă că are să fie admisă la seminar, dar simţind nevoia să-i mulţumească oricum, Peri a zâmbit şi a închis încet uşa în urma ei. Pe când traversa curtea pătrată, s-a uitat înapoi spre clădire, încercând să găsească fereastra care ţinuse prizonier scatiul. Ochii ei s-au plimbat pe faţada bătută de vânturi şi ploi şi s-au oprit pe fereastra glisantă, prin spatele căreia a alunecat umbra profesorului, ca un gând fugar. Dar poate că fusese doar o părere.

Sfânta programă

Intrând în mintea lui Dumnezeu / Dumnezeul minții (Eminenta Școală de filosofie și teologie)
Joia: 2 p.m. – 4.30 p.m.
Sala de curs: Merton Street nr. 10

Descrierea seminarului

La acest curs săptămânal vom adresa întrebări de o importanță crescândă unui număr mare de oameni din toată lumea. Scopul nostru este să ne echipăm cu instrumentele intelectuale necesare pentru a înțelege mai bine și a încuraja o dezbatere liberă, lipsită de orice urmă de intoleranță și dogmatism. Studenții trebuie să citească, să cerceteze, să rumineze și să respecte păreri cu care s-ar putea să nu fie de acord.

Acest seminar NU promovează nici o religie anume și nu aderă la nici o concepție anume. Că ești evreu, hindus, zoroastrian, budist, taoist, creștin, musulman, budist tibetan, mormon, bahá'í[1]*, agnostic, ateu, practicant New Age sau te gândești să pui bazele unei religii proprii, vei avea un cuvânt de spus la fel ca toți ceilalți. În sala de curs, discuțiile se desfășoară în cerc, astfel încât fiecare să se afle la o distanță egală de centru.*

1. Adept al religiei monoteiste Bahá'í, fondată de Bahá'u'lláh Mírzá Husayn-'Alí Núrí în secolul al XIX-lea, în Persia.

Obiectivele seminarului

1. *Să promoveze empatia, cunoaşterea, înţelegerea şi înţelepciunea,* sophos[1], *în chestiuni legate de noţiunea de Dumnezeu;*
2. *Să le ofere studenţilor o gamă largă de răspunsuri la cele mai dificile întrebări ale timpului;*
3. *Să încurajeze studenţii la o gândire critică şi atentă în tratarea unui subiect atât de important nu doar pentru teologie sau filosofie, ci şi pentru psihologie, sociologie, politică şi relaţii internaţionale;*
4. *Să abordeze dileme universale fără vreo urmă de repetiţie mecanică, lipsă de informare, fanatism şi teamă de a-i jigni pe ceilalţi;*
5. *Pe scurt, să bulverseze şi să fie bulversat...*

Materiale pentru seminar

Listele de lecturi vor fi adaptate în funcţie de hotărârea, sârguinţa şi performanţa academică a fiecăruia. Pregătiţi-vă să primiţi materiale care ar putea fi în contradicţie cu propriile convingeri şi să le comentaţi (ex. studenţii atei ar putea primi cărţi ale unor autori credincioşi; studenţii teişti ar putea studia lucrări ale unor cărturari atei etc.).

La ce să vă aşteptaţi de la acest seminar

Fiindcă subiectul nostru principal este Dumnezeu, acest seminar este deschis, fără început şi, probabil, fără sfârşit. Studenţii trebuie să decidă cât de mult să se împărtăşească din această experienţă şi cât de departe să meargă.

1. De la *sophia*, înţelepciune (gr.).

a. *Cocorii. Cei care, nemulțumiți să zboare la o înălțimi obișnuite, aspiră să se ridice deasupra tuturor, chiar și a profesorului lor. Ei vor cere lecturi suplimentare, vor pune întrebările sub semnul întrebării, vor pretinde provocări intelectuale, se vor avânta în zbor deasupra trecătorilor din munți.*
b. *Bufnițele. Nu la fel de ambițioase precum cocorii, bufnițele sunt fără îndoială gânditori redutabili. În loc să devoreze sute de pagini, preferă să sape în materialul la îndemână, urmărind profunzimea. Se vor îndoi de seminar, de lecturi, de profesor, chiar și de ele însele. Contribuția lor la grup va fi nemăsurată și unică.*
c. *Rândunelele-de-munte. Poate nu la fel de motivate precum cocorii sau la fel de intense precum bufnițele, rândunelele-de-munte vor zbura totuși cel mai departe. Vor continua să citească despre subiect mult timp după încheierea seminarului, chiar și după absolvire.*
d. *Măcălendrii. Mulțumiți cu minimul, preocupați mai mult de nota pe care o vor primi la sfârșit decât de provocările intelectuale de pe parcurs, timizi și șovăitori în a trece dincolo de nivelul de suprafață al gândirii, după toate probabilitățile, măcălendrii vor trage cele mai puține foloase de pe urma seminarului.*

Regulile seminarului

Toate ideile, cu condiția să fie susținute de cercetare, o prezentare abilă și o gândire deschisă, sunt bine-venite. Mâncatul în timpul cursului nu constituie o problemă. De fapt, mâncarea (în limite rezonabile, nu exagerați) și băuturile (fără alcool, avem nevoie de minți treze) sunt încurajate – nu doar pentru că ridică moralul și ajută intelectul să se concentreze, ci și pentru că e greu să fii ostil față de cineva cu care ai împărțit ceva de mâncare. Ergo, *împărțiți mâncarea cu colegii de curs, mai ales cu cei care au păreri diferite de ale voastre.*

Limbajul intimidant, violent sau răutăcios ori comportamentul ostil față de alți studenți nu va fi tolerat (nici față de îndrumătorul de seminar, se înțelege de la sine). Nu e permis nici să vă supărați – înscriindu-vă la acest seminar, acceptați să dați prioritate libertății cuvântului asupra sensibilităților personale. Dacă nu suportați să auziți idei supărătoare, nu putem avea o dezbatere liberă. Când vă simțiți ofensați, un lucru cât se poate de omenesc, amintiți-vă sfatul unui om înțelept: „Dacă vă supără orice frecuș, cum ar putea fi lustruită oglinda voastră?"[*].

Dacă vi se pare că știți tot ce-i de știut despre Dumnezeu și nu vă interesează să vă umpleți mintea cu noi informații, fiți buni și păstrați distanța, „nu-mi stați în lumină"[†]. *Timpul e prețios – al meu și al vostru. Seminarul e pentru Căutători. Cei care „doresc să fie începători în fiecare dimineață"*[‡]. *Dacă toate astea vi se par o corvoadă, nu uitați: „Cea mai înaltă preocupare la care poate ajunge o ființă umană este să învețe din dorința de-a înțelege, fiindcă să înțelegi înseamnă să fii liber"*[§].

[*] Rumi.
[†] Diogene.
[‡] Meister Eckhart.
[§] Spinoza, desigur.

Strategia de marketing

Istanbul, 2016

Două servitoare - cu uniforme negre apretate, șorțuri albe curate și expresii identice - se năpustiră înăuntru cărând platouri de cristal cu trufe de ciocolată.

— Gustați toți! Sunt copilașii mei, zise soția omului de afaceri.

Și asta apăruse în ziare. Omul de afaceri preluase o fabrică ce dăduse faliment. Drept cadou de aniversare, o pusese pe soția lui să se ocupe de producție și marketing. Aceasta schimbase numele fabricii în *Atelier* și numise brandul *Les Bonbons du harem*. Clienții turci nu reușeau să pronunțe numele în întregime, însă rezonanța lui franțuzească, europeană, diferită era de-ajuns ca să facă produsul dezirabil, sofisticat, la modă.

— Gustați una, se entuziasma gazda, și vă garantez că *o să vă lingeți pe degete*.

Invitații se aplecară înainte să cerceteze delicatesele aranjate cu grijă pe milieuri de hârtie dantelată.

— Le-am numit după orașele lumii. O vedeți pe cea cu zmeură? Aia e Amsterdam. Asta cu marțipan e Madrid. Berlin e cu bere și ghimbir. Londra, cu whisky maturat. Când e vorba de ingrediente, nu ne uităm la bani.

— Oho, și-ncă cum! se băgă în vorbă omul de afaceri. A insistat să folosească whisky *single malt*[1] de optsprezece ani! O să mă ruineze.

Invitații râseră.

---

1. Dintr-un singur tip de malț.

Fără să ia în seamă întreruperea, gazda continuă:

— Deja nu mi se mai spune „soția omului de afaceri". Acum sunt eu însămi o femeie de afaceri.

Invitații aplaudară.

Prinzând curaj, femeia de afaceri înșiră mai departe:

— Veneția, cu lichior de cireșe. Milano, cu Amaretto. Zürich, cu coniac și fructul pasiunii. Și Paris, cu șampanie!

— Spune-le despre strategia ta de marketing, o îndemnă omul de afaceri.

— Avem două variante: pentru băutori și pentru abstinenți, îi lămuri femeia de afaceri. Aceeași cutie, două produse diferite. Trufele cu alcool le exportăm în Europa și Rusia. Pe cele fără, în Orientul Mijlociu. O chestie deșteaptă, nu-i așa?

— Bomboanele de ciocolată halal au și ele nume? întrebă jurnalistul.

— Sigur, dragă. (Femeia de afaceri arătă spre platoul de cristal de alături.) Medina, cu curmale. Dubai, cu cremă de nucă-de-cocos. Ammān, cu caramel și alune de pădure. Cea roz, cu apă de trandafiri, e Isfahān.

— Dar Istanbul? întrebă Peri.

—A-ha! Cum am fi putut uita? răspunse femeia de afaceri. Istanbul trebuia să fie bazată pe contraste: șarlota de vanilie se întâlnește cu piperul negru pisat!

Pe când sporovăiau în continuare și devorau trufele, servitoarele începură să servească băuturi calde. Cele mai multe dintre femei aleseră ceaiul negru sau de mușețel, în timp ce bărbații cerură cafea – espresso, americano. Nimeni de la masă nu ceru cafea turcească, în afară de managerul de fonduri *hedge* american, care era hotărât să adopte maxima „Când ești la Roma...", cu toate că romanii înșiși, în cazul ăsta, se purtau de parcă n-ar fi fost la Roma.

Dornic să facă lucrurile ca oamenii din partea locului, americanul întrebă:

— Poate cineva să-mi ghicească în cafea după aceea?

— Nu-ți face griji, răspunse femeia de afaceri în engleză. Nu trebuie să păstrezi zațul. Mediumul trebuie să ajungă dintr-o clipă într-alta!

— Abia aştept, zise iubita jurnalistului. Simt nevoia să petrec ceva timp cu el.

Peri se uită în jur. Toate cele de-acolo erau femei care se temeau de Dumnezeu, de soţ, de divorţ, de sărăcie, de terorism, de mulţime, de umilinţă, de nebunie, care îşi ţineau casele într-o curăţenie desăvârşită şi ştiau clar ce aşteaptă de la viitor. De tinere, schimbaseră „arta de a-şi manipula tatăl" cu „arta de a-şi învârti soţul pe degete". Cele care erau căsătorite de multă vreme deveniseră mai îndrăzneţe şi mai categorice în opiniile lor, totuşi ştiau când să nu întreacă măsura.

Cât despre Peri, ea nu le împărtăşise niciodată grijile: nu se temuse nici de tatăl, nici de soţul ei şi era hotărâtă, deşi nu fuseseră întotdeauna în cele mai bune relaţii, să nu se teamă nici de Dumnezeu. Adevărata sursă a neliniştii ei era de altă natură. Propriul sine, întunericul din ea, o umplea de îngrijorare.

— Hei, doar n-o să-l lăsăm pe medium să facă şedinţe particulare cu toate femeile frumoase! zise omul de afaceri, adăugând în barbă o glumă de prost gust la care bărbaţii răspunseră cu hohote de râs, iar femeile, cu o prefăcută surzenie.

Peri îşi aminti cu ce uşurinţă înjura Shirin în public, fluturând din mâini de parcă ar fi alungat o muscă enervantă. Chiar îşi aduse aminte că şi ea înjura când era la Oxford, deşi numai o dată, certându-l pe profesorul Azur pentru că era supărată pe el. Cât de uşor e să urăşti un om iubit.

Aici, în ţara asta, existau două feluri de femei: cele care înjurau cu degajare şi nu dădeau doi bani pe stigmatul indecenţei (o minoritate insignifiantă) şi cele care nu făceau niciodată aşa ceva (majoritatea). Doamnele din clasa de mijloc-spre-sus de la dineu aparţineau celui de-al doilea grup. Nu înjurau niciodată, decât când vorbeau în engleză, franceză sau germană. Era cumva în regulă să înjuri într-o limbă străină. O obscenitate pe care în limba maternă nici nu le-ar fi trecut prin minte s-o rostească, o strigau într-o limbă europeană fără cea mai mică urmă de vinovăţie. Era mai uşor – şi cumva mai puţin jignitor – să spui ceva de nerostit în limba altcuiva, ca o iubitoare de baluri mascate care lasă garda jos în spatele costumului și al măștii.

Bărbații, pe de altă parte, erau liberi să înjure și o făceau din plin, nu întotdeauna la mânie. Fiindcă înjuratul alungă spectrul clasei. Leagă speciile de masculi laolaltă.

— Apropo, sunt câteva trufe cărora nu le-am dat încă un nume, zise femeia de afaceri. Una e cu sherry și coajă de lămâie. În seara asta, Pericim, mi-ai dat o idee. Să-i spunem Oxford!

Se ridică și cercetă platourile.

— A, uite-o! (Cu degetul mic îndoit elegant, luă bomboana de ciocolată și i-o oferi lui Peri.) Încearc-o!

Sub privirile tuturor, Peri băgă trufa în gură, aromele ei topindu-i-se pe limbă. După dulceața dintâi, un gust puternic de citrice îi inundă cerul gurii, amândouă ispititoare și amăgitoare deopotrivă - ca seminarele profesorului Azur.

Sărutul fatal

Oxford, 2001

Peri nu s-a dus acasă în vacanța de Paște. Încă nu se obișnuise cu faptul că anul universitar era împărțit în trimestre în Anglia. Vacanțele lungi o dădeau peste cap. Nu doar pentru că nu putea merge acasă la fel de des ca restul studenților. Nu doar pentru că, nefiind nici extravertită, nici exploratoare, nu avea deloc chef să cerceteze împrejurimile. Ci și pentru că în astfel de ocazii simțea mult mai acut prăpastia dintre ea și ceilalți. Când toată lumea scria eseuri și se ducea la cursuri, se putea lăsa cu ușurință purtată de val, însă în clipa în care trebuia să se destindă și să se distreze, nu știa ce să facă.

Totuși în săptămâna aceea a primit o invitație neașteptată. Mona, care rămăsese și ea la Oxford după încheierea trimestrului, alergând de la o activitate socială la alta, avea în vizită două verișoare din America. Plănuiau să cutreiere împreună zonele rurale din Țara Galilor, unde închiriaseră o căsuță.

— De ce nu vii cu noi? i-a propus Mona. O să-ți placă. Mai iei aer.

Umplându-și valiza cu mai multe cărți – printre care și două ale profesorului Azur – decât ar fi putut să citească într-o săptămână, Peri a fost de acord să le însoțească. Bănuia că Mona avea să se ocupe mai mult de rudele ei, așa că ar fi fost în același timp și cu ele, și singură. Părea suportabil.

A rămas cu gura căscată prima oară când a văzut indicatoarele rutiere în galeză și engleză. Până atunci nu-i trecuse niciodată prin minte că în aceeași țară ar putea exista mai multe limbi oficiale. Acasă nu dăduse niciodată peste vreun anunț public în turcă și kurdă. Era atât de uimită, că de fiecare dată când zărea vreunul trebuia să se oprească să-l pozeze.

— Ești dusă, zicea Mona râzând. Peisajul e fenomenal și tu pozezi indicatoare rutiere?

Priveliștea era într-adevăr splendidă. Oi cu miei abia fătați păscând pe câmpuri de o bogăție de culori; covoare verzi presărate cu iarbă-neagră, clopoței și scuipatul-cucului. Locuința închiriată pe durata vacanței s-a dovedit a fi o căsuță cu grinzi de lemn, văruită în alb, cocoțată pe coasta dinspre vest a unei văi. Dimineața era scăldată într-o lumină minunată, după-amiaza – într-o umbră deasă și liniștită. Râul Wye curgea ca un fir de argint răsucit în depărtare, șerpuind printre coline.

Peri era încântată de căsuță: de soba de fontă, tavanele joase, lemnele stivuite afară, pardoseala din dale de piatră, chiar și de mirosul așternuturilor care ți se păreau întotdeauna reci ca gheața când te băgai în pat. Ea împărțea camera cu Mona, iar verișoarele, pe cea de alături. Deși cel mai apropiat sat se afla la vreun kilometru și jumătate depărtare, erau atâtea de făcut în timpul zilei, că nu prea avea timp de citit. Ea, care fusese de când se știa o fată de la oraș, cerceta natura cu o curiozitate plină de încântare, minunile ascunse în toate acele lucruri micuțe, și i se părea că numai asta conta. Bântuită mereu de gânduri negre, și-a închipuit că avusese loc o catastrofă – provocată de o bombă nucleară – și ele erau singurele supraviețuitoare, departe de civilizație. Fără îndoială, maică-sa ar fi șocată s-o știe pe fiica ei acolo – patru fete în mijlocul pustietății.

Într-o seară, din pat, a privit-o pe Mona cum se ruga într-un colț, cu fața întoarsă spre Mecca. Nu vorbiseră deloc despre religie, amândouă evitând subiectul. Dacă ar fi fost acolo, Shirin ar fi adus cu siguranță vorba despre asta.

De cum a stins Mona lumina, o tăcere subită s-a așternut peste cameră. Peri se foia și se sucea.

— Când eram mică, m-a înțepat o albină în buză, a murmurat încet, de parcă ar fi scuturat praful memoriei de pe acea amintire. Gura mi s-a umflat în așa hal, că arăta ca un balon cu apă. Tata mi-a spus că albina era îndrăgostită nebunește... de mine. Că voia să mă sărute. Oare știa că o să moară imediat ce-și folosește acul? m-am întrebat mereu. Ciudat, nu-i așa?, dacă știa, și a făcut-o oricum. Autodistrugere.

Mona s-a întors pe o parte. Silueta ei, în lumina lunii ce pătrundea pe fereastră, semăna cu o sculptură.

— Numai oamenii au conștiință. Asta e ordinea divină. De aceea Allah ne consideră responsabili de purtarea noastră.

— Dar, vezi, animalele nu-și doresc să moară. Au instinct de supraviețuire. Și-apoi se apucă să te înțepe. Trebuie să știe că-și iau viața singure. Adică, te uiți la natură și te gândești: uau, ce chestie drăguță și încântătoare. Dar de fapt e groaznic de crudă.

Mona a oftat.

— Nu conduci tu lumea, ai uitat? Allah se îngrijește de toate, nu tu. Crede și nu cerceta.

Dar cum putea Peri să creadă într-un sistem în care albinele erau sortite să moară de îndată ce se îndrăgosteau? Și dacă asta era ordinea divină pe care oamenii o ridicau atâta în slăvi, cum puteau să spună că e dreaptă și sfântă? Și-a tras pătura până sub bărbie, înfrigurată dintr-odată.

În noaptea aceea, a țipat prin somn și a murmurat cuvinte în turcă ce sunau ca bâzâitul a mii de albine încercând să se elibereze.

Cele două verișoare, trezite de zgomot, chicoteau în camera de-alături. Mona s-a ridicat în capul oaselor, uluită. S-a rugat ca demonii care îi hăituiau prietena să se risipească în cele patru vânturi. A doua zi dimineață s-au întors la Oxford. De câte ori vorbeau despre excursia lor în Țara Galilor, Mona și Peri zâmbeau înveselite – deși fiecare simțea în felul ei că sub momentele speciale se ascundea ceva mai întunecat.

Pagina goală

Istanbul, vara lui 2001

Când și-a încheiat în sfârșit primul an la Oxford, Peri a plecat să-și petreacă vacanța la Istanbul. Din când în când, maică-sa menționa în treacăt câte un tânăr, folosind același set de epitete. Pentru Selma, educația lui Peri era mai puțin o trezire intelectuală sau calea spre o carieră promițătoare, cât un scurt interludiu înainte de nuntă. Fusese la șapte altare doar în ultima lună: aprinzând lumânări, legând panglici de mătase și rugându-se ca fiica ei să încheie o căsătorie fericită în viitorul apropiat.

— Cât ai fost plecată au venit niște vecini noi. O familie cumsecade, a zis Selma dezghiocând o grămadă de bob ca să-l pregătească pentru cină. Au un fiu. Un băiat tare deștept, arătos, cinstit…

— Vrei să spui că mi-ai găsit un soț potrivit, a murmurat Peri.

Răsucea o șuviță de păr pe deget, trăgând cu stângăcie. A observat că e mult mai scurtă decât celelalte și în minte i s-a strecurat dintr-odată bănuiala înfiorătoare că maică-sa îi tăiase un zuluf în somn. Ideea că părul ei zăcea pe vreun altar, arzând împreună cu ofrandele Selmei, aproape c-o îmbolnăvea.

— Lasă fata în pace, femeie, a zis Mensur de pe scaunul lui. O derutezi. Trebuie să se concentreze la cursuri. Vrem o diplomă, nu un soț.

— Băiatul ăsta are o diplomă, a protestat Selma. A făcut facultatea. Pot să se logodească acum și să se căsătorească după absolvire. Ce are de pierdut?

— Doar libertatea, tinerețea și mintea mea, a replicat Peri.

— Vorbești exact ca taică-tu, a zis Selma și s-a întors la bobul ei, de parcă și-ar fi încheiat pledoaria.

Subiectul a fost abandonat – însă nu pentru multă vreme.

*

Spre sfârșitul verii, când în Istanbul era o zi răcoroasă, Peri a ieșit la cumpărături. O haină de ploaie, o pereche de pantofi de alergat, un rucsac... trebuia să le cumpere înainte să plece la Oxford. Când s-a dat jos din autobuz în apropiere de piața Taksim, a zărit o mulțime de oameni. Stăteau în picioare pe trotuar, în fața unei ceainării frecventate de studenți, zgâindu-se pe ferestrele deschise la televizorul care zbiera înăuntru. Umbrele dansau pe contururile lor, alungate de o lumină de culoarea caiselor acolo unde soarele mai reușea să ajungă la ele.

Un bărbat lat în umeri și-a dus mâinile la frunte, împreunându-și sprâncenele. O fată cu coadă de cal părea speriată, trupul îi era încordat. Expresiile lor au intrigat-o pe Peri. Curioasă, și-a făcut loc prin mulțime.

Atunci a văzut ce era la televizor: un avion care intra într-un zgârie-nori pe un cer atât de albastru, că aproape îi rănea ochii. Scena era difuzată iar și iar, cu încetinitorul parcă, deși de fiecare dată părea tot mai puțin reală. Din clădire se ridicau valuri de fum. Foi de hârtie zburau fără țintă în vânt. Lansat parcă de o catapultă, un obiect s-a prăbușit în viteză, apoi altul... Peri a scos un țipăt de uimire, dându-și seama abia acum că nu erau obiecte, ci oameni care se aruncau în gol, spre propria moarte.

— Americanii..., a mormăit bărbatul de lângă ea. Așa pățești când te amesteci în treburile altora.

— Păi, se credeau stăpânii lumii, nu-i așa? a zis o femeie clătinând din cap și legănându-și cerceii-verigi. Acum au aflat că sunt muritori – la fel ca noi toți.

Ochii lui Peri i-au întâlnit pe ai fetei cu coadă de cal. Și din nou i s-a părut că numai ele două simțeau durerea, șocul, spaima.

Dar fata și-a ferit repede privirea, deloc prietenoasă. Deranjată de discuțiile din jur, Peri s-a îndepărtat, cu mintea stând să-i plesnească de atâtea întrebări. Oriunde se întorcea, dădea peste oameni în căutare de teorii ale conspirației cu care să se hrănească, precum niște albine lucrătoare zumzăind în căutare de nectar.

Trebuie s-o sun pe Shirin, și-a zis. Simțind nevoia să audă glasul sigur de sine al prietenei sale, a sunat-o de la un telefon public. Din fericire, a răspuns imediat.

— Hei, Peri. Ce lume nebună! Să trăim vremuri interesante.

— E pur și simplu îngrozitor, a răspuns Peri. Nu știu ce să înțeleg.

— Oameni nevinovați măcelăriți, a întrerupt-o Shirin aproape țipând. De ce? Pentru că niște ticăloși frustrați cred că o să meargă în rai dacă omoară în numele lui Dumnezeu. O să fie și mai rău, o să vezi. Acum toți musulmanii o să fie denigrați. Alți nevinovați o să sufere de ambele părți.

Peri a observat un cocoloș de gumă de mestecat lipit sub carcasa telefonului - o mică răutate, totuși o răutate.

— Groaznic! Cumplit! Și absolut înfricoșător. Cum s-a putut întâmpla așa ceva?

— Păi, sunt sigură că despre asta va discuta toată lumea. Vreme de luni întregi, de ani buni chiar. Dar de fapt nu e nimic de discutat. Religia alimentează intoleranța, care duce la ură, care duce la violență. Asta-i tot.

— Dar nu e nedrept? a zis Peri. Sunt mulți oameni religioși care n-ar fi în stare să facă rău cuiva. Nu religia a fost cauza, ci răul absolut.

— Știi ce, Șoarece? N-am de gând să mă cert cu tine. De data asta sunt la fel de în ceață. Trebuie să stau de vorbă cu Azur, altfel o iau razna.

Peri a tresărit.

— Te duci să-l vezi? Păi, încă n-a început trimestrul.

— Și ce dacă? Mă duc până la Oxford mâine. Știu că-i acolo. Schimbă-ți biletul și vino cu mine.

— O să încerc, a zis Peri.

N-a simțit nevoia să-i atragă atenția că, chiar dacă ar reuși să facă rost de un bilet în ultimul moment, nu și l-ar permite.

Acasă, Peri i-a găsit pe mama și pe tatăl ei la fel de uluiți ca ea, urmărind la televizor aceleași scene difuzate iar și iar.

— Fanaticii pun stăpânire pe lume, a zis Mensur.

Se apucase de băut mai devreme decât de obicei și, după cum arăta, dăduse deja pe gât destule pahare. Pentru prima oară gândindu-se la plecarea fiicei lui la Oxford, a părut să ezite.

— Poate n-ar fi trebuit să te trimitem în străinătate. Nicăieri nu mai ești în siguranță. N-aș fi crezut vreodată să ajung să spun asta, însă poate că Occidentul a devenit un loc mai periculos decât Orientul.

— Orient, Occident, ce contează? Nimeni nu scapă de *kismet*[1]-ul lui..., a zis Selma. Dacă așa ți-a scris Allah pe frunte cu cerneală invizibilă, că ești aici sau în China, tot aia e. Moartea te găsește oriunde.

Atunci, Mensur a înșfăcat pixul pe care-l folosea la dezlegat rebusuri și și-a scris într-o linie curbă pe frunte numărul 100.

— Ce faci acolo? l-a întrebat Selma.

— Îmi schimb soarta! O să trăiesc o sută de ani.

Peri n-a stat să audă ce i-a răspuns mama ei. Nu mai avea răbdare cu certurile părinților. Pradă unui sentiment dureros de singurătate, s-a dus în camera ei și a scos jurnalul dedicat lui Dumnezeu. Oricât s-a chinuit să scrie ceva, nu reușea să scoată nimic inteligent. Nu azi. Avea atâtea întrebări despre religie, credință și Dumnezeu – un Dumnezeu care lăsa să se întâmple atâtea atrocități și totuși aștepta supunere. Se uita la pagină, înghițită de goliciunea ei. S-a întrebat ce o să-i spună Azur lui Shirin când o să se întâlnească. Ce n-ar fi dat să se poată strecura pe-ascuns înăuntru, ca scatiul, și să tragă cu urechea. Și ea avea câteva întrebări pentru profesor. Shirin nu greșea, probabil, insistând. Peri simțea nevoia unui seminar despre Dumnezeu – nu atât

1. Soartă, destin (tc.).

ca să descopere noi adevăruri despre o ființă supremă, cât ca să înțeleagă îndoielile ce mocneau înăuntrul ei.

Apoi a făcut un lucru despre care nu avea să spună nimănui: s-a rugat pentru toți oamenii uciși în Turnurile Gemene. S-a rugat pentru familiile și pentru cei dragi lor. Iar înainte să-și încheie rugăciunea, a adăugat o mică rugăminte către Dumnezeu: să fie admisă la seminarul lui Azur, ca să poată învăța mai multe despre El și, trăgea speranță, să înțeleagă haosul din mintea ei și pe cel din afară.

Cercul

Oxford, 2001

În prima săptămână din noul trimestru, la începutul după-amiezii, sub un cer azuriu liniștit ca un iaz de țară, Peri s-a pregătit pentru prima ședință din seminarul „Intrând în mintea lui Dumnezeu / Dumnezeul minții". Doar cu câteva zile înainte descoperise în căsuța ei poștală de lângă loja portarului un plic de la nimeni altul decât profesorul Azur.

Cuvintele dinăuntru tăiau biletul pieziș, într-o diagonală ușor în scădere, evident scrise în grabă:

Dragă domnișoară Nalbantoğlu,

Dacă sunteți încă interesată de seminarul meu, acesta începe joia viitoare, la 2 p.m. fix! Aduceți ambră, dacă simțiți nevoia... dar nu scuze.

Caracatița așteaptă.

A.Z. Azur

De când primise biletul, împărțindu-se între tutorate și jobul ei part-time de la librărie, nu apucase să se gândească în ce se bagă. Acum, când se îndrepta spre sala de seminar strângând caietul la piept, se mira cât de neliniștită e.

*

Intrând în încăpere, Peri a numărat în minte zece studenți: cinci băieți și cinci fete. Printre ei a descoperit-o cu surprindere pe

Mona, care a salutat-o la fel de surprinsă. Peri i-a cercetat cu atenție pe ceilalți, observând cum își zâmbeau stângaci și cum stăteau la o distanță politicoasă unii de alții, ușurată să-și dea seama că nu era singura care părea neliniștită. Unii dintre studenți erau cufundați în gânduri, în timp ce alții șușoteau sau citeau descrierea seminarului - probabil pentru a enșpea mia oară; doar un băiat, cu capul sprijinit de blocnotes, părea adormit.

Peri s-a așezat pe un scaun de lângă fereastră și s-a uitat la un stejar rămuros, ale cărui frunze veștede sclipeau în nuanțe de rubiniu și auriu. S-a întrebat dacă are timp să se ducă până la toaletă, însă teama că ar putea întârzia la seminar o țintuia locului. Afară se înnourase și, chiar dacă era încă după-amiază devreme, părea că se înserează.

La fix, profesorul Azur a intrat pe ușă, cărând un teanc voluminos de dosare, o cutie mare cu creioane colorate și ceva care aducea a clepsidră. Era îmbrăcat cu o jachetă bleumarin din catifea reiată cu petice de piele în coate. Deși cămașa albă și apretată era călcată impecabil, cravata îi era desfăcută, de parcă ar fi fost prea plictisit să și-o lege, iar părul îi era o claie de zulufi. Ori mersese printr-un vânt puternic, ori își trecuse de multe ori degetele prin el.

Într-o clipită, a trântit totul pe masă și a pus clepsidra pe un pupitru, întorcând-o instantaneu - firicele de nisip s-au scurs din bulbul de sus în cel de jos ca niște mici pelerini porniți într-o călătorie sfântă. Stând în picioare în fața tablei albe, înalt și zvelt, a spus cu o vioiciune care a risipit letargia din sală:

— Bună, tuturor! *Shalom Aleichem! Salamun Alaykum!* Pacea fie cu voi! *Namaste! Jai Jinendra! Sat Nam! Sat Sri Akaal!* Saluturile n-au nici o ordine preferențială sau întâietate, în caz că vă întrebați.

— *Aloha*, i-a răspuns cineva.

Alții au sărit și ei cu fel de fel de saluturi, o învălmășeală de glasuri și chicoteli.

— Minunat! a zis Azur frecându-și mâinile. Văd că sunteți plini de teribilism. E întotdeauna un semn promițător... sau o rețetă sigură pentru dezastru. O să aflăm care din două.

În spatele ochelarilor cu ramă de baga neagră, ochii îi sticleau ca nişte mărgele din sticlă de mare lucioasă. În glas i se simţeau valuri de entuziasm, de parcă ar fi fost un explorator întors din ţinuturi îndepărtate care le povestea prietenilor aventurile sale. I-a felicitat pe toţi că avuseseră curiozitatea şi îndrăzneala să se înscrie la seminar şi a adăugat, făcându-le cu ochiul, că se aştepta de la ei să aibă şi puterea să-l ducă până la capăt. Din cauza degajării şi iuţelii cu care vorbea, era greu să-ţi dai seama, dacă nu chiar imposibil, când glumea şi când era serios.

— Aşa cum probabil aţi remarcat deja, sunteţi unsprezece – zece ar fi fost perfect, iar perfecţiunea-i plictisitoare, a zis Azur. (S-a uitat în jur şi a ţocăit.) Văd că avem o grămadă de treabă... V-aţi depărtat scaunele de parcă v-ar fi frică să nu vă molipsiţi de pneumonie. Deci, dacă îmi daţi voie să vă deranjez, doamnelor şi domnilor, aţi putea să vă ridicaţi, vă rog?

Uimiţi şi amuzaţi, studenţii i-au făcut pe plac.

— Ce ascultători sunteţi! Ascultarea, se zice, este cea mai mare dintre virtuţi în ochii lui Dumnezeu. Acum, aţi putea să aranjaţi din nou scaunele ca să faceţi un cerc – fiindcă asta e cea mai potrivită formă pentru a discuta despre Dumnezeu?

Fiecare materie de studiu necesita o aşezare diferită, le-a explicat Azur. Politica – difuză şi antropomorfă, sociologia – un triunghi ordonat, statistica – un dreptunghi, relaţiile internaţionale – un paralelogram. Dar despre Dumnezeu trebuie să se discute într-un cerc în care toată lumea de pe circumferinţă se află la aceeaşi distanţă faţă de centru, privindu-se în ochi.

— De acum înainte, când intru pe uşă în fiecare săptămână, mă aştept să vă găsesc stând în cerc.

Le-a luat câteva minute şi ceva hârşâit de scaune şi târşâit de picioare ca să ducă sarcina la bun sfârşit. Când au terminat, forma pe care o alcătuiseră aducea mai mult cu o lămâie stoarsă decât cu un cerc propriu-zis. Profesorul Azur, deşi nu foarte încântat, le-a mulţumit pentru efort. Apoi i-a rugat să se prezinte în câteva fraze, vorbind despre mediul din care proveneau şi, mai ales, de ce erau interesaţi de Dumnezeu, „când există cu siguranţă lucruri mult mai distractive pentru tineri".

Prima care a vorbit a fost Mona, care a spus că, după tragedia din 11 septembrie, era extrem de îngrijorată de percepţia pe care lumea occidentală o are despre islam. Alegându-şi cu grijă cuvintele, a mărturisit că era mândră să fie o tânără musulmană, că îşi iubea credinţa din toată inima, dar se simţea frustrată de nenumăratele prejudecăţi de care se lovea în fiecare zi.

— Oameni care nu ştiu nimic despre islam generalizează grosolan când vorbesc de religia mea, de Profet, de credinţa mea. Şi de vălul meu, a adăugat repede.

A spus că se afla acolo ca să discute sincer despre natura Atotputernicului, de vreme ce El îi crease pe toţi şi îi făcuse diferiţi cu un motiv.

— Respect diversitatea, însă mă aştept să fiu şi eu respectată.

Când a fost rândul lui să vorbească, băiatul de lângă Mona s-a îndreptat de spate şi şi-a dres glasul. Îl chema Ed. Venea dintr-un mediu ştiinţific, a spus, îl aborda pe Dumnezeu cu „prudenţă obiectivă şi neutralitate intelectuală". Credea că un mariaj între ştiinţă şi credinţă e posibil, după toate aparenţele, însă trebuie să filtrezi părţile iraţionale ale credinţei, care sunt multe.

— Tata e evreu, iar mama e protestantă, amândoi nepracticanţi, a adăugat. Ca şi Mona, sunt interesat, însă într-un fel diferit, de identitate şi credinţă în epoca modernă – deşi Dumnezeu n-a fost niciodată o chestiune controversată pentru mine, ca să spun drept.

— Atunci de ce te afli aici? a întrebat un băiat voinic, puţin ciupit de vărsat, cu părul nisipiu, răsucind un creion între degete. Credeam că toată lumea de-aici are o problemă cu Dumnezeu!

Peri l-a văzut pe Ed uitându-se la profesorul Azur, care a dat din cap aproape imperceptibil. Au schimbat mai mult decât o privire – un mesaj pe care Peri nu l-a putut descifra.

Azur s-a întors spre băiatul cu păr nisipiu.

— De obicei mă aştept de la studenţi şi-i încurajez să-şi comenteze unii altora părerile, însă nu într-o fază atât de incipientă.

Suntem niște pui abia clociți. Haideți să scoatem mai întâi capul din găoace.

Apoi i-a venit rândul lui Róisín, o fată drăguță, cu un accent irlandez pronunțat. Avea ochi mari căprui și păr castaniu lins, din care o șuviță i s-a prins o clipă de buză când a început să vorbească. A spus că e catolică și se duce la slujbă în fiecare săptămână. Se considera norocoasă că îi are în preajmă pe oamenii minunați din Oxford Catholic Society, însă dorea să-și lărgească perspectiva.

— Mi s-a părut interesant să urmez acest seminar. Doar ca să văd ce se spune despre Dumnezeu în afara zonei mele de confort. Așa că...

Și-a lăsat fraza neterminată, așteptând parcă să o facă ceilalți în locul ei.

— Cred că e rândul meu, a zis băiatul cu păr nisipiu, răsucind creionul mai repede acum. Sunt Kevin, bursier Rhodes din Fresno, California.

Cu fața lată numai grimase, Kevin a susținut că Ernest Hemingway, care are dreptate în toate, deja bătuse în cuie faptul că orice om cu judecată e ateu. În ce-l privește, el era un ateu înfocat.

— Nu cred o iotă din rahaturile astea și de aia mă aflu aici, vreau să port discuții constructive despre știință, evoluție și ceea ce voi vă încăpățânați să numiți Dumnezeu. Sunt sigur că n-o să treacă mult și vă scot pe toți din pepeni.

Cineva a pufnit, greu de spus dacă în batjocură sau din milă.

— Bună, tuturor. Numele meu e Avi. Sunt membru în Oxford Chabad Society. Și lucrez part-time la Samson Judaica Library, care e cea mai mare bibliotecă iudaică din împrejurimi. Poate că unii nu știu, dar Oxfordul are o bogată tradiție evreiască.

Avi susținea că există destulă ură în lume ca să împingă umanitatea la al Treilea Război Mondial. Fantoma istoriei bântuia prezentul. A spus că oamenii erau în stare de atrocități cumplite, după cum s-a văzut în timpul Holocaustului și la distrugerea Turnurilor Gemene. Dialogul între religii nu mai putea fi întârziat. Frica de Dumnezeu e cel mai puternic inhibitor al filonului violent care există în *Homo sapiens*. În epoca modernă, oamenii au nevoie de Dumnezeu mai mult ca niciodată.

Avi părea dornic să mai adauge ceva, însă fata brunetă de alături i-a luat-o înainte, grăbită și agitată. O chema Sujatha. A vorbit despre diferențele dintre filosofia din Orient și cea din Occident.

— Sau poate ar trebui să spun din Orientul Mijlociu, fiindcă toate religiile avraamice provin din aceeași regiune. Doar cineva din afară poate vedea cât seamănă.

Sujatha a spus că, fiind englezoaică de origine indiană, mottoul ei în viață era: „Imaginea pe care o ai despre tine îți modelează propria realitate". În ochii ei, Dumnezeu nu avea atribute. Nu voia să jignească pe nimeni, însă Dumnezeul avraamic i se părea prea rigid, prea critic, prea distant.

— Eu spun: totul e Dumnezeu. Pe când voi spuneți: totul e al lui Dumnezeu. Acest mic genitiv creează o diferență uriașă.

Supusă și răzvrătită în același timp, Sujatha a încheiat mărturisind că arde de nerăbdare să discute toate aceste deosebiri de ordin filosofic pe larg.

Cu fiece student care vorbea, Peri se lăsa din ce în ce mai jos în scaun, făcându-se tot mai mică. Își dorea să poată dispărea de-a binelea. Începea s-o roadă bănuiala că profesorul Azur își alesese studenții nu atât după meritele lor academice, cât după poveștile și ambițiile personale. Nu erau doi studenți care să provină din același mediu și între ei existau diferențe de opinie evidente care puteau escalada ușor într-un conflict. Poate că asta urmărea Azur: un conflict - sau mai multe. Poate că făcea experimente pe studenții lui fără ca ei să-și dea seama, ca și când ar fi fost niște șoareci care alergau și se războiau între pereții laboratorului său mental. Dacă era așa, ce putea să experimenteze - o nouă idee de Dumnezeu?

Mai era ceva care o neliniștea pe Peri. Dacă toți cei din jurul ei fuseseră selectați astfel încât să alcătuiască un Babel în miniatură, ea de ce fusese aleasă? Ce putea Azur să știe despre ea când îi spusese atât de puține? Cu cât își muncea creierii mai mult, cu atât se simțea mai nesigură. Cuvintele profesorului Raymond îi răsunau în urechi: *Metoda lui de predare e cam neortodoxă. Nu se potrivește oricui. Seminarul împarte studenții în două categorii - unii îl adoră, pe alții îi face profund nefericiți.*

— Bună, sunt Kimber, a zis o fată cu părul așa de cârlionțat că, de fiecare dată când își mișca puțin capul, cârlionții săltau în sus și-n jos. Am un răspuns scurt și unul lung.

— Începe cu cel lung, a îndemnat-o profesorul Azur.

Kimber le-a explicat că tatăl ei e preot la Biserica lui Iisus Hristos a Sfinților din Zilele din Urmă. Erau mormoni. A spus că e interesată de seminar pentru că Dumnezeu dă sens vieții ei și vrea să-și lărgească perspectiva asupra Lui. A adăugat că pe tinerii din ziua de azi nu-i interesează decât să-și dea întâlniri sau să învețe pentru examene sau să-și găsească un job la care să câștige mai mulți bani decât ar putea avea nevoie vreodată. Dar ea credea că viața trebuie să însemne mai mult de atât.

— Fiecare își are rostul lui pe pământ. Eu încă îl caut pe-al meu.

— Și răspunsul scurt? a întrebat Azur.

Kimber a chicotit.

— Am făcut un pariu cu prietena mea. Ea a spus că sunteți profesorul cel mai zgârcit cu notele mari când vine vorba de punctat eseurile. Eu sunt o studentă de 10 pe linie. N-am avut nici o notă mică de la grădiniță. Așa că am acceptat provocarea.

Un zâmbet senin a trecut peste buzele lui Azur.

— Adevărul i-un lucru atât de rar, încât e o desfătare să-l rostești.

Peri, acoperindu-și pe jumătate gura cu mâna, nu s-a putut abține să murmure ca pentru sine:

— Emily Dickinson.

— Să mergem mai departe. Următorul! a zis profesorul.

Adam. Nas rotunjit, bărbie despicată și sprâncene înalte care îl făceau să arate de parcă lumea era pentru el un izvor nesecat de surprize. A spus că, în ce privește religia, e anglican, însă nu se duce la biserică. Nici n-are nevoie, convins fiind că Dumnezeu e iubire și că îl iubește așa cum e.

— Cred în principiul universal „Trăiește, Iubește, Învață". Toate cu majuscule. Atâta tot.

— E rândul meu? a întrebat fata de lângă el. Numele meu e Elizabeth. Fiind născută și crescută în Oxfordshire, n-am călătorit prea departe de casă. Familia mea are o mândră tradiție de quaker. N-am nimic cu Dumnezeu, însă mă deranjează faptul că e de gen masculin.

Elizabeth le-a explicat că oamenii pierduseră legătura cu natura și cu Zeița Pământ. De-a lungul istoriei, feminitatea a fost oprimată fără încetare. Iar asta s-a plătit cu războaie, vărsări de sânge și violențe. A spus că ea e interesată de religiile vechi – șamanism, Wicca, budism tibetan.

— Tot ce ne poate ajuta să refacem legătura cu Mama-Pământ.

A îndemnat pe toată lumea să nu se mai gândească la Dumnezeu ca la El și să încerce să-i spună Ea.

Nu mai rămăseseră decât Peri și băiatul de alături să se prezinte. Ea l-a invitat cu un gest al mâinii să vorbească primul, iar el i-a răspuns la fel. Peri a cedat.

— OK, numele meu e Peri...

— Și citatul era într-adevăr din Emily Dickinson, bravo, a întrerupt-o Azur.

Peri și-a dat seama că roșise. Nu știa că profesorul o auzise.

— Sunt din Istanbul și...

A pierdut șirul și a început să se bâlbâie, simțindu-se ridicolă că menționase orașul în care se născuse în loc să spună ceva mai cu miez, cum făcuseră ceilalți.

— Ăăă... nu sunt... nu sunt... sigură de ce mă aflu aici.

— Păi, atunci, renunță, a zis Kevin obraznic. Așa o să fim din nou zece. Vreau numărul perfect!

Un val de râsete a străbătut cercul. Peri a plecat privirea. Cum de reușise să se poticnească la o simplă prezentare, când toţi ceilalţi, în ciuda diferenţelor evidente dintre ei, se descurcaseră perfect cu ale lor?

Ultimul care a vorbit a fost un băiat pe nume Bruno. A spus că nu e marxist sau altceva, însă în privinţa faptului că religia e otrava omenirii nu putea să nu-i dea dreptate lui Marx – şi fostului lider albanez Enver Hoxha, ale cărui teorii le citise mai demult şi i se păruseră de o claritate remarcabilă pe tema religiei.

— Asta-i bine, tinere, a zis Azur, dar când cităm din alţii, mai ales din filosofi şi poeţi, pentru care cuvintele sunt importante, trebuie s-o facem cu exactitate. Marx a spus de fapt: „Religia e suspinul fiinţei oprimate, inima unei lumi fără inimă şi sufletul unei orânduiri fără suflet. E opiu pentru popor".

— Corect. E acelaşi lucru, a replicat Bruno, abia ascunzându-şi enervarea că fusese întrerupt tocmai când se lansase într-un subiect care îl pasiona.

Ridicând bărbia de parcă s-ar fi pregătit pentru o lovitură, a spus că Mona ceruse discuţii sincere, aşa că avea să fie sincer până la brutalitate. Era conştient că unora s-ar putea să nu le placă ce avea el de zis, însă credea că seminarul aprecia dezbaterea liberă. Avea o problemă cu islamul. La drept vorbind, a adăugat, avea o problemă cu toate religiile monoteiste, însă creştinismul şi iudaismul fuseseră reformate, pe când islamul, nu.

Bruno a afirmat că felul în care islamul tratează femeile e inacceptabil şi că, dacă ar fi fost femeie şi s-ar fi născut în religia aia, ar fi abandonat-o cu viteza luminii. A spus că islamul ar trebui schimbat din temelii ca să fie adecvat lumii actuale, dar în împrejurările de faţă aşa ceva era de neconceput, fiindcă şi Cartea Sfântă, şi hadith-urile erau privite ca fiind absolute, fără echivoc.

— Dacă schimbarea este interzisă, cum am putea îmbunătăţi religia asta?

De la locul ei, Mona i-a aruncat o privire de gheaţă şi i-a spus câteva vorbe s-o ţină minte:

— Cine zice că am nevoie de *tine* să-mi îmbunătăţeşti religia?

— Grozav! Un început excelent! s-a băgat în vorbă Azur. Mulțumesc că ne-ați împărtășit părerile voastre cu atâta elocvență. După ce v-am ascultat cum vă certați din cauza religiei, nu a lui Dumnezeu, care e tema noastră principală, simt nevoia să vă explic foarte clar ce vom face la seminarul ăsta.

Profesorul se plimba cu mișcări pline de siguranță prin cercul alcătuit de studenți și vorbea cu însuflețire.

— Nu ne aflăm aici ca să discutăm despre islam sau creștinism sau iudaism sau hinduism. S-ar putea să vorbim în treacăt despre aceste tradiții, însă numai în măsura în care ne-o cere subiectul nostru central. Ce o să facem noi e o cercetare științifică asupra naturii lui Dumnezeu. Nu puteți lăsa propriile convingeri să vă stea în cale. Când vă atașați emoțional de un subiect, oricare, amintiți-vă pur și simplu, cum spunea Russel, că: „Intensitatea emoțiilor variază invers proporțional cu gradul de cunoaștere a faptelor concrete".

Lumina din încăpere a pălit când soarele s-a ascuns după un nor uriaș. Ochii lui Azur au sclipit.

— Ne-am înțeles în privința asta?

— Da, au răspuns studenții într-un cor entuziast.

Apoi, câteva clipe mai târziu, s-a auzit o șoaptă:

— Nu.

Era Peri.

Azur s-a oprit.

— Ce-ai spus?

— Scuze... însă... nu cred că e greșit să răspunzi la emoții, a zis Peri gesticulând. Suntem oameni. Asta înseamnă că suntem conduși mai mult de emoții decât de rațiune. Așa că de ce să disprețuim emoțiile?

A ridicat privirea spre profesor, temându-se de expresia pe care ar putea-o zări pe fața lui.

Era calm, înțelegător, chiar puțin impresionat de obiecția ei.

— Foarte bine, istanbulito, ține-o tot așa, pune orice lucru sub semnul întrebării.

Dacă la sfârșitul anilor petrecuți la Oxford, le-a spus Azur, continuau să vorbească, să gândească și să scrie ca atunci când veniseră acolo, își irosiseră timpul și banii familiei. Ar putea să se întoarcă acasă chiar în clipa aia.

— Pregătiți-vă să vă schimbați, cu toții. Numai bolovanii rămân la fel – de fapt, se schimbă și ei.

Iată-i acolo, la cea mai veche universitate din lumea vorbitoare de engleză, a zis Azur. Oxfordul nu fusese doar un centru de studiu academic și cercetare științifică de-a lungul secolelor, ci și sufletul dezbaterii teologice și disputei politice.

— Aveți noroc! Vă aflați în locul cel mai potrivit să vorbiți despre Dumnezeu!

În timp ce profesorul Azur își continua prelegerea, întreaga înfățișare i s-a schimbat. Chipul până atunci liniștit i s-a însuflețit vizibil. Glasul cu puțin înainte calm și reținut i-a devenit tăios, o lamă de oțel pe care de obicei o ținea învăluită în umbră, însă pe care acum nu făcea nici un efort s-o ascundă. Îi aducea aminte lui Peri de pisicile vagaboande din Istanbul, nu cele temătoare și jigărite care se țin departe de oameni, ci de una dintre acele feline independente care se plimbă pe cele mai înalte ziduri cu o încredere țanțoșă, veghind cartierul de parcă ar fi fost regatul lor secret.

— Bun. Am o întrebare: dacă ar veni acum cineva din Epoca Bronzului și v-ar ruga să-l descrieți pe Dumnezeu, ce ați spune?

— E îndurător, a zis Mona.

— Autosuficient, a adăugat Avi.

— Nu un El, ci o Ea.

— Nici El, nici Ea, a zis Kevin. E o grămadă de minciuni.

Azur s-a încruntat.

— Bravo! Ați picat testul cu brio!

— De ce? a protestat Bruno.

— Pentru că, amintiți-vă, nu vorbiți aceeași limbă cu strămoșii voștri păroși. (A adus un teanc de hârtii și o cutie cu creioane colorate și a rugat-o pe Róisín să le împartă.) Uitați de cuvinte. Explicați prin imagini!

— Cum? a exclamat Bruno. Vreți să desenăm? Ce suntem noi? Copii mici?

— Mi-aş dori să fiţi, a răspuns Azur. Aţi avea o imaginaţie mai bogată şi aţi înţelege mai bine lucrurile complexe.

Mona a ridicat mâna.

— Domnule, islamul interzice idolii. Noi nu-l descriem pe Dumnezeu. Credem că e mai presus de înţelegerea noastră.

— Foarte bine! Desenează ce mi-ai spus acum.

În următoarele zece minute, s-au fâţâit şi s-au codit, au oftat şi s-au plâns, însă în cele din urmă, încetul cu încetul, s-au pus pe treabă. Un desen al universului – stele, galaxii şi meteori. Un pâlc de nori străpunşi de un fulger. O imagine a lui Iisus Hristos cu braţele larg deschise. O moschee cu domuri aurite scăldată în soare. Zeul Ganesha cu capul lui de elefant. O zeiţă cu sâni generoşi. O lumânare în inima întunericului. O pagină lăsată dinadins albă. Fiecare îl vedea pe Dumnezeu în felul lui. Cât despre Peri, a desenat un punct. Pe care l-a transformat apoi într-un semn de întrebare.

— Timpul a expirat, a zis profesorul Azur, apoi a împărţit alt teanc de hârtii. După ce aţi desenat ce este Dumnezeu, aş vrea să ilustraţi ce nu este.

— Cum?

Azur şi-a arcuit sprâncenele.

— Termină cu protestele, Bruno, şi apucă-te de treabă.

Un demon cu ochi galbeni de şarpe. O mască de fier a groazei. O mlaştină fetidă. O armă care fumegă. Un cuţit mânjit de sânge. Foc. Distrugere. Un crâmpei de iad... Lucru ciudat, le venea mai greu să-şi închipuie ce nu e Dumnezeu decât ce e. Doar lui Elizabeth i s-a părut uşoară sarcina. A desenat pur şi simplu un om.

— Mulţumesc pentru cooperare, a zis profesorul Azur. Aţi putea să ridicaţi cele două desene alăturate? Arătaţi-le tuturor celor din cerc.

Au făcut întocmai, cercetând lucrările celorlalţi.

— Acum întoarceţi imaginile spre voi. OK? Minunat! Suntem pe punctul să examinăm o întrebare ridicată de filosofi, cărturari şi mistici de-a lungul istoriei: care este relaţia dintre cele două reprezentări?

— Cee?

De data asta Bruno nu era singur.

— Primul desen - ce este Dumnezeu - încorporează sau exclude cel de-al doilea desen - ce nu este Dumnezeu? (Azur a început să se plimbe încolo și-ncoace.) De pildă, dacă Dumnezeu este omnipotent și omniprezent, atotputernic și atotbinevoitor, asta înseamnă că El - sau Ea - încorporează și răul sau că răul îi este exterior Lui - Ei - o forță din afară cu care El / Ea trebuie să se lupte? Care e, mai precis, legătura dintre ce-e-Dumnezeu și ce-nu-e-Dumnezeu?

Azur a continuat.

— Ați făcut două desene. Spuneți-mi ce legătură există între ele? Scrieți un eseu. Nu contează stilul atâta timp cât este curajos, îndrăzneț, sincer și susținut de studiu academic!

Nimeni n-a scos un cuvânt. Când se apucaseră de desenat, luaseră sarcina în glumă, fără să creadă prea mult în ea. Dacă ar fi știut că o să li se ceară să scrie un eseu despre legătura dintre cele două imagini, s-ar fi gândit mai bine înainte. Dar era prea târziu.

— Apelați la filosofi, mistici și cărturari din trecut. Țineți-vă departe de prezent. Țineți-vă departe de propria minte.

— Să ne ținem departe de propria minte? a repetat Kevin.

— Deci asta e tema voastră pentru săptămâna următoare. Dați tot ce-aveți mai bun, impresionați-mă! a anunțat Azur strângând dosarele, creioanele colorate, clepsidra în care ultimul fir de nisip tocmai se scursese în bulbul de dedesubt. Dar vă previn, nu sunt ușor de impresionat.

Teatrul de umbre

Oxford, 2001

Vineri seară, când cei mai mulți dintre studenți au ieșit prin puburi și cluburi pentru o pauză binemeritată, Peri a rămas în biblioteca de la colegiu, citind. Când au plecat și ultimii studenți, liniștea din clădire s-a adâncit, nemaifiind întreruptă de tusete sau șoapte, de foșnetul paginilor. Să înlocuiești studiul cu distracția e ca și cum ai înlocui regimul cu festinul, și lui Peri i-a părut rău, nu pentru prima oară, că nu e deloc sociabilă. Dar îi plăcea să fie înconjurată de cărți, ce îi dădeau o senzație de libertate pe care nu i-ar fi putut-o da nimic altceva. A încercat să nu se gândească la faptul că majoritatea lecturilor ei din acele zile aveau legătură cu profesorul Azur. În ultimele săptămâni se surprinsese de mai multe ori visând cu ochii deschiși că avea să spună ceva neașteptat la seminar, ceva sclipitor și îndrăzneț care să-l facă să se oprească uimit în loc și s-o privească cu alți ochi.

Lângă ea, pe masă, stătea aparatul polaroid pliabil pe care îl cumpărase de curând. Când ieșea la alergat, vedea uneori cele mai uluitoare ceruri – răsărituri de mărgean trandafiriu, apusuri prevestitoare de furtună, pajiști îmbrăcate în chiciură – pe care voia să le pozeze. O costase o groază, dar merita. Cheltuise o grămadă și pe cărți și plănuia să-și cumpere un computer. *Ce naiba*, s-a gândit, *trebuie doar să muncesc mai mult.*

S-a ridicat și și-a dezmorțit picioarele. Era singură în secția aia – ba chiar avea senzația că e singură în toată clădirea. Plimbându-se printre rafturi, a simțit o mișcare bruscă, la fel de neauzită ca o umbră. S-a întors repede. Era Troy.

— Bună, n-am vrut să te sperii.

— Nu mă urmărești, da? l-a întrebat Peri.

— Nu... ăăă, da. Nu te speria, nu mușc. (Troy a rânjit, arătând cu capul spre cartea din mâna ei.) Ce citești acolo?... *Ateismul în Grecia antică.* E pentru Azur?

— Da, a răspuns Peri oarecum stânjenită.

— Ți-am zis că tipul e dracu' gol, dar n-ai vrut să mă crezi.

— De ce-l urăști așa de tare?

— Fiindcă nu are nici un fel de limite. Știu că s-ar putea să ți se pară o chestie bună, dar îți spun eu că nu e. Un profesor ar trebui să se poarte ca un profesor. Punct.

— Și nu se poartă?

Troy a lăsat să-i scape un oftat.

— Glumești? Tipul nu ține un seminar despre Dumnezeu, se crede Dumnezeu.

— Uau! Nu ești cam dur?

— Așteaptă și-ai să vezi, a zis Troy, făcând imediat un pas în spate, de parcă ar fi lăsat să-i scape mai multe decât avea de gând. Oricum, trebuie să plec. Mă așteaptă prietenii la Bear. Vrei să vii cu noi?

— Mulțumesc, dar am treabă, a răspuns Peri, surprinsă că o invitase.

— Bine. Weekend mișto! Gândește-te la ce ți-am spus.

Până când a plecat Peri de la bibliotecă, cerul devenise de un albastru întunecat, aproape negru, dincolo de cearcănele de lumină fantomatică ale felinarelor, și părea atât de aproape, încât putea să se întindă și să-l tragă pe umeri ca pe un șal indigo. Mergea cu capul ridicat, uitându-se la garguiele și himerele care se aplecau spre ea de pe parapetele curții pătrate, de parcă ar fi păzit tainele secolelor. În momentul acela, a fost izbită de vechile dispute teologice ale orașului, de oasele sale scolastice chinuite de dureri, care încă mai bântuiau prin încăperi. Și-a tras fermoarul jachetei până sub bărbie – curând trebuia să-și cumpere o haină de iarnă. Strângea bani.

Când a dat colțul, a fost uimită să vadă oameni cu lumânări aprinse în întuneric. Un priveghi. S-a apropiat, cercetând șirurile de poze și flori așezate pe trotuar. Pe un afiș scria: AMINTEȘTE-ȚI DE SREBRENICA[1].

Peri a scrutat chipurile morților - băieți, tați, soți; unul semăna cu fratele ei Umut în perioada când fusese arestat. În grupul care ținea priveghiul, Peri a zărit-o pe Mona, purtând o eșarfă în nuanțe de fucsia în care își înfășurase capul și umerii. Aceasta o văzuse la rândul ei și s-a apropiat, cu lumânarea în mână, să schimbe o vorbă cu ea.

Peri a arătat spre chipurile din poze.

— E așa de trist.

— E mai mult decât trist, a zis Mona. E genocid. Nu trebuie să uităm vreodată. (A tăcut, uitându-se la ea cu un interes reînnoit.) De ce nu ni te alături?

— Ăăă, sigur, a zis Peri. (A luat o lumânare și poza băiatului care semăna cu fratele ei și s-a așezat și ea pe trotuar. Noaptea s-a strâns în jurul ei ca un râu umflat.) Numai studenții musulmani iau parte la priveghi? a întrebat.

— Păi, l-a organizat Asociația studenților musulmani, dar au venit și alții să-și ofere sprijinul. Sunt și unii de la seminarul lui Azur. Uite, Ed e aici.

Chiar era. Peri s-a dus să schimbe o vorbă cu el când Mona, ocupată cu ceilalți organizatori, a lăsat-o singură.

— Bună, Ed.

— Peri, bună. Se pare că sunt singurul evreu de-aici. Sau pe jumătate evreu.

De parcă ar fi fost o continuare logică după menționarea religiei lui, Peri a zis:

— Te superi dacă te întreb de ce te-ai înscris la seminarul despre Dumnezeu?

---

1. Referire la masacrul de la Srebrenica din 1995, când 8 000 de musulmani bosniaci din localitate și din împrejurimi au fost uciși de armata Republicii Srpska, aflată sub comanda generalului Ratko Mladić.

— Pentru Azur. Mi-a schimbat viața.

— Chiar?

Peri și-a amintit schimbul de priviri dintre Ed și profesor.

— M-a ajutat enorm anul trecut. Mă pregăteam să mă despart de prietena mea.

— Și ți-a zis să n-o faci?

— Nu chiar. Mi-a zis să încerc s-o înțeleg mai întâi, a răspuns Ed. Suntem împreună din școala generală. Dar s-a schimbat. Dintr-odată a devenit evlavioasă. N-o mai recunoșteam. (Din cauza hotărârii ei de-a respecta cu strictețe *Tora* și a pasiunii lui pentru știință, prăpastia dintre prioritățile ei și prioritățile lui a ajuns de netrecut.) M-am dus la Azur, nici nu știu de ce, puteam să mă duc la un rabin sau la altcineva, însă el mi s-a părut omul potrivit.

— Ce ți-a zis?

— A fost ciudat. Mi-a zis să ascult timp de patruzeci de zile tot ce-mi spune ea. O lună și zece zile. Nu-i așa de greu dacă iubești pe cineva. Mi-a zis să petrec ziua de sabat împreună cu ea. Orice-ar vrea să-mi arate, s-o las să mă ducă în lumea ei. Să nu mă opun, să nu comentez.

— Și-ai făcut-o?

— Da. A fost ridicol de greu! Când aud aiurelile alea – îmi pare rău, dar asta sunt – toată vorbăria aia religioasă, mintea mi se revoltă. Azur mi-a zis să las judecățile în seama judecătorilor. Filosofii nu judecă. Ei înțeleg. (Ed a chicotit.) Dar asta nu-i tot.

— Ce mai e?

— După patruzeci de zile, Azur m-a sunat și mi-a zis: „Bravo, acum e rândul prietenei tale". Patruzeci de zile tu o să vorbești, iar ea o să asculte. O să treacă printr-o detoxifiere religioasă.

— Și-a făcut-o?

— Sigur că nu. (Ed a clătinat din cap.) Ne-am despărțit. Dar am înțeles ce voia să facă Azur și l-am admirat pentru asta.

Entuziasmul lui a enervat-o, acea încredere neînfrânată a discipolului în maestrul său.

— Dar noi nu suntem filosofi, a zis, ci studenţi.

— Tocmai asta-i. Toţi profesorii ne lasă oarecare libertate. Numai Azur ne presează din toate puterile. E convins că, oricare ar fi chemarea noastră în viaţă, trebuie să fim cu toţii filosofi.

— Nu e cam mult de aşteptat de la nişte studenţi obişnuiţi?

Ed s-a uitat la ea.

— Nu eşti obişnuită. Nimeni nu-i.

Peri a strâns din buze.

— Ce e? Nu-ţi place de el?

— Ba da, doar că... (Peri a înghiţit în sec.) Mă întreb dacă nu face experimente pe noi şi nu mă simt în largul meu din cauza asta.

— Poate că da, dar cui îi pasă? a zis Ed. Mi-a schimbat viaţa. În bine.

A început să plouă – o bură uşoară care putea să se prefacă în orice clipă în aversă. Priveghiul a trebuit amânat. Au strâns afişele, lumânările, pozele. Mona alerga în stânga şi-n dreapta, ocupându-se de toate.

Peri i-a întins mâna lui Ed. Fără s-o bage în seamă, băiatul a tras-o spre el şi a îmbrăţişat-o cu căldură.

— Ai grijă de tine. Şi ai încredere în Azur, e un tip super.

Singură în întuneric, Peri s-a întors la colegiul ei, în timp ce în aer se amestecau mirosul de ploaie şi cel de pământ. N-o deranja dacă o prindeau câteva picături. A cercetat clădirile care fuseseră martore la secole de dispute aprinse, vecini deveniţi duşmani, cărţi distruse, idei înăbuşite, gânditori persecutaţi... toate în numele Domnului.

Cine avea dreptate, Troy sau Ed? Auzise, într-o singură noapte, două păreri total opuse despre profesor – şi problema era că, din câte avea senzaţia, amândouă erau corecte. Ca într-un teatru de umbre otoman, o cortină o despărţea de realitate şi în schimb se trezea agăţându-se de imagini. Azur era păpuşarul din spatele paravanului – mereu prezent şi dirijând totul, dar încă necunoscut, mereu de neatins.

Oprimații

Istanbul, 2016

Ultimele bucăți din *Les Bonbons du harem* abia dispăruseră de pe masă, când un câine se furișă pe ușa deschisă, dând din coadă cu o vigoare pe care trupul lui slăbănog o dezmințea. Un pomeranian cu capul îngust, ochi duioși și o blană stufoasă de culoarea frunzelor de toamnă ruginii.

— Pom-Pom, scumpule, ți-a fost dor de mine? zise femeia de afaceri.

Ridicând câinele de pe podea, îl așeză în poală. De acolo, animalul urmărea invitații, clipind, cu o expresie blândă pe fața ca de vulpe, dar care se putea preface în orice clipă într-o ostilitate mârâitoare.

— Știți când mi-am dat seama că țara asta s-a schimbat? a întrebat femeia de afaceri fără să se adreseze cuiva anume. Când l-am dus pe Pom-Pom la veterinar luna trecută.

De obicei, veterinarul venea acasă, le explică ea, însă cu câteva săptămâni în urmă se rănise la un picior și, cu toate că lucra ca până atunci, nu mai putuse să facă vizite la domiciliu. Cu Pom-Pom sub braț, se dusese ea la clinică. În trecut, proprietarii de câini erau toți o apă și-un pământ – moderni, orășeni, laici, occidentalizați. Pentru musulmanii conservatori, câinii erau *mekruh*, detestabili, așa că nu se omorau să-și împartă livingul cu niște prieteni canini.

— N-am înțeles niciodată ce au oamenii ăia împotriva câinilor. Toate aiurelile alea despre cum îngerii refuză să intre într-o casă în care e un câine, zise femeia de afaceri. Ori într-o casă în care sunt tablouri.

— E un hadith de al-Bukhari, îi lămuri un magnat media care li se alăturase de curând.

Cămaşa albă, fără guler, apretată îi scotea în evidenţă părul negru, care fusese tuns de jur împrejur la fel de lung. Nu purta mustaţă, nici barbă, fiind bărbierit cu grijă. Spre deosebire de toată lumea de la dineu, făcea parte din burghezia islamică în formare. În ciuda nerăbdării sale de-a socializa cu elita occidentalizată a ţării, nici prin cap nu i-ar fi trecut să-şi aducă soţia, care purta văl, la asemenea dineuri. *S-ar simţi stânjenită printre ei*, îşi spunea. De fapt, el se simţea stânjenit de prezenţa ei. Sigur, era mulţumit de ea ca soţie – Allah ştia foarte bine ce mamă dedicată era pentru cei cinci copii ai lor –, dar în afara casei, mai ales în afara cercului lor, o găsea lipsită de rafinament, chiar i se părea că-l face de ruşine; îi urmărea orice mişcare şi îi asculta orice vorbă ridicând din sprânceană. Mai bine rămânea acasă.

Se lăsă pe spate în scaun şi zise:

— Hadith-ul nu vorbeşte, totuşi, de orice tablouri. Ne pune în gardă doar împotriva portretelor, pentru a preveni idolatria.

— Păi atunci am pus-o, replică omul de afaceri. (Cu un râs satisfăcut, desfăcu braţele şi arătă spre lucrările de artă de pe pereţi.) Avem şi câine, şi o grămadă de portrete. Chiar şi nuduri. Poate că-n seara asta o să se abată asupra capetelor noastre o ploaie de pietre!

În ciuda tonului jovial, remarca lui îi deranjă vizibil pe unii dintre invitaţi, care zâmbiră stingheriţi. Simţind tensiunea, Pom-Pom mârâi şi-şi arătă colţii strălucitori din care cădeau picături de salivă.

— Şşşt, mami e aici, îi zise femeia de afaceri căţelului şi apoi soţului, pe un ton mai puţin afectuos: Nu provoca destinul, s-ar putea întâmpla ceva rău. (Îşi dădu peste cap paharul cu apă, de parcă iritarea ar fi deshidratat-o.) Aşa, unde rămăsesem? Deci, când m-am dus la veterinar, m-am mirat văzând femei cu văl în sala de aşteptare, cu câinii la picioare! Chihuahua, shih-tzu, pudeli. Erau mai mari iubitoare de câini decât noi doi! Evident, musulmanii religioşi se schimbă.

— N-aş spune că se *schimbă*, o corectă magnatul media. Vedeţi, noi, oamenii religioşi, n-am avut niciodată parte de libertăţile de care v-aţi bucurat voi. Am fost oprimaţi decenii la rând de o elită modernistă ca aceea din care faceţi parte – fără supărare.

— Chiar dacă ar fi adevărat, vremurile alea au trecut. Acum voi sunteţi la putere, murmură Peri cu voce şovăitoare, ca şi cum n-ar fi vrut să-şi spună părerea, dar – din nou – nu se putea abţine.

Magnatul media protestă.

— Nu sunt de acord. Când ai fost oprimat o dată, eşti oprimat tot timpul. Nu ştiţi cum e să fii oprimat. Trebuie să ne agăţăm de putere, altfel ne-aţi putea-o lua înapoi.

— Of, mai scuteşte-mă! strigă iubita jurnalistului, despre care toată lumea ştia că nu ţine deloc la băutură. (Arătă cu degetul spre magnat.) Nu eşti deloc oprimat! Soţia ta nu e deloc oprimată! Eu sunt oprimată! (Se bătu cu pumnul în piept.) Eu, cu părul meu blond, cu fusta mini, cu machiajul, cu feminitatea şi cu paharul meu de vin... Eu sunt cea închisă în cultura asta despotică.

Jurnalistul făcu ochii mari, panicat. Temându-se că iubita lui ar putea să atragă mânia magnatului şi să-l coste slujba, încercă să-i tragă un picior pe sub masă, însă piciorul i se bălăbăni în aer.

— Ei, suntem cu toţii oprimaţi, zise gazda într-o încercare jalnică de-a risipi încordarea.

— E simplu, se băgă în vorbă chirurgul plastician. Când fac bani, oamenii îşi doresc un stil de viaţă mai bun. Am multe paciente care poartă văl. Când vine vorba de sâni lăsaţi şi de gâturi fleşcăite, musulmanele religioase nu se deosebesc prea mult de restul.

Omul de afaceri dădu din cap cu însufleţire.

— Asta nu face decât să-mi confirme teoria: capitalismul e singurul remediu pentru problemele noastre. Antidotul pentru demenţii ăia de jihadişti e piaţa liberă. Dacă şi-ar putea urma cursul fără vreun amestec, atunci capitalismul ar câştiga de partea lui chiar şi minţile cele mai neabătute.

Apoi deschise un humidor de trabucuri din nuc noduros şlefuit, cu imaginea lui Fidel Castro incrustată pe capac, şi i-o întinse jurnalistului, făcându-i cu ochiul.

— Ediţie limitată din duty-free-ul de la Beirut. Ia unul. Ia două.

Bărbaţii, uitându-se cu sfială la gazda lor, au scotocit prin cutie şi au luat câte un trabuc.

— Nu vă faceţi griji pentru soţia mea, zise omul de afaceri. În casa asta e libertate. *Laissez-faire!*

Toată lumea râse. Pom-Pom, deranjat de zgomot, lătră scurt, furios.

Profitând de ocazie, Peri îşi aprinse o ţigară. Observă că servitoarea pe care o văzuse la intrare dădea ocol mesei în vârful picioarelor şi aşeza scrumiere pe masă. Se întrebă ce gândea despre ei toţi. Probabil era mai bine să nu ştie.

— Draga noastră Peri e foarte gânditoare în seara asta, zise femeia de afaceri.

— A fost o zi lungă, răspunse Peri strâmbându-se la auzul comentariului.

Soţul ei se aplecă înainte, ca pentru a dezvălui un secret. Avea obiceiul să-şi bea cafeaua neagră şi tare ţinând un cub de zahăr în gură. Pe când acesta i se topea pe limbă, Adnan zise:

— Uneori am senzaţia că lui Peri îi plac mai mult oamenii din cărţi decât cei din viaţa reală. În loc să vorbească cu prietenele pe Twitter, mai degrabă şi-ar agăţa poemele preferate pe sfori în dormitor.

Peri zâmbi. Era alt ritual pe care-l învăţase de la profesorul Azur.

— Te invidiez, mărturisi designera de interioare. Eu nu reuşesc să-mi mai fac timp să citesc.

— O, ador poezia, se entuziasmă femeia din PR. Îmi vine să las totul baltă şi să mă mut într-un sat pescăresc. Istanbulul ne perverteşte sufletele.

— Vino la Miami, am cumpărat o casă lângă ocean, o invită omul de afaceri.

Soția lui își arcui sprâncenele.

— Ce tupeu pe omul ăsta! Nu are nici un strop de sensibilitate artistică. Noi vorbim de poezie și el îi dă cu Miami.

— Ce-am mai făcut de data asta? protestă omul de afaceri.

Nu-l critică nimeni. Era prea bogat ca să-l critice careva pe față.

Chiar în clipa aia se auzi soneria de la intrare: o dată, de două ori, de trei ori – un amestec de frustrare, scuză și nerăbdare.

— O, în sfârșit! exclamă femeia de afaceri sărind în picioare. A sosit mediumul!

— Urrraaa! strigară cu toții în cor.

Pom-Pom fugi spre ușă, hămăind și lătrând furios.

În agitația iscată, Peri auzi un bip pe-aproape. Se întinse după telefonul soțului ei și verifică ecranul. Primise un mesaj detaliat de la maică-sa, chiar dacă îi spusese să scrie doar „sună-mă". „Găsit numărul, pierdut serialul meu TV." Dedesubt era informația cerută: „Shirin: 01865..." Cifrele îi jucau lui Peri dinaintea ochilor, o combinație de numere ce deschidea un seif care stătuse încuiat prea multă vreme.

Cititorul de vise

Oxford, 2001

Profesorul Azur a intrat în clasă cu brațele pline de cărți. Cineva îl urma - un portar, s-a dovedit -, împingând o roabă încărcată cu o sobiță de lut, suluri de hârtie neagră, un CD-player și câteva perne care semănau cu cele din avioane. Cei doi bărbați au înaintat până în mijlocul încăperii și au descărcat totul.

E ca o piesă de teatru, și-a zis Peri. *El e un actor pe scenă, iar noi, publicul.*

— Mulțumesc pentru ajutor, Jim, îți rămân dator, i-a zis Azur portarului.

— Pentru nimic, domnule.

— Nu uita să te întorci la sfârșitul cursului.

Bărbatul a dat nepăsător din cap și a ieșit.

Azur a cercetat fețele tinere și nerăbdătoare care făceau un cerc în jurul lui. În lumina crudă, ochii lui păreau obosiți, de un verde ceva mai închis - un pârâu de munte tulburat de vârtejuri.

— Ce mai faceți în dimineața asta?

Răspunsurile au venit într-un cor vesel.

— Ei, dacă simțiți nevoia să mai recuperați din somn, deși s-a dovedit științific că e imposibil, acum aveți ocazia. Puteți, vă rog, să împărțiți pernele astea?

Fiecare student a luat câte una în timp ce profesorul își făcea de lucru cu sobița de lut.

— Ce facem, domnule, dăm foc la colegiu? a întrebat Kevin cu glas pițigăiat.

— Cum de mi-ai ghicit planurile malefice? Nu, nu dăm foc la nimic.

În câteva secunde, sobița electrică s-a încins, făcându-se stacojie.

— OK, băieți și fete. Haideți să ne prefacem că sunteți în camerele voastre călduroase și confortabile. Afară e un frig de crapă pietrele. Ce puteți să faceți decât să vă lăsați furați de somn?

Studenții s-au uitat unul la altul.

— Puneți capul pe pernă! le-a ordonat Azur.

Au făcut cum li s-a cerut. Toți în afară de Peri, care a rămas dreaptă ca lumânarea, cu ochii bănuitori larg deschiși.

— Așa, Peri. Fii prudentă. Poate am umplut pernele cu pisici furioase.

Ea a roșit, ascultând de data asta.

Apoi Azur a luat hârtia neagră, a scos o rolă de scotch din buzunar și s-a apucat să acopere ferestrele. Izolată astfel, încăperea s-a cufundat în semiîntuneric. A deschis CD-playerul: zgomotul unui foc care trosnea a plutit deasupra lor.

— Ce facem, domnule?

Era tot Kevin.

— Mergem într-un loc pe care îl vizita adesea René Descartes. Un loc de vis!

Cineva și-a înăbușit un chicotit, însă restul grupului a părut interesat.

— Era cam de anii voștri marele filosof. A făcut vreunul dintre voi ceva semnificativ până la vârsta asta?

N-a răspuns nimeni.

— Descartes avea ambiții mari. Sunt sigur că ale voastre sunt și mai mari. Dar ale lui se bazau pe cercetări metodologice și filosofice.

— Și ale noastre la fel! a zis Bruno.

Azur a dat ochii peste cap.

— O să pășim în viziunile lui Descartes. În prima, tânărul filosof urcă cu greutate un deal. Se teme că o să cadă. Știe că trebuie să se străduiască mai mult să-și atingă scopurile, însă crede că nu poate înfăptui nimic fără ajutorul unei puteri supreme – Dumnezeu.

Cu capul pe pernă, cu ochii pe jumătate închiși, Peri asculta.

— În depărtare zărește o capelă – Casa Domnului. Vântul îl ia pe sus și îl poartă cu o asemenea forță, că se izbește de zidurile ei.

— Am zis eu că Dumnezeu nu-i bun de nimic, a comentat Kevin.

— Se ridică și își scutură hainele. Intră în curte, unde vede un om care vrea să-i dea un cantalup – un fruct din țări străine.

— Ce ciudat, a murmurat Ed, stând lângă Peri.

Adusese o cutie de tablă cu biscuiți de casă și, deschizând-o, i-a împărțit în stânga și-n dreapta.

Azur a continuat.

— Descartes se trezește asudat, simțind că-l dor toate oasele. Se teme că visul e de la Diavol. De unde vin gândurile rele – din afară sau dinăuntru? Se roagă la Dumnezeu să-l apere. Dar ce e Dumnezeu – sursă exterioară sau rod al minții noastre? Tocmai întrebarea asta îl conduce la al doilea vis când încearcă să adoarmă la loc.

Azur a trecut la următoarea înregistrare de pe CD. Bubuitul tunetelor a umplut încăperea.

— O adevărată vijelie se dezlănțuie în jurul filosofului. Se apropie o furtună. De ce se întâmplă lucruri rele în viață? se întreabă el. Cum poate Dumnezeu să le lase să se întâmple dacă este Cine este? Descartes e nedumerit. Singur. Mâhnit. Visul ăsta-i sumbru, deprimant.

Peri s-a gândit la fratele ei Umut, însă nu la omul de astăzi, aplecat peste o masă unde făcea clopoței de vânt din scoici pentru turiști pe care nu avea să-i cunoască niciodată, ci la tânărul idealist care odată voia să schimbe lumea și să-i corecteze defectele. Și-a amintit discuțiile pe care le avea cu tatăl ei, încercând să-și dea seama de ce îi părăsise Dumnezeu. O ustura gâtlejul.

Tristețea care o copleșea era atât de adâncă, încât ochii i s-au umplut de lacrimi. Nu știa în ce crede. Poate că Dumnezeu era un joc pe care numai cei care avuseseră o copilărie fericită îl puteau juca.

Ca să oprească șuvoiul de sentimente negative, s-a grăbit să întrebe:

— Și al treilea vis, domnule?

Azur i-a aruncat o privire curioasă.

— Ei, ăsta-i cel mai important. Descartes vede o carte pe masă, un dicționar. Apoi vede altă carte, una de poezii. O deschide pe-a doua la întâmplare și citește un poem de Ausonius.

— Cine? a întrebat Bruno nedumerit.

— Decimus Magnus Ausonius. Poet roman, gramatician, retor. (Azur a arătat cu degetul spre Peri.) Știai că a vizitat orașul tău – Constantinopol?

Ea a clătinat din cap.

— Primul vers din poem e: „Ce cale să urmez în viață?", a zis Azur. Un bărbat apare și-l întreabă pe Descartes ce crede despre asta. Dar filosoful nu-i poate răspunde. Dezamăgit, bărbatul dispare. Descartes e stânjenit. E plin de îndoieli – ca toți oamenii inteligenți. Acum, cine ar vrea să interpreteze visul ăsta?

— Păi, cantalupul ăla sună nerușinat, a zis Bruno. Poate că Descartes era la toaletă. Îi căzuse cu tronc dl N ăla, oricine-o fi fost el.

— Poate, a răspuns Azur oftând. Sau poate că dicționarul reprezenta știința și cunoașterea. Poezia simboliza filosofia, iubirea, înțelepciunea. S-a gândit că Dumnezeu îi spunea să le aducă pe toate laolaltă cu ajutorul rațiunii și să creeze o „știință minunată". Asta-i întrebarea: puteți crea o știință minunată proprie ca să-L studiați pe Dumnezeu?

— Cum facem așa ceva? a întrebat Mona.

— Fiți polimați, a răspuns Azur. Împletiți diverse discipline, sintetizați, nu vă concentrați doar asupra „religiei". De fapt, ţineţi-vă departe de religie, nu face decât să dezbine şi să încurce. Orientaţi-vă spre matematică, fizică, muzică, pictură, poezie, artă, arhitectură... Abordaţi-l pe Dumnezeu pe căile cele mai improbabile.

Peri s-a simţit cuprinsă de un val de entuziasm. Ar putea să-şi creeze propria ştiinţă minunată? Ce uimitor ar fi! Ar putea să arunce în acel amestec dragostea ei pentru cărţi, pasiunea pentru ştiinţă, învăţătură şi poezie, melancolia ei îndărătnică şi ar putea să adauge şi spiritul înfrânt şi carnea chinuită ale fratelui ei mai mare, blasfemiile şi patima pentru băutură ale tatălui, rugăciunile şi mâinile sângerânde ale mamei, furia clocotitoare a celuilalt frate al ei şi să le contopească pe toate în ceva solid, sigur, deplin? Era posibil să scoţi ceva delicios din nişte ingrediente atât de jalnice?

— Acest al treilea vis mă face să mă întreb dacă filosoful se temea să fie judecat de ceilalţi, a zis Azur. Pentru noi, e marele René Descartes! Dar el se vedea mărunt, neînsemnat. Aşa că, dacă simţiţi vreodată cu nu sunteţi destul de speciali, amintiţi-vă că şi Descartes se simţea la fel uneori.

Peri a plecat privirea. A înţeles ce făcea Azur şi l-a urât şi l-a iubit deopotrivă pentru asta. Îi spunea, ei şi numai ei, să aibă mai multă încredere în ea. Nu uitase discuţia pe care o avuseseră în încăperea aceea.

Spre sfârşitul cursului, Azur a pus ultima melodie de pe CD.

— Beethoven, *Missa solemnis*, le-a zis. Lăsaţi-vă în voia ei. Culcaţi-vă la loc!

Cu capete pe perne, au savurat muzica. Nimeni nu vorbea.

— Cursul s-a încheiat, i-a anunţat profesorul şi a apăsat pe Stop.

În aceeaşi clipă s-a auzit o bătaie uşoară în uşă şi Azur a strigat în direcţia ei:

— Intră, Jim. Punctual ca întotdeauna.

Portarul a intrat şi s-a dus ţintă la sobiţă ca s-o ia de-acolo.

— Bun, a zis Azur. În lumina discuţiei de astăzi, scrieţi un eseu despre Căutarea Certitudinii şi a lui Dumnezeu în care s-a lansat Descartes. Aveţi grijă să studiaţi temeinic înainte să vă apucaţi de scris. Speculaţia fără cunoaştere e pălăvrăgeală autosuficientă. Aţi înţeles?

— Da, domnule, au răspuns studenţii în cor.

*

Când a ieşit, Peri a simţit că îi zvâcneşte capul. Vântul şi forţa lucrurilor care nu ţin de voinţa oamenilor, dualitatea dintre bine şi rău, nevoia de-a înţelege haosul, mesajele cifrate din vise şi din latura vizionară a vieţii, singurătatea unui tânăr filosof în căutarea adevărului, primul vers al unui poem care nu şi-a pierdut relevanţa nici în ziua de azi: „Ce cale să urmez în viaţă?". Ceva se mişcase înăuntrul ei în timp ce îl asculta pe Azur – o schimbare atât de subtilă, încât era aproape imperceptibilă, însă şi ireversibilă, lăsând în urmă un gol în care îi era frică să arunce vreo privire, temându-se de ce-ar putea găsi. Sub coaja sinelui ei de obicei reticent se ivise o fisură care îi descoperea inima ce bătea nebuneşte. Îşi dorea ca el să vorbească mai departe, zile în şir, numai şi numai pentru ea.

Când Azur vorbea despre Dumnezeu, despre viaţă, credinţă şi ştiinţă, cuvintele lui se lipeau unele de altele ca nişte mici boabe de orez fiert, gata să hrănească minţile flămânde. În prezenţa lui, Peri se simţea desăvârşită, neîmpărţită, ca şi când ar fi existat până la urmă un alt fel de-a privi lucrurile – diferit şi de al tatălui ei, şi de al mamei. În cuvintele lui Azur găsea o cale de evadare din dualitatea epuizantă cu care crescuse în casa familiei Nalbantoğlu. Alături de Azur putea să îmbrăţişeze nenumăratele faţete ale fiinţei care era şi să fie mereu bine-venită. Nu trebuia să înăbuşe, să controleze sau să ascundă vreo latură a ei. Lumea lui Azur se situa în afara dicotomiilor rigide precum bine şi rău, Dumnezeu şi Şeitan, lumină şi întuneric, superstiţie şi raţiune, teism şi ateism. El însuşi se ridica deasupra tuturor certurilor pe care le avuseseră Mensur şi Selma de-a lungul anilor şi, cumva, i le trecuseră fiicei lor. Peri a simţit în adâncul sufletului, deşi avea s-o nege din răsputeri, că e îndrăgostită de profesorul ei. I se părea ceva înfricoşător de periculos în speranţa că cineva are răspunsul la majoritatea întrebărilor noastre şi că de atunci înainte acea fiinţă era o scurtătură la tot ce rămăsese nerezolvat.

Mantia

Oxford, 2001

— Găsiți noi narațiuni, întotdeauna la plural. Adesea încercăm să reducem înțelegerea lui Dumnezeu la un singur răspuns – o formulă. Greșit!

Profesorul Azur se plimba grăbit încolo și-ncoace, cu mâinile în buzunare.

Până acum câteva decenii, a zis, chiar și cei mai sclipitori oameni de știință erau convinși că în secolul XXI religia avea să dispară cu totul de pe fața pământului. În schimb, religia a avut o revenire spectaculoasă în anii '70, ca o divă care se întoarce pe scenă, și de atunci a devenit o componentă esențială a vieții noastre, făcându-și vocea tot mai auzită an de an.

— Disputele aprinse de astăzi se învârt în jurul religiei.

Secolul ăsta trebuia să fie mai religios decât cel anterior – cel puțin din punct de vedere demografic, fiindcă oamenii pioși aveau tendința să facă mai mulți copii decât cei laici. Dar în obsesia noastră față de conflictele religioase, politice și culturale, lăsam să ne scape o enigmă crucială: Dumnezeu. În timp ce altădată filosofii – și discipolii lor – se preocupau mai mult de ideea de Dumnezeu decât de religie, acum era invers. Chiar și dezbaterile teiste-ateiste, care deveniseră extrem de populare în cercurile intelectuale de pe ambele țărmuri ale Atlanticului, se axau mai mult pe politică, religie și situația din lume decât pe posibilitatea existenței lui Dumnezeu. Diminuându-ne capacitatea cognitivă de a pune întrebări existențiale și epistemologice despre Dumnezeu și rupând legătura cu filosofii din trecut, pierdeam latura divină a imaginației.

Peri a observat că cei mai mulți dintre studenți luau notițe, hotărâți să nu piardă un cuvânt. Ea se mulțumea doar să asculte.

— Prea mulți oameni suferă de B.C., a zis Azur. Știe cineva ce-i asta?

— Bulimie Cronică? și-a dat cu părerea Kevin.

— Bărbăție Crasă? s-a prins în joc Elizabeth.

Azur a zâmbit ca și cum s-ar fi așteptat la asemenea răspunsuri și a zis:

— Boala Certitudinii.

Certitudinea e pentru curiozitate același lucru ca soarele pentru aripile lui Icar. Când una strălucește cu putere, cealaltă nu poate supraviețui. Odată cu certitudinea vine aroganța; cu aroganța, orbirea; cu orbirea, întunericul; și cu întunericul, mai multă certitudine. A numit asta *natura conversă a convingerilor*. În timpul acelor cursuri nu aveau să fie siguri de nimic, nici măcar de programa seminarului, care era – ca orice altceva – supusă schimbării. Erau niște pescari ce își aruncau plasele întinse în oceanul cunoașterii. Până la urmă s-ar putea să prindă un pește-spadă, sau să se întoarcă cu mâna goală.

Erau și călători, tovarăși de drum, care trebuiau să ajungă într-un loc anume și poate că nu aveau s-o facă niciodată. Doar se străduiau, căutau. Pentru că, într-o lume de o complexitate iluzorie, numai atât e clar: sârguința e mai bună decât trândăvia, agerimea e preferabilă apatiei. Întrebările contează mai mult decât răspunsurile, curiozitatea e superioară certitudinii. Erau, pe scurt: „Învățăceii".

Boala Certitudinii, cu toate că era imposibil să scapi de ea o dată pentru totdeauna, puteai să ți-o închipui ca pe-o mantie pe care aveai libertatea s-o dai jos.

— O metaforă, de acord, însă nu tratați metaforele cu ușurință – ele îl schimbă pe vorbitor. Cuvântul vine, de altfel, din grecescul *metaphorá*, „a transfera".

I-ar plăcea ca de acum încolo, a spus Azur, să-și scoată toți mantia înainte să intre în clasă. Chiar și el, fiindcă era la fel de inclinat să poarte una.

— Gândiți-vă la ea ca la o haină veche și puneți-o în cui. De fapt, am atârnat deja una afară, pe ușă. Puteți să vă duceți să vedeți.

Studenților le-a luat un minut să-și dea seama că vorbea serios. Prima s-a ridicat Sujatha. A traversat încăperea, a deschis ușa și a ieșit pe hol. Când a văzut că pe ușă era într-adevăr un cui, s-a luminat la față. S-a prefăcut că are o mantie pe umeri și, scoțând-o, a atârnat-o acolo, apoi s-a întors la locul ei, triumfătoare. Unul câte unul, ceilalți studenți au imitat-o. La urmă a ieșit și profesorul Azur. După felul în care își flutura brațele în aer, mantia lui părea destul de grea. Când a scăpat de ea, s-a întors în clasă și a bătut din palme.

— Grozav! Acum, că ne-am eliberat de eurile noastre, măcar simbolic, haideți să ne punem pe treabă.

— De ce-am făcut asta? a întrebat Bruno clătinând din cap.

— Ritualurile sunt importante, nu le subestimați, a răspuns Azur. Religiile înțeleg lucrul ăsta. Dar ritualurile nu trebuie să fie neapărat religioase. La acest seminar o să avem propriile noastre practici comune.

A luat un marker și a scris pe tablă: DUMNEZEU-CUVÂNT.

— Civilizația așa cum o definim astăzi are o vechime de 6 000 de ani. Dar oamenii sunt pe pământ de mult mai mult timp – s-au descoperit cranii vechi de 290 de milioane de ani. Ce știm despre noi înșine e insignifiant în comparație cu ce mai avem de descoperit. Dovezile arheologice arată clar că, vreme de mii de ani, oamenii s-au gândit la un zeu sau la mai mulți în diverse forme – un copac, un animal, o forță a naturii sau o persoană. Apoi, într-un anumit moment în curgerea istoriei, s-a produs un salt imaginativ. De la un Dumnezeu-lucru tangibil, oamenii au trecut la un Dumnezeu-cuvânt. De atunci încolo nimic n-a mai fost la fel.

Azur s-a uitat în jur, observând că Peri era singura care nu lua notițe.

— Mă urmărești, istanbulito?

Străduindu-se să nu roşească sub privirea lui iscoditoare, Peri s-a îndreptat în scaun.

— Da, domnule.

Privirea lui deschisă şi încrezătoare a mai zăbovit asupra ei câteva clipe, de parcă s-ar fi aşteptat să spună altceva şi, nefăcând-o, Peri îl dezamăgise. Azur s-a adresat apoi tuturor.

— Dacă v-aş zice că Dumnezeu aşteaptă în spatele uşii, nu-L puteţi - sau n-O puteţi - vedea, dar Îi puteţi auzi glasul, ce aţi vrea să vă spună? Nu vouă ca reprezentanţi generici ai umanităţii, ci vouă în persoană - numai şi numai vouă.

— Mi-ar plăcea să-mi spună că mă iubeşte, a zis Adam.

— Mda, că mă iubeşte şi că se bucură că Îl iubesc şi eu, a zis Kimber.

— Că mă iubeşte..., au repetat alţi câţiva folosind cuvintele lor.

— Că e de acord cu mine - toată vorbăria asta despre El e o prostie, a zis Kevin.

— Stai puţin, Dumnezeu nu-ţi poate spune asta decât dacă există, l-a apostrofat Avi. Te contrazici.

Kevin s-a încruntat.

— Doar mă prind şi eu în jocul vostru stupid.

Era rândul Monei.

— Aş vrea aud de la Allah că raiul există... că oamenii buni se află acolo şi că pacea şi iubirea vor înflori, *inshallah*.

Azur s-a întors către Peri - atât de repede încât ea n-a avut timp să-şi ferească privirea şi s-a trezit că îi este imposibil să-şi desprindă ochii de ai lui.

— Dar tu? Tu ce-ai vrea să-ţi spună Dumnezeu, Peri?

— Aş vrea să-şi ceară scuze, a răspuns ea.

Nu avea idee de unde scosese chestia aia, însă n-a făcut nici o încercare să-şi reţină cuvintele.

— Să-şi ceară scuze..., a repetat Azur. Pentru ce?

— Pentru toate nedreptăţile, a zis Peri.

— Te referi la nedreptăţile făcute ţie sau lumii?

— Amândouă, a răspuns Peri, mai calm decât avusese de gând.

Afară, o frunză singuratică din bătrânul stejar s-a răsucit pentru ultima oară în bătaia vântului și a căzut pe pământ. Înăuntru, studenții erau așa de atenți, că tăcerea părea aproape palpabilă.

Și în liniștea aceea, Azur a exclamat:

— Dreptate! Ce cuvânt ciudat. Dreptate din perspectiva a ce sau a cui? Cei mai mari fanatici din istorie au săvârșit cele mai mari nedreptăți în numele dreptății. (Glasul lui Azur s-a înăsprit.) După cum puteți vedea, din discuția noastră au ieșit la iveală două feluri de a-L aborda pe Dumnezeu – îi mulțumim lui Kevin că s-a prins în joc. Primul Îl asociază pe Dumnezeu cu iubirea. Căutându-L pe Dumnezeu, căutăm de fapt iubire. Al doilea, al lui Peri, Îl asociază pe Dumnezeu cu dreptatea.

Peri a simțit că se sufocă. Ea își deschisese inima, iar acum Azur luase un scalpel și o diseca în fața tuturor. Dacă nu avea pic de îngăduință pentru părerile ei, de ce o mai încurajase să vorbească de la bun început? Pe deasupra, cum îndrăznea s-o acuze că ar fi o potențială fanatică? Era ultimul lucru de care ar fi putut-o acuza. Ea, fiica tatălui ei, o fanatică!

Azur n-a auzit nici unul dintre aceste proteste tăcute. A arătat cu degetul spre Peri.

— Ai grijă cu „dreptatea" aia mare și tare! Se prea poate ca oamenii cu genul ăsta de idei să facă din lume un loc mai rău. Toți fanaticii au în comun un lucru: trăiesc în trecut. Ca tine!

Cursul s-a terminat curând. Peri n-a auzit ultimele minute. Mintea îi era în altă parte, capul îi zvâcnea. Nu se putea mișca sau uita la cineva de teamă că o să se vadă cât e de rănită. După ce a plecat toată lumea, chiar și Azur, a rămas singură cu Mona.

— Hei, Peri, a zis prietena ei punându-i o mână pe umăr. Știu că a fost dur cu tine. Nu-l băga în seamă, pe bune.

Peri a plecat capul, simțind că îi dau lacrimile.

— Nu înțeleg. Mi se părea extraordinar. Shirin îmi repeta întruna cât de extraordinar este. Dar e așa de...

— Încrezut, a zis Mona încercând să-i vină în ajutor.

Au ieşit împreună din clasă.

— Poţi să renunţi la seminar, ştii doar, a liniştit-o prietena ei. Adică, dacă te calcă pe nervi.

— Da, a zis Peri trăgându-şi nasul. Probabil că am s-o fac. Îl urăsc!

*

Peri n-a dormit bine în noaptea aia. Mintea ei, împovărată în toţi acei ani cu atâtea griji şi temeri, revenea întruna la unul şi acelaşi gând. Oricât ar fi încercat, nu se putea opri să se gândească la Azur. Zărise o latură neplăcută a caracterului său, pe care o ascunsese până atunci, aşteptând momentul potrivit ca să lovească, sau toată treaba aia era felul lui de a-i arăta că îi pasă de ea şi de progresele ei intelectuale?

Dimineaţă i-a văzut pe Mona şi pe Bruno la cafenea, stând la capetele opuse ale mesei, cu nişte feţe încordate pe care se citea ceva vecin cu duşmănia. Azur îi rugase să colaboreze la următoarea temă şi să-şi petreacă o noapte lucrând împreună în bibliotecă. *Împărţiţi mâncarea, împărţiţi ideile.* O făcea special: îl silea pe Bruno, care nu-şi ascunsese niciodată aversiunea faţă de musulmani, să facă echipă cu Mona, care era întotdeauna foarte sensibilă când venea vorba de religia ei. Ce nu părea să înţeleagă Azur era că planul lui de-a dezvolta o relaţie între ei, oricât de nobil ar fi părut, nu funcţiona. Amândoi erau supăraţi.

Peri nu mai avea deja nici o îndoială că nimic nu era accidental la seminarele lui Azur. Totul fusese plănuit şi orchestrat cu cea mai mare meticulozitate. Fiecare student era un pion pe o tablă imaginară, într-un joc pe care îl juca împotriva lui însuşi. Obrajii îi luau foc doar la gândul că şi ea era un simplu pion. Îl detesta pentru asta.

O zi mai târziu, Peri a găsit alt bilet în căsuţa ei poştală.

Lui Peri,

Fata care îi citește pe Emily Dickinson și Omar Khayyam și care ia totul foarte în serios; fata care nu-și poate lăsa țara în urmă și o poartă cu ea oriunde se duce; fata care se ceartă nu atât cu alții, cât cu ea însăși; fata care e cel mai dur critic al ei; fata care așteaptă ca Dumnezeu să-și ceară scuze în timp ce ea își cere scuze de la semenii ei fără să fie nevoie...

Probabil îți închipui că sunt un om îngrozitor și te gândești să renunți la seminar. Dar, dacă lași totul baltă acum, n-o să afli niciodată dacă bănuielile tale sunt adevărate. Oare căutarea Adevărului nu e un imbold suficient ca să continui?

Peri, nu renunța. Nu uita, să ai curajul „să te cunoști pe tine însuți" înseamnă „să te distrugi pe tine însuți". Mai întâi trebuie să ne facem bucăți. Și abia apoi să asamblăm aceste bucăți într-un nou Eu.

Ce contează e să crezi în ce faci.

Cu biletul îndesat în buzunar, Peri și-a pus adidașii ca să iasă la alergat. Inspirând adânc, și-a tras fermoarul hanoracului până sub bărbie și a pornit. O dureau mușchii; încheieturile înțepenite și dureroase îi trosneau. Pe când alerga prin aerul dimineții, doldora de mirosuri de pământ reavăn și frunze uscate, a lăsat să-i scape o înjurătură. Ce jigodie arogantă! Cine se credea? Să-l ia naiba!

Da, pentru prima oară în viață, Peri a înjurat cu toată gura, simțind fiecare cuvânt ca pe un grăunte de sare pe limbă în vântul înghețat. De ce nu mai făcuse asta până atunci? Să înjuri și să alergi – o combinație grozavă. Delicioasă. Care te face să te simți puternic.

Profeția

Istanbul, 2016

O tăcere electrizată se lăsă ca o boltă deasupra mesei în timp ce invitații așteptau să apară mediumul. Prin ușa deschisă, o auzeau pe gazdă urându-i bun venit cu o voce ca un clinchet de clopoței de sticlă.

— Pe unde umbli?!

— Traficul ăsta! E un coșmar! izbucni un glas de bărbat ascuțit și nazal.

— Parcă n-am ști, zise femeia de afaceri. Vino, dragul meu, înăuntru sunt niște oameni care mor de curiozitate să te cunoască.

Câteva clipe mai târziu, mediumul își făcu apariția, îmbrăcat în pantaloni închiși la culoare, cămașă albă și o vestă de brocart, cu model *paisley* turcoaz cu auriu, desprinsă parcă dintr-o altă epocă. Obrajii îi erau acoperiți de tuleie răzlețe, care se putea prea bine să-i fi crescut în drum spre petrecere. Ochi mici și apropiați, față colțuroasă pe care o sublinia un nas îngust și ascuțit și o urmă de bărbie, toate dându-i înfățișarea unei vulpi în căutare de pradă.

— Ce de invitați! exclamă el intrând degajat. O să fiu silit să campez aici dacă vreți toți să vă citesc viitorul.

— Chiar te rog, îl pofti femeia de afaceri.

— Doar doamnele, zise omul de afaceri din colțul lui. (În ce-l privea, nimic nu putea fi mai plictisitor decât să asculți cum li se prezice altora viitorul. Lui îi plăcea să-și construiască singur viitorul. Voia să discute în particular cu directorul de bancă în timp ce nevastă-sa își vedea de aiurelile ei.) De ce nu vă mutați pe sofale, doamnelor? O să stați mai comod, le propuse el.

Supusă, femeia de afaceri îi conduse pe medium și pe doamne spre sofalele de piele. Îi făcu semn unei servitoare să se apropie:

— Adu-i noului nostru invitat...

— Un ceai fierbinte e de-ajuns, zise mediumul.

— Ce? Prostii! Trebuie să bei ceva. Insist.

— Când îmi termin treaba, răspunse mediumul. Acum paharul trebuie să-mi fie limpede, ca și mintea.

Peri, care auzise discuția, își zise: *Ceaiul nu e tocmai limpede. Cum nu e nici omul ăsta.* Între timp, bărbații se adunaseră sub o instalație de artă – o sculptură de perete reprezentând un pește preistoric uriaș, cu buzele rujate și cu un fes otoman cu ciucuri. Eliberați în sfârșit de compania aleasă a femeilor, puteau să înjure după pofta inimii și să-și fumeze trabucurile fără să se gândească întruna în ce parte să sufle fumul. Omul de afaceri îi făcu semn aceleiași servitoare.

— *Evladim**, adu-ne coniac și migdale.

Peri se ridicase de la masă odată cu toată lumea, dar rămase în mijlocul salonului. Era nehotărâtă, ca întotdeauna în astfel de situații. Detesta separarea pe genuri obișnuită la reuniunile sociale din Istanbul. În familiile conservatoare, separarea atingea asemenea proporții, încât bărbații și femeile puteau să stea o seară întreagă fără să schimbe un cuvânt, strânși în părți diferite ale casei. Cuplurile se despărțeau la sosire și se întâlneau din nou abia la sfârșitul serii, înainte să iasă pe ușă.

Nici măcar cercurile emancipate nu excludeau acea practică. După cină, femeile se adunau laolaltă de parcă ar fi avut nevoie de căldura, alinarea și încrederea pe care și-o ofereau reciproc. Stăteau de vorbă despre o grămadă de subiecte, schimbând tonul la unison: vitamine, suplimente și rețete fără gluten; copii și școli; Pilates, yoga și fitness; scandaluri publice și bârfe private... Discutau despre celebrități de parcă ar fi fost prietene cu ele și despre prietenele lor de parcă ar fi fost niște celebrități.

Cât despre Peri, în general prefera discuțiile cu bărbații celor cu femeile, în ciuda faptului că subiectele primelor tindeau să

---

* Copila mea (tc.) (n.a.).

fie mai sumbre. Altădată se alătura automat bărbaților și se prindea în glumele lor pe orice temă: economie, politică, fotbal... Nu-i deranja prezența ei, privind-o pe jumătate ca pe una de-a lor, deși nu vorbeau niciodată despre sex când era prin preajmă. Purtarea ei atrăgea atenția, dacă nu chiar mânia, celorlalte femei. Observase cu uimire că unele soții se simțeau stingherite că stătea lângă bărbații lor. Treptat, a renunțat la mica ei revoltă – alt sacrificiu pe altarul convenției.

Acum nu simțea nevoia de companie, nici masculină, nici feminină, voia doar să fie singură. Se strecură tiptil afară pe terasă. Un vânt rece dinspre mare o făcu să tremure. Simți mirosul lăsat de reflux. Peste Bosfor, în partea asiatică a orașului, cerul devenise de un albastru plumburiu. Din apă se ridicau fuioare subțiri de ceață ce aminteau de niște fâșii de muselină. În depărtare, un vas de pescuit se pregătea să ridice ancora. Se gândi la pescari, oameni aspri și tăcuți, vorbind în șoaptă ca să nu sperie peștii, cu privirea ațintită la apele care le dăruiau pâinea cea de toate zilele. O parte din ea tânjea să fie acolo, pe vasul acela, în tăcerea aceea plină de speranță.

Chiar atunci, de parcă și-ar fi bătut joc de dorințele ei, sirenele poliției străpunseră văzduhul în partea europeană a orașului. Pe când ea stătea acolo, admirând peisajul, cineva era bătut, altcineva – împușcat, altcineva – violat... și, da – chiar în acel moment – cineva se îndrăgostea în Istanbul.

Ținea în mâna stângă telefonul soțului ei. Strângând mai tare carcasa metalică, Peri se hotărî. Nu mai vorbise cu Shirin de ani de zile. Era foarte posibil să-și fi schimbat numărul. Sau, chiar dacă era corect, nu avea nici o garanție că Shirin ar vrea să-i vorbească. Dar dorința de-a încerca, orice-ar fi, era prea puternică să-i țină piept. Acum, că lăsase trecutul să se strecoare în prezent, era copleșită de sentimente de regret.

Butonând telefonul, Peri a derulat în sus și în jos lista de contacte. Degetul mare i s-a oprit la un nume familiar: Mensur. Alături de care scria – „*baba*“. Ritualurile căsătoriei – părinții soțului / soției devin automat părinții tăi, ca și cum trecutul altcuiva – toți anii aceia de iubire, neînțelegere și frustrare – ar putea, într-o singură zi și cu o simplă semnătură, să fie transferați. Soțul ei nu ștersese din telefon numele lui Mensur, care murise fără veste. Poate ăsta e primul semn că îmbătrânești – să le permiți prietenilor morți și rudelor moarte să-și continue existența virtuală neștergându-le numele din agendă. Fiindcă într-o zi o să ajungi și tu un astfel de nume și un astfel de număr.

Peri tastă numărul pe care i-l trimisese maică-sa. Așteptă, în timp ce tăcerea telefonului se prelungea; secunda aceea în care nu știi dacă ți se răspunde sau sună ocupat; îndoiala trecătoare ce precede orice convorbire internațională.

— Peri, vii?

Se întoarse, cu mobilul încă lipit de ureche. Adnan scosese capul afară, sprijinindu-se de canat, cu un pahar cu apă în mână. Chiar dacă, în cea mai mare parte a căsniciei lor, Peri se simțise ușurată să vadă că nu era și n-avea să fie vreodată un bețiv, existau momente în care își dorea să-și piardă controlul din când în când, să facă greșeli pe care să le regrete a doua zi.

— Lumea se întreabă unde ești, zise Adnan.

În clipa aia telefonul începu să sune peste mări și țări, în Anglia, într-o casă foarte diferită de cea în care se aflau, își imagină ea.

— Vin într-un minut, răspunse Peri.

Adnan dădu din cap și o umbră îi străbătu chipul.

— OK, dragă. Nu întârzia prea mult.

Îl privi răsucindu-se pe călcâie și îndreptându-se spre mulțime, care părea mai gălăgioasă și mai veselă decât atunci când ieșise ea pe terasă. Numără: unu, două, trei... Un clic. Tresări violent în timp ce-și încorda auzul să prindă vocea lui Shirin. Era într-adevăr vocea ei, însă cumva rece, mecanică. Mesajul de la căsuța ei vocală.

„Bună, ați sunat la Shirin. Îmi pare rău, dar nu sunt acasă acum. Dacă aveți lucruri drăguțe de spus, vă rog să lăsați un mesaj după semnalul sonor. Dacă nu, vorbiți înainte de semnal și nu mai sunați niciodată!“

Peri închise instantaneu. Ura să lase mesaje, ura tonul lor prietenesc prefăcut. Dar imediat sună din nou și de data asta lăsă un mesaj.

„Bună, Shirin... sunt eu, Peri." (Își auzea glasul pierit.) „S-ar putea să nu vrei să vorbești cu mine, nu te învinovățesc. Au trecut atâția ani..." (Înghiți în sec, simțindu-și gura uscată ca iasca.) „Trebuie să vorbesc cu Azur. Trebuie să știu ce mai face, dacă m-a iertat..."

Un bip. Ecranul s-a întunecat. Peri a rămas nemișcată, cântărind implicațiile cuvintelor care îi ieșiseră, aproape din propria lor voință, din gură. Lucru ciudat, nu simțea nici o apăsare. Mintea ei nu mai era o orchestră de angoase, presupuneri și dorințe înăbușite. O făcuse. O sunase pe Shirin. Oricare ar fi fost rezultatul, era pregătită să facă față. Simți noaptea – nu ca pe o forță exterioară, ci ca pe una lăuntrică – crescând în pieptul ei, arzându-i plămânii, clocotindu-i prin vene, nerăbdătoare să se manifeste. *Nu te simți niciodată mai ușor*, se gândi, *ca atunci când învingi o frică pe care o porți de mult în suflet.*

Limuzina

Oxford, 2001

În miezul iernii, Shirin a intrat în camera lui Peri trăgând după ea un troler roz. Pleca acasă în vacanța de Crăciun să-și vadă familia. Toată lumea pleca acasă: studenții, profesorii, stafful colegiului. Toată lumea în afară de Peri, pentru care – depășindu-și cu mult bugetul pentru acel trimestru – era prea târziu să cumpere un bilet de avion ieftin, așa că se resemnase să rămână la Oxford în perioada vacanței.

— Ești sigură că nu vrei să vii cu mine la Londra? a întrebat-o Shirin, probabil pentru a zecea oară.

— Sunt sigură. O să fiu bine aici, a răspuns Peri.

De fapt, n-avea să fie chiar „aici". La Oxford, studenții trebuiau să elibereze camerele pe durata vacanțelor, pentru ca dotările colegiului să poată fi folosite de participanți la conferințe sau de turiști. Celor ca ea, nevoiți să rămână, colegiul le punea la dispoziție alte variante de cazare, provizorii și mai modeste.

Shirin a făcut un pas spre Peri, uitându-se stăruitor în ochii ei.

— Uite ce-i, Șoarece, vorbesc serios. Dacă te răzgândești, sună-mă. Mamei i-ar face plăcere să te cunoască. E încântată când îmi aduc prietenele acasă – se poate plânge de mine ore în șir. Avem o familie de tot rahatul. Ne sfâșiem unii pe alții, dar cu străinii suntem numai lapte și miere. O să fim drăguți cu tine.

— Promit că te sun dacă mă simt prea singură, a zis Peri.

— OK. Ține minte, când mă întorc, ne mutăm. E timpul să ne așezăm la casa noastră.

Peri sperase pe jumătate că Shirin avea să uite de asta, însă era clar că nu uitase. Nenumărați studenți din Oxford urmaseră același drum: la început le plăcuse intimitatea vieții de colegiu, unde totul era destul de ușor cu servitorii, sala de mese, biblioteca și încăperile comune; apoi li se păruse tot mai sufocantă; strânseseră un mic grup de posibili colegi de apartament și în anul al doilea se mutaseră. Mulți erau oricum nevoiți să facă asta, fiindcă colegiile lor nu puteau oferi locuri de cazare pentru toți studenții.

Până acum, de câte ori Shirin adusese vorba despre asta, Peri refuzase politicos, însă hotărât. Dar Shirin, ca întotdeauna, părea neobosită, entuziasmul ei era aproape molipsitor. Arătându-i pozele pe care i le prezentase un agent imobiliar, o asigurase că pentru ea nu conta dacă plătea un pic mai mult în fiecare lună. În schimb, avea să câștige un spațiu numai al ei și liniște sufletească. Totuși, fiindcă ura singurătatea și nu ar fi putut închiria un apartament în care să stea singură, dacă Peri i-ar accepta propunerea, ea i-ar rămâne îndatorată, nu invers.

— O să mă gândesc, îi răspunsese Peri stânjenită.

— N-ai la ce să te gândești. Viața de colegiu e pentru boboci. Singurii care rămân aici sunt timizii, care n-au curajul să facă mișcarea asta, și... tocilarii.

— Sau cei care n-au bani.

— Bani? zisese Shirin cu genul de dispreț pe care îl rezerva oamenilor nesuferiți sau neplăcerilor inevitabile precum conductele sparte și gunoiul neridicat. Asta ar trebui să fie cea mai mică grijă. Las-o în seama mea.

Din când în când, Shirin dăduse de înțeles, deși n-o spusese niciodată deschis, că familia ei e înstărită. Sigur, trecuse și ea prin destule greutăți în viață, dar lipsa banilor nu se numărase vreodată printre ele. Peri își închipuise că, de fapt, casa ei dărăpănată și cu acoperișul numai găuri din Londra nu era deloc așa. Shirin se oferea să plătească ea chiria. Tot ce trebuia să facă Peri era să-și pună cărțile și hainele în câteva cutii și s-o urmeze în această nouă aventură.

— OK, scumpo, trebuie să plec. (Shirin a sărutat-o pe obraji, învăluind-o într-un nor de parfum.) Un An Nou fericit! Abia aştept să trecem în 2002! Presimt că o să ne distrăm de minune.

Peri a luat sticla cu apă de pe masă şi a condus-o pe prietena ei până în holul de la intrare.

Portarul-şef stătea în poziţie de drepţi lângă uşă. Fost ofiţer în armată, părea să-i ştie pe toţi studenţii după nume.

— Vacanţă plăcută, Shirin, ne vedem la anul, a zis el vesel. Şi ţie, Peri.

Lui Peri i s-a părut că simte mai multă căldură în glasul lui când a salutat-o pe ea. Probabil că îi părea rău pentru ea. Era singura studentă care nu pleca acasă.

Afară aştepta o limuzină neagră cu şofer. Privind-o pe Shirin cum se îndepărtează pe tocurile ei înalte şi se clatină uşor trăgând trolerul după ea, Peri s-a simţit sfâşiată de emoţii contradictorii. Dacă împărţea aceeaşi casă cu Shirin risca să se simtă şi mai intimidată de personalitatea puternică a prietenei sale. În plus, chiar voia să-i fie datoare lui Shirin - sau oricui? Şi totuşi, n-ar fi fantastic să aibă casa lor?

Când maşina a pornit, Peri a aruncat apa în urma ei, după tradiţia turcească: *Du-te ca apa şi ca apa să te-ntorci,* prietena mea.

Fulgul de nea

Oxford, 2001

Se apropiau sărbătorile, cu frenezia lor. Peri, care era obișnuită cu petrecerile de Anul Nou mult mai liniștite din Istanbul, a fost mai întâi uimită, apoi amuzată să vadă pregătirile elaborate – străzi împodobite cu bolți de instalații sclipitoare, magazine dând pe dinafară de produse de sezon, colindători cu felinare care străluceau ca licuricii în întuneric.

Oxfordul părea lipsit de viață fără studenți; stând singur acolo de Crăciun, te simțeai de două ori mai străin – chiar și Peri, căreia îi plăcea de obicei să fie singură, se simțea așa. În fiecare zi mânca singură la un restaurant chinezesc cu doar trei mese. Mâncarea era bună, însă ciudat de eterogenă. Poate că bucătarul avea o tulburare bipolară, s-a gândit ea, și schimbările lui bruște de dispoziție se reflectau în felurile de mâncare. În unele zile i se făcea rău după masă.

S-a întors la slujba ei part-time de la Two Kinds of Intelligence. Proprietarii i-au spus că de ani de zile încercau diferite feluri de-a decora vitrina ca să atragă clienții în perioada vacanței – un om de zăpadă stând într-un fotoliu și citind o carte, șiraguri de litere atârnând din tavan. De data asta voiau ceva diferit.

— Ce ziceți de un Pom de Crăciun cu cărți interzise? a propus Peri.

La fel ca Pomul Cunoașterii, încărcat cu fructe interzise, al lor avea să fie doldora de cărți interzise undeva în lume.

Ideea le-a plăcut destul de mult ca să-i încredințeze ei sarcina de-a decora vitrina. Absorbită, Peri a așezat un brad argintiu în mijlocul vitrinei. De crengile lui a atârnat *Alice în Țara*

Minunilor, 1984, Catch-22, Minunata lume nouă, Amantul doamnei Chatterley, Lolita, Prânzul dezgolit, Ferma animalelor... Numai lista cărților interzise în Turcia era atât de lungă, încât a trebuit să le consacre mai multe crengi și tot n-a fost de ajuns. Kafka, Bertolt Brecht, Stefan Zweig și Jack London se întâlneau cu Omar Khayyam, Nâzım Hikmet și Fatima Mernissi. Pe toate crengile a așezat cartonașe fosforescente pe care scria „Interzisă", „Cenzurată", „Arsă".

Și mintea i s-a întors în timp la un alt Crăciun – trebuie să fi avut vreo zece-unșpe ani – când Mensur adusese acasă un pom de plastic. Nici un vecin nu avea așa ceva, deși fiecare magazin expunea în vitrină un brad împodobit.

Pe când îl căra de la intrare până în colțul unde hotărâseră să-l pună, pomul lăsa să-i cadă o mulțime de ace de plastic, întocmai ca băiatul din poveste care presăra în urma lui firimituri de pâine ca să găsească drumul înapoi spre casă. Fără să le pese, Peri și Mensur îl decoraseră bucuroși – cu beteală argintie, aurie și albastră. Cum nu aveau alte ornamente, s-au apucat să facă singuri: nuci pictate, conuri de brad date cu spray, capace de sticle și animale de plută. Toate ornamentele din bradul lor păreau ieftine și țipătoare, însă pentru ei nu existau altele mai frumoase.

Când s-a întors de la comisioanele ei, Selmei i-a căzut fața.

— De ce era nevoie de chestia asta?

— Trecem într-un an nou, a răspuns Mensur, deși era greu de crezut că soția lui nu-și dăduse seama.

— E un obicei de Crăciun, a insistat Selma.

— N-avem dreptul la nici un strop de bucurie? a zis Mensur dând ochii peste cap. Crezi că Dumnezeu n-o să mă mai iubească dacă mă distrez și eu puțin?

— De ce să te iubească dacă nu faci nimic să-I fii pe plac? a replicat Selma.

Dându-și seama că taică-su cumpărase coniferul care stârnea atâtea discuții ca să-i facă ei o bucurie, Peri s-a simțit vinovată pentru tensiunea ce plutea în aer. Trebuia să găsească o cale să îndrepte lucrurile. Așa că în noaptea aceea a așteptat până s-a culcat toată lumea și și-a pus planul în aplicare, stând trează până în zori.

A doua zi dimineață, când au intrat în living, soții Nalbantoğlu au găsit un brad decorat în cel mai ciudat mod cu putință. Prețioasele mătănii, pisici de porțelan și văluri de mătase ale Selmei, cele din urmă tăiate în fâșii, îi împodobeau crengile. Chiar în vârf era o mică moschee de alamă, iar alături – echilibrată cu grijă – o carte de hadith-uri.

— Vezi? Nu mai e creștin, a zis Peri, radioasă.

Lumea a părut să se oprească în loc în timp ce aștepta reacția maică-sii. Selma a rămas cu gura căscată, pe jumătate îngrozită, pe jumătate nevenindu-i să creadă, apoi a dat să spună ceva. Dar n-a apucat să scoată vreun cuvânt, că Mensur, în picioare în spatele lor, a început să râdă în hohote ce îi scuturau umerii. Când l-a auzit râzând, Selma s-a întunecat la față și a ieșit din încăpere.

Nici până în ziua de azi, Peri nu aflase ce avea de gând să spună maică-sa și ce credea într-adevăr despre Pomul ei de Crăciun Islamic.

*

Cu o zi înainte de ajunul Anului Nou, Peri era din nou la librărie. În afară de o femeie în vârstă, care intrase mai degrabă să se încălzească, nu erau alți clienți. Proprietarii plecaseră în vizită la un prieten și restul angajaților își luaseră liber.

Peri a șters praful de pe rafturi, a făcut cafea, a măturat, a aranjat mai bine fotoliile puf, a verificat stocurile – în largul ei într-un loc pe care ajunsese să-l iubească. Terminându-și treburile, a luat o carte de A.Z. Azur și s-a ghemuit într-un fotoliu, strângând mai multe perne în jurul ei. Descoperise în librărie toate cărțile publicate de el: nouă la număr, cu titluri atractive și supracoperți cu motive geometrice. Cifrele arătau că se vând destul de bine. Acum citea una dintre primele lui cărți: *Ghidul perplexității*.

Femeia în vârstă s-a îndreptat, târșâindu-și picioarele, spre scaunul din fața lui Peri și s-a așezat. Curând, pleoapele i-au căzut, a plecat capul și a adormit. Peri a adus o pătură de sub tejghea și a învelit-o cu grijă. Timpul se lungea și încetinea, un mister lipicios, ca rășina de pin de la coniferele din Anatolia. Senzația că universul este plin de posibilități punea stăpânire pe mintea ei ca un drog amețitor. Printre acele tomuri pe care își dorea să le citească, cu cartea lui Azur – pe jumătate provocatoare, pe jumătate mângâietoare – ca să-i țină de urât, Peri se simțea mai liniștită decât se simțise de ani de zile. Adevărat, încă era supărată pe el, însă nu putea rămâne supărată pe cărțile sale. Și nu încetase să se gândească la seminarul lui. Nu fusese în stare.

Abia terminase un capitol, când ușa librăriei s-a deschis cu un clinchet al clopoțelului de alamă. O rafală de vânt rece s-a năpustit înăuntru odată cu nimeni altul decât profesorul Azur, într-o haină neagră lungă și cu o eșarfă de culoarea șofranului care ar fi stârnit invidia oricărui călugăr budist. O pălărie de catifea care abia dacă-i îmblânzea buclele rebele îi completa aerul elegant.

— Putem intra? a spus, fără să se adreseze cuiva anume.

Când s-a ridicat și s-a repezit spre ușă, prinzându-și un deget de la picior într-o crăpătură din podea, Peri și-a dat seama ce voia să spună prin „noi". Lângă el stătea un collie flocos, cu botul ascuțit și blana lungă în trei culori: negru, alb și mahon.

Azur și-a arcuit sprâncenele.

— Bună, Peri. Ce surpriză! Ce faci aici?

— Lucrez la librărie, part-time.

— Splendid! Deci, ce facem cu Spinoza?

— Cum?

— Câinele meu, a lămurit-o el. E prea frig să-l las afară.

— A, OK, puteți să-l aduceți înăuntru, a zis Peri, însă apoi, amintindu-și că proprietarii nu puteau suferi câinii, s-a răzgândit. Ăăă... Spinoza... v-ar putea aștepta lângă ușă?

Dar profesorul Azur era deja în mijlocul librăriei, cu câinele pe urme, amândoi ţinând capul sus şi privirea înainte, ca două hieroglife egiptene.

— N-am mai fost pe aici de ceva vreme, a zis Azur cercetând încăperea. Locul s-a schimbat. Pare mai mare - şi mai luminos.

— Am rearanjat unele lucruri şi am scăpat de mobila greoaie, a răspuns Peri.

S-a uitat cum Spinoza a adulmecat prin preajmă şi apoi s-a aşezat pe cel mai moale fotoliu puf, cu blana măturând podeaua. Dacă profesorul i-a observat stânjeneala, n-a dat nici un semn. Unduindu-şi glasul în felul său caracteristic, trecuse deja la alt subiect.

— Apropo, îmi place Pomul cu Cărţi Interzise. Bună idee.

Peri s-a simţit mândră. Şi-ar fi dorit să-i poată spune că era ideea ei, însă nu voia să pară că se laudă. A spus, în schimb, primul lucru care i-a venit în minte.

— Căutaţi o carte anume?

— Nu, a răspuns Azur. Agenta mea de publicitate m-a rugat să trec şi să semnez câteva cărţi. I-am promis s-o fac. (Ochii i-au căzut pe fotoliul pe care stătuse Peri.) Asta mi se pare cunoscută. O citeşti?

Peri s-a mutat de pe un picior pe celălalt.

— Da, acum am început-o.

Azur a aşteptat să umple ea tăcerea. Peri a aşteptat la rândul ei, de parcă n-ar fi descoperit încă limba în care puteau comunica într-adevăr. În cele din urmă a zis, arătând spre masă:

— De ce nu luaţi loc, vă rog? Mă duc să caut cărţile.

Erau atât de multe. Aveau în stoc şapte titluri. Celelalte două fuseseră comandate din nou. Cum din fiecare titlu existau zece-cincisprezece exemplare, erau destule cărţi ca să construieşti un mic turn. Profesorul Azur şi-a tras un scaun, şi-a dat jos haina, a scos un stilou şi s-a pus sârguincios pe semnat. Peri i-a adus cafea şi şi-a făcut de lucru într-un colţ de unde putea să-l supravegheze.

Pe la jumătatea teancului, Azur s-a oprit și i-a aruncat o privire întrebătoare pe deasupra ochelarilor:

— De ce nu-ți petreci Anul Nou în familie?

— N-am putut să mă duc până acolo, a răspuns Peri dând nonșalant dintr-o mână, de parcă Istanbulul ar fi fost chiar după ușă. Dar e OK, Crăciunul nu înseamnă mare lucru pentru noi.

O privire insistentă, pătrunzătoare.

— Vrei să spui că nu ești tristă că nu ți-ai putut petrece sărbătorile în familie?

— Nu asta am vrut să spun. (Deși îl cunoștea de luni de zile, încă avea impresia că se preface dinadins că n-o înțelege.) Doar că sărbătorile astea sunt mai importante pentru studenții creștini.

A tăcut. Spusese ceva greșit? Era mereu atentă la cuvinte, de parcă ar fi mers pe gheață, oprindu-se din când în când să verifice dacă nu se spărsese sub picioarele ei.

El o studie cu o licărire stranie în ochi, care părea să vadă până în adâncul ei.

— Părinții tăi sunt musulmani practicanți?

— Mama și unul din frații mei sunt, a răspuns Peri. Dar tatăl și celălalt frate - nu.

— A, ce dezbinare, a zis Azur cu glasul triumfător al cuiva care găsise o piesă de puzzle rătăcită ce fusese tot timpul sub ochii lui. Lasă-mă să ghicesc. Ești mai apropiată de tatăl tău și de fratele mai mare.

Peri a înghițit în sec.

— Mhm, da, e adevărat.

Dând din cap, el s-a întors la cărțile lui.

— Dar dumneavoastră? a întrebat Peri într-o doară. Vreau să zic, petreceți sărbătorile în familie?

A părut să nu audă întrebarea și a continuat să semneze cărțile, iar ea nu a îndrăznit s-o repete. Vreo câteva minute, singurele zgomote din librărie au fost fornăitul collie-ului adormit, sforăitul femeii în vârstă, ticăitul unei pendule și scârțâitul stiloului său pe hârtie. L-a văzut cum strânge din dinți cu hotărâre, cum privește în gol câteva clipe. Totul la el părea trecător, evanescent, în mișcare. Fără trecut, fără viitor, doar momentul prezent, care trecea deja.

A luat o gură de cafea.

— Acum Spinoza e familia mea.

Acum. Felul în care a rostit cuvântul a făcut-o să se simtă ca și cum ar fi deschis cu greutate un capac de care nu avea dreptul să se atingă și ar fi zărit tristețea dinăuntru.

— Îmi pare rău, a zis.

Stiloul s-a oprit.

— Hai să facem un pact, a spus Azur. Deja ți-ai cerut scuze de la mine de atâtea ori, că de acum înainte, chiar dacă faci ceva îngrozitor, nu vreau să te mai aud cerându-ți scuze. Promiți?

Peri simțea cât de tare îi bate inima în cușca pieptului, deși nu înțelegea prea clar de ce – i se părea un pact oarecum nepotrivit. Totuși n-a ezitat.

— Promit.

— Bun! (Terminând de semnat teancul de cărți, s-a ridicat.) Mulțumesc pentru cafea.

— O să pun etichete pe cărți, a zis ea. „Exemplare semnate"

— Mulțumesc, a zis el zâmbind.

S-au îndreptat spre ușă, profesorul cu părul lung și collie-ul cu blana lungă, trupurile lor emanând o armonie desăvârșită de atâția ani de prietenie.

Cu mâna pe mânerul ușii, Azur s-a oprit și, întorcându-se, s-a uitat la ea.

— Știi ce? Dăm o mică petrecere, nimic protocolar, doar câțiva prieteni vechi, colegi, asistenți, dintre care unul e cam de aceeași vârstă cu tine. S-ar putea să fie plăcut, s-ar putea să fie plictisitor, însă n-ar trebui să fii singură în ajunul Anului Nou. Anglia are un fel aparte de a-i face pe străini să se simtă palpitant de liberi și deprimant de singuri. Ai vrea să ni te alături?

Până să se gândească ea la un răspuns, își scosese deja carnețelul, rupsese o pagină și scrisese adresa și ora.

— Uite, gândeşte-te la asta, fără nici o presiune. Dacă ai chef să vii, treci pe-acolo. Nu aduce nimic. Nici flori, nici vin, nici rahat turcesc, doar pe tine.

A deschis uşa şi a ieşit. Începuse să ningă. Fulgii se învârtejeau în bătaia vântului, fără ţintă sau direcţie, de parcă s-ar fi ridicat în spirale de la pământ în loc să cadă din cer. Oxfordul semăna cu un orăşel dintr-un glob de zăpadă.

— Fantastic! a exclamat Azur pentru câinele lui, pentru sine sau pentru Peri.

— Minunat, a zis ea încet din cadrul uşii.

Apoi a făcut ceva cu totul neaşteptat. Chiar dacă era târziu şi frig, chiar dacă el se pregătea să plece şi ea tremura în puloverul ei cu mânecile suflecate, a început să vorbească despre cartea lui, fără să se poată opri, scoţând aburi pe nări:

— Spuneţi că viaţa noastră este doar una dintre multele vieţi posibile pe care le-am fi putut duce. Şi cred că toţi ştim asta în adâncul sufletului. Până şi în căsniciile fericite şi în carierele de succes există momente de îndoială. Nu ne putem abţine să ne întrebăm cum ar fi fost viaţa noastră dacă am fi ales alt drum... sau drumuri, întotdeauna la plural. Şi spuneţi că ideea pe care ne-o facem noi despre Dumnezeu este doar una dintre multe altele. Deci ce rost are să fim dogmatici în ce-l priveşte pe Dumnezeu - fie că suntem teişti sau atei?

— Chiar aşa, a zis Azur cercetându-i chipul, surprins şi încântat de o asemenea izbucnire din partea ei.

— Dar trebuie să ştiţi că sunt mulţi oameni în lumea asta, ca mama mea, a continuat Peri, al căror sentiment de siguranţă vine din credinţă. Sunt convinşi că există o singură interpretare a lui Dumnezeu: a lor. Oamenii ăştia au deja pe cap destule greutăţi, şi vreţi să le luaţi singura protecţie: certitudinea. Mama mea... vreau să zic, uneori mă uit la ea şi văd atâta amărăciune, încât simt că ar fi înnebunit dacă nu ar fi avut credinţa ei de care să se agaţe.

Tăcerea s-a deschis între ei cu delicateţea unui evantai.

— Înțeleg, însă orice fel de absolutism e o slăbiciune, a răspuns Azur. Ateismul absolut și teismul absolut. După părerea mea, Peri, amândouă sunt la fel de problematice. Misiunea mea este să le injectez celor necredincioși o doză de credință și celor credincioși - o doză de scepticism.

— De ce?

Azur i-a aruncat o privire tăioasă.

— Pentru că nu-mi place purismul. Inhibă progresul intelectual. (Un fulg i s-a așezat pe pălărie, altul pe păr.) Vezi tu, unii oameni de știință tind să dividă și să clasifice, alții - să combine și să unifice. Cei ce dezbină și cei ce unifică. Pe când eu vreau ca toate simțurile să-mi fie treze - precum ale caracatiței tale uimitoare. Să nu depindem de un creier centralizat. Să aducem poezia către filosofie și filosofia în viața noastră de zi cu zi. Problema e că astăzi lumea prețuiește mai mult răspunsurile decât întrebările. Deși întrebările ar trebui să conteze mult mai mult! Probabil că vreau să-l integrez pe Diavol în Dumnezeu și pe Dumnezeu în Diavol.

— Și cum fac... ăăă... facem... asta?

— Oriunde sesizăm o dualitate, o facem bucățele. Transformăm singularul în plural și simplitatea în complexitate.

— Ce înseamnă asta?

— Păi, înseamnă să dăm totul peste cap, să estompăm granițele. Să aducem laolaltă idei ireconciliabile și oameni improbabili. Imaginează-ți un islamofob care face o pasiune pentru o femeie musulmană... sau un antisemit și un evreu care devin cei mai buni prieteni... și așa mai departe până când vedem categoriile drept ceea ce sunt într-adevăr: roadele imaginației noastre. Fețele pe care le vedem în oglindă nu sunt într-adevăr ale noastre. Doar reflexiile lor. Ne putem descoperi eul adevărat doar în chipurile Celuilalt. Absolutiștii venerează puritatea, noi - hibriditatea. Ei vor să reducă pe toată lumea la o singură identitate. Noi ne străduim să facem exact opusul: să multiplicăm pe toată lumea la o sută de fețe, o mie de inimi care bat. Dacă sunt om, ar trebui să fiu destul de mare ca să simt pentru toţi oamenii de pretutindeni. Cercetează istoria. Observă viaţa. Evoluează de la simplitate la complexitate. Nu invers, asta ar fi involuţie.

— Dar nu e prea mult? a zis Peri. Oamenii au nevoie de simplificare.

— Prostii, draga mea. Creierele noastre sunt făcute pentru meandre întortocheate!

Pe urmă n-a mai rămas nimic de spus. El a ridicat mâna în chip de la revedere, iar ea a dat din cap. Bărbatul şi câinele s-au pierdut în întunericul ce se întindea înaintea lor. Peri simţea un gol în stomac şi răsufla precipitat. Era în acelaşi timp fericită şi îngrozită, în pragul a ceva necunoscut. S-a uitat după ei până când au cotit după colţ. Pentru ea nu era deloc un moment obişnuit. Ştii întotdeauna când te îndrăgosteşti.

Mediumul

Istanbul, 2016

Aromele de cafea, coniac și trabucuri ce se amestecau sufocant cu parfumurile scumpe o izbiră pe Peri de îndată ce se întoarse în încăpere. Se gândea încă la mesajul pe care îl lăsase pe robotul telefonic al lui Shirin când îl zări pe medium la câțiva pași de ea. Cu un zâmbet satisfăcut tot mai larg pe chip, stătea pe un șezlong, înconjurat de femei îngenuncheate și supuse, ca un sultan dintr-o fantezie orientală grotescă. Managerul de fonduri *hedge* american era și el acolo, așteptând răbdător să i se ghicească în cafea.

Peri se îndreptă spre cercul bărbaților, neluând în seamă regulile de conduită socială. Se așeză chiar în mijloc, lângă soțul ei, sub norii de fum albaștri-cenușii ce se ridicau din trabucuri. Adnan îi puse o mână pe umăr și o strânse ușor. O dată, de două ori. Un cod al lor însemnând: „Te-ai plictisit?". Ea îi luă mâna și i-o strânse la rândul ei, o singură dată. „Sunt bine."

— Țineți minte ce vă spun, harta Orientului Mijlociu va fi retrasată, le spunea arhitectul celor din jur. E clar că puterile occidentale au un plan major.

— Cu siguranță. Nu o să-i lase niciodată pe musulmani să prospere, se arătă de acord magnatul media, care conducea un ziar islamist. Cruciadele nu s-au încheiat nici în ziua de azi!

— Da, dar Turcia nu mai e aceeași, zise arhitectul naționalist. Nu mai suntem niște mielușei. Nici prăpădiții Europei. Acum Europa se teme de noi – și o să facă orice ca să provoace agitație.

Magnatul aprobă.

— Ştie cu siguranţă să semene haos. O mână nevăzută apasă un buton şi totul răbufneşte din nou, vărsarea de sânge şi violenţa. Trebuie să fim cu ochii-n patru.

Ceilalţi bărbaţi ascultau cu atenţie - unii dând din cap, alţii în tăcere.

Peri îi privi prin fumul trabucurilor.

— Mie tot ce spuneţi mi se pare curată paranoia, zise ea încet. Europenii... occidentalii... ruşii... arabii... Dacă aţi ajunge să-i cunoaşteţi, nu ca o categorie, ci pe fiecare în parte, atunci aţi vedea că suntem cu toţii, la trup şi la minte, mai mult sau mai puţin la fel. (Tăcu o clipă.) Ne putem recunoaşte doar în chipurile... Celuilalt.

Arhitectul şi magnatul se uitară la ea cu gurile căscate de uimire. Adnan îi făcu cu ochiul.

— Bine zis, draga mea.

Zâmbindu-i soţului ei, Peri se scuză şi se ridică. Traversă încăperea şi se apropie de cercul femeilor.

Când o văzu, femeia din PR se aplecă şi şopti ceva la urechea mediumului. Bărbatul o ascultă, înălţând din sprâncene. Ridică privirea, se uită lung la Peri şi zâmbi. Ea, nu. El zâmbi şi mai larg. Ca toţi oamenii obişnuiţi să fie linguşiţi şi să li se cânte în strună, se simţea foarte intrigat de singura persoană care părea să-l evite.

— De ce musafira voastră nu ni se alătură? o întrebă mediumul pe gazdă, care stătea în faţa lui, cu Pom-Pom în poală.

Femeia de afaceri sări hotărâtă în picioare. Ţinându-l pe Pom-Pom cu o mână, o apucă pe Peri de cot cu cealaltă şi o conduse încet, dar ferm, spre oaspetele de onoare.

— Ai cunoscut-o pe prietena noastră Peri? îi zise ea mediumului. A întârziat, la fel ca tine. A avut un accident pe drum încoace.

— Se pare că aţi avut o zi grea, zise bărbatul uitându-se la mâna bandajată şi la rochia ei distrusă.

— Nu cine ştie ce..., răspunse Peri.

— Meritați un cadou. Vreți să vă citesc viitorul? Se ridică și adăugă zâmbind: Gratis.

Iubita jurnalistului și femeia din PR, care stăteau de o parte și de alta a lui, așteptându-și rândul, nu se arătară deloc încântate.

Peri clătină din cap.

— Aveți destulă treabă.

— Nu vă faceți griji, sunt aici pentru toată lumea.

Un zâmbet i se lăți încet pe buze, de parcă voise să spună altceva, însă hotărâse să țină totul pentru el.

— Cred că o să zic pas de data asta.

El chicoti, deși privirea îi devenise de gheață.

— Fac asta de douăzeci și cinci de ani și încă n-am întâlnit femeie care să nu vrea să i se citească viitorul.

Femeia din PR nu lăsă să-i scape ocazia.

— Dar trecutul?

— Nu... Nu se dă în vânt după *așa ceva*, zise bărbatul privind-o lung pe Peri și întinzându-i mâna. Totuși, a fost o plăcere să vă cunosc.

Peri i-a întins mâna stângă, aproape automat. Dar, în loc să i-o strângă, el a apucat-o de încheietură și nu i-a mai dat drumul. Ceva i-a transmis, o senzație ca de gâdilat, un șuvoi de căldură.

Ținând-o încă de mână, îi zise:

— Feriți-vă de șarlatani, nu de un medium adevărat.

— O, e cel mai bun, nici nu se compară cu ceilalți, o asigură femeia de afaceri.

— Poate altă dată, zise Peri trăgându-se înapoi.

Nu apucă să facă un pas, că vorbele mediumului o prinseră din urmă.

— Vă e dor de cineva.

Peri îi aruncă o privire peste umăr.

— Ce-ați spus?

El se apropie.

— Cineva pe care l-ați iubit. Și l-ați pierdut.

Peri își veni repede în fire.

— Ați putea spune același lucru pentru jumătate din femeile – și bărbații – din toată lumea.

El râse, cu o seninătate prefăcută în glas.

— De data asta e ceva diferit.

Fără să vrea, Peri își încrucișă brațele, hotărâtă să nu mai aibă nimic de-a face cu el.

— Pot să văd prima literă din numele lui, zise el pe un ton confidențial, însă destul de tare ca să audă celelalte femei. E un *A*.

— Cele mai multe nume de bărbați încep cu *A*, răspunse Peri fără să stea pe gânduri. Al soțului meu, de pildă.

— Știți ce? N-o să vă fac să vă simțiți prost de față cu toată lumea. O să-l scriu pe un șervețel.

— *Kızım*[1], strigă agitată femeia de afaceri. Adu un stilou, mai repede!

Femeia din PR zise cu glas răutăcios:

— Dacă e o poveste veche, de ce n-o spuneți tare, s-o audă toată lumea?

— Cine zice că e veche? răspunse mediumul. E vie, trăiește.

Peri reuși să-și păstreze cumpătul, deși înăuntrul ei stătea să se dezlănțuie o furtună. Nu-și dorea decât ca mediumul s-o lase în pace. Nu numai el, ci toate femeile alea și toți bărbații ăia, și orașul ăla, cu haosul lui neîntrerupt.

Servitoarea se întoarse cu obiectul cerut, atât de repede de parcă așteptase acel moment. Mediumul își dădu toată silința să scrie în așa fel încât să nu vadă alții, împăturind șervețelul – cu mișcări dureros de încete și de ceremonioase.

— Iată cadoul meu, zise întinzându-i-l lui Peri.

— Bine, mulțumesc.

Peri se îndepărtă de femei, trecu pe lângă bărbați și ieși pe terasă. Vasul de pescuit dispăruse, apa se întindea dinaintea ei mai întunecată decât cele mai adânci regrete. O mașină trecu

1. Fato (tc.).

în goană pe stradă, cu motorul huruind și muzica urlând - o melodie romantică în engleză - pe geamurile deschise. Peri miji ochii, încercând să și-l închipuie pe bărbatul - nu putea fi decât un bărbat - care asculta o astfel de muzică, atât de tare, la o asemenea oră.

Încet, desfăcu pumnul stâng - mâna cu care scria, mâna în care avea cea mai multă putere. Acolo, pe albul șervețelului boțit, mediumul desenase trei siluete de femei - precum cele trei maimuțe înțelepte. *Ele trei.*

Sub prima scria: „A văzut Răul". Sub a doua: „A auzit Răul". Iar sub a treia se zăreau următoarele cuvinte: „A făcut Răul".

PARTEA A PATRA

Sămânța

Oxford, 2001

În ajunul Anului Nou, Peri era prea surescitată ca să facă măcar jumătate din lucrurile pe care le avea în cap. Dimineață a ieșit să alerge, însă nu și-a putut menține ritmul, iar durerea din pulpă era atât de cumplită, că a trebuit să abandoneze curând. Când s-a așezat la birou să citească, s-a trezit că îi e cu neputință să se concentreze, cuvintele târându-se ca niște furnici flămânde pe hârtia albă. Se simțea la fel de lihnită. Având o aplecare spre episoadele de „mâncat de consolare", se temea că, în starea ei de agitație, dacă lua o înghițitură, s-ar putea să nu mai fie în stare să se oprească. Așa că a ronțăit niște mere. Și a ascultat radioul. Asta a ajutat-o, zgomotul neîntrerupt calmându-i nervii. A ascultat știrile de pe glob, știrile locale, dezbaterile politice și un documentar BBC despre Imperiul Aztec. Dar un documentar – chiar și unul despre puternicii azteci – nu putea să țină prea mult. Oricât ar fi încercat să-și scoată seara din minte, gândurile i se întorceau inevitabil la ea. Așa că s-a simțit ușurată când a venit timpul să se pregătească. Un dineu cu profesorul Azur nu avea cum să fie mai rău decât așteptarea lui.

Peri s-a dat doar cu rimel, conturându-și ochii cu un creion negru, și cu luciu de buze. Și-a cercetat fața în oglindă, găsind nasul pe care îl moștenise de la maică-sa cam borcănat. În caz că se putea, cu ajutorul cosmeticalelor, să-l facă să pară mai subțire, Peri n-avea idee cum. Dacă Shirin ar fi fost acolo, i-ar fi cerut sfatul. Dar, pe de altă parte, dacă Shirin ar fi fost acolo, Peri probabil că nu s-ar fi dus la petrecerea lui Azur. *N-ar trebui să fii singură în ajunul Anului Nou*, îi spusese profesorul. Spera că n-o invitase din milă.

Cu ce să se îmbrace? Asta da provocare. Nu că n-ar fi avut de unde alege. Cu cele câteva haine, a făcut o mulțime de combinații, pe care le-a încercat pe rând. Cămașa de blugi neagră cu bluza largă, bluza cu blugii, blugii cu geaca verde... Nu voia să arate ca o studentă, sau mai rău – ca și cum n-ar fi vrut să arate ca o studentă. Până la urmă, cu o grămadă de haine pe pat, s-a hotărât la o fustă de catifea și un pulover azuriu – moliciunea lui dădea impresia că ar fi din cașmir. Și-a completat ținuta cu un colier albastru-închis din mărgele împotriva deochiului.

Deși el îi spusese răspicat să nu aducă nimic, învățase de la mama ei să nu se ducă niciodată undeva cu mâna goală. A cumpărat opt minitarte de la un magazin de delicatese de pe Little Clarendon Street – o mare prostie din partea ei, fiindcă costau mai mult decât o prăjitură întreagă.

A mers până în stația de autobuz și a așteptat. Autobuzul a venit în mai puțin de cinci minute. A stat și s-a uitat cum ușile se deschid și se închid la loc. Apoi cum autobuzul pleacă fără ea, fiindcă se hotărâse să se întoarcă în cameră și să-și schimbe fusta și puloverul. O rochie neagră lungă și ghete – era mai bine așa.

*

Azur locuia chiar în afara orașului, pe Woodstock Road, la douăzeci de minute cu autobuzul de acolo, în satul Godstow. Primăvara, acesta era învăluit în vegetația luxuriantă specifică satelor englezești și oferea o vedere clară, peste Port Meadow, spre turlele visătoare ale Oxfordului, deși acum se lăsase deja întunericul. Până a coborât din autobuz, începuse din nou să ningă – fulgi mari, pufoși pe haina ei. Nu se mai vedeau alte case prin preajmă, lucru care n-a surprins-o. Bănuia de mult că profesorul ei este în secret un mizantrop.

Era o casă impozantă, îmbrăcată în piatră, cu ferestre de o parte și de alta a ușii de intrare, deși cu greu puteai să-i ghicești vârsta, la fel ca și proprietarului ei. Arăta ca un loc impregnat de trecut – o casă plină de povești. S-a apropiat încet de ea, atentă să nu alunece, pe o alee șerpuitoare mărginită de stejari desfrunziți. Vântul îi trecea prin haină. Tremura, atât din cauza emoției, cât și a frigului. S-a uitat în urmă, spre stația de autobuz, de parcă s-ar fi temut că n-o să mai fie acolo la întoarcere. Cum avea să ajungă înapoi acasă? Trebuia să fie la petrecere cineva care locuia în Oxford și o putea duce și pe ea cu mașina. Era tipic pentru Peri să-și facă o grămadă de griji cu sfârșitul serii înainte ca aceasta să înceapă.

Lumina se revărsa pe ferestrele de la parter, caldă și aurie ca mierea. Strângând cutia cu prăjituri la piept, Peri a rămas în fața ușii, ascultând zgomotele ce răzbăteau dinăuntru – pălăvrăgeli vesele, hohote de râs și, în fundal, unduirile muzicii. Genul de muzică pe care n-o asculta nici una dintre prietenele ei, și nici ea. Muzica, la fel ca lumina, era în același timp îmbietoare și intimidantă.

Făcând un pas înainte, Peri a auzit un vâjâit, de parcă ar fi trecut o mașină în depărtare. Dar pe drum nu se zărea nimic. Nici un autobuz, nici o motocicletă și cu siguranță nici o bicicletă pe așa o vreme. Între timp, o parte diferită a creierului, mai înceată și mai înțeleaptă, a avertizat-o că zgomotul venea de mult mai aproape. S-a uitat cu atenție în jur. Privirea i-a căzut pe un gard viu înalt din dreapta ei. A înghețat și inima a început să-i bată cu putere. Nimic nu se mișca, nici măcar vântul nu bătea, totuși acum era sigură că ceva sau cineva o urmărea.

A strigat instinctiv:

— Cine-i acolo?

În întunericul de nepătruns, lui Peri i s-a părut că zărește o siluetă fugind în dosul tufișurilor. A făcut un pas înainte.

— Troy, tu ești?

Băiatul a ieșit din ascunzătoare, palid și stânjenit.

— Doamne, ce m-ai speriat! a zis Peri. Mă urmărești?

— Nu pe tine – ce prostie! a răspuns Troy arătând din cap spre casă. Pe diavol îl vânez. (A tăcut o clipă.) Ce faci aici?

Peri n-a răspuns.

— Îl spionezi pe profesor!

— Ţi-am zis, îl dau în judecată. Am nevoie de probe la proces.

Eşti obsedat de el, s-a gândit Peri. Ciudat era că, dintre atâtea feluri de obsesie, iubirea şi ura se aflau doar la câteva nuanţe distanţă, precum culorile adiacente de pe paleta unui pictor.

Un val de râsete a răsunat din casă. Troy a fugit înapoi după gard.

— Te rog, nu le spune că sunt aici.

Peri s-a încruntat.

— N-ai nici un drept să faci aşa ceva. Să ştii că intru şi aştept zece minute, după care ies să verific. Dacă nu pleci până atunci, îi spun lui Azur. Şi dacă el nu cheamă poliţia, atunci o chem eu!

— Uau, calmează-te, a zis Troy ridicând mâinile. Nu trage!

Peri l-a lăsat acolo şi s-a întors spre uşa de la intrare, care avea un panou din vitraliu în trei culori: ambră, oliv şi rubiniu. A sunat repede la uşă. Un sunet ca de pasăre a străpuns aerul. Nu un ciripit suav de canar sau un tril de privighetoare, mai degrabă un cârâit de papagal ce râde de-un biet vizitator. Zgomotele dinăuntru au încetat o clipă şi au reînceput imediat. De partea cealaltă a sticlei colorate s-a ivit o umbră. Peri a auzit nişte paşi apropiindu-se. Nu apucase să se mai dea o dată cu luciu de buze, însă era prea târziu.

Uşa s-a deschis.

O femeie stătea în prag. O blondă înaltă, în formă, suplă şi atrăgătoare. A cercetat-o pe Peri din cap până-n picioare cu un zâmbet care fi putut să fie prietenos dacă nu era arogant. Ştia că e sexy. Rochia bleumarin fără bretele, mulată pe corp, dădea la iveală o siluetă de clepsidră. *Sigur nu e profesoară*, şi-a zis Peri. Se bucura că se schimbase de pulover. Nu voia să aibă nimic în comun cu femeia aia. Nici măcar o nuanţă de albastru.

Azur spusese că Spinoza, câinele său, era acum singura lui familie, însă asta nu însemna că nu avea o iubită. Sau chiar o soție. Nu purta verighetă, dar nu toți soții se simțeau obligați s-o țină la vedere. De ce nu se gândise că avea pe cineva? Sigur că avea. La vârsta lui, toată lumea are.

— Bună, față tânără și drăguță, a salutat-o femeia luând cutia din mâna lui Peri. Trebuie să fii turcoaica.

Chiar în clipa aia, cu pași grăbiți, și-a făcut apariția Azur, ținând îndreptată spre ele o sticlă de vin nedesfăcută ca pe un tun naval în miniatură. Purta un pulover pe gât de un gri metalic și o haină rubinie din lână și cașmir.

— Peri, ai venit! a exclamat el, cu fruntea lucind în lumină. Nu sta în frig. Intră, intră!

L-a urmat - i-a urmat - în salon. Pereții de pe hol erau acoperiți cu fotografii înrămate. Portrete de oameni din diferite părți ale lumii se zgâiau la ea, distante și meditative, de parcă ar fi știut deja ceva ce ea nu descoperise încă.

— Ce fotografii fascinante! Cine le-a făcut? a întrebat Peri.

— Eu, a răspuns Azur făcându-i cu ochiul.

— O, chiar? Probabil ați călătorit foarte mult.

— Doar puțin. Știi că am fost în Turcia.

— La Istanbul?

El a scuturat din cap. Nu la Istanbul, unde se ducea toată lumea, sau voia să se ducă într-o zi. Azur fusese în alte locuri - la Muntele Nemrut, cu statuile lui uriașe de zeități antice; la mănăstirea bizantină Sumela, cuibărită într-un perete de stâncă abrupt; la Muntele Ararat, unde se odihnea Arca lui Noe. Peri a înghițit în sec, îngrijorată că ar putea să-i pună întrebări despre toate locurile alea, fiindcă nu vizitase nici unul.

În living, două rafturi cu cărți înalte până în tavan acopereau doi pereți opuși, iar între ele stătea un grup elegant, discutând cu însuflețire, cu pahare de vin sau cupe de șampanie în mâini.

Întorcându-se spre invitați, Azur l-a strigat pe un tânăr:

— Darren, vino încoace. Vreau s-o cunoști pe una dintre cele mai bune studente ale mele.

Și, de îndată ce l-a văzut venind, a dispărut.

Darren era masterand la Fizică. I-a adus lui Peri un pahar cu șampanie, purtându-se cu o politețe ireproșabilă, și a complimentat-o pentru accentul ei „exotic“ – o laudă pe care se părea că o meritase. I-a pus întrebări despre ea, însă părea mult mai dornic să vorbească despre sine, cu o repeziciune de parcă ar fi fost o cursă contracronometru. Da, era inteligent, ambițios – și disperat după afecțiune. A încercat s-o facă să râdă, făcând glumă după glumă, fiindcă citise probabil undeva că femeile sunt atrase de bărbații cu un simț al umorului foarte dezvoltat. De fiecare dată își dădea ochii peste cap, ca și când felul în care spunea el gluma nu i se părea prea amuzant. Un tip drăguț, totuși. *Genul de bărbat care și-ar iubi și și-ar respecta prietena, nu ar încerca să concureze cu ea*, s-a gândit Peri.

Dar știa că între ei n-ar putea fi niciodată mai mult decât o pasiune trecătoare. De ce trebuia să fie așa? De ce nu se simțea atrasă de băiatul ăla care era amabil și arătos, apropiat de vârsta ei și probabil numai bun pentru ea? În schimb, tânjea în taină după profesor – un bărbat nu doar în vârstă, necunoscut și indisponibil, ci și cea mai proastă alegere. O nedumerea întotdeauna faptul că nu era, și nu fusese niciodată cu adevărat, interesată de fericire – acel cuvânt magic care face obiectul atâtor cărți, workshopuri și emisiuni TV. Nu voia să fie nefericită. Sigur că nu voia. Doar că nu se gândea să caute fericirea ca pe un țel care merită osteneala. Altfel cum și-ar fi dat voie să se îndrăgostească fără speranță de un om ca Azur?

A tras aer în piept. O îndrăzneală pe care nu credea s-o simtă vreodată a învăluit-o ca un parfum amețitor. Oare alți oameni își dădeau și ei seama că se schimba pe dinăuntru? Dincolo de toate cuvintele amabile și zâmbetele silite pe care le impunea viața socială exista o graniță care separa indivizii responsabili de neadaptații în căutare de confruntări și de pirații în căutare de aventuri. O graniță subțire ca o pojghiță de gheață care le ținea pe tinerele turcoaice modeste la distanță de orice fel de necazuri și păcate. Cum ar fi fost să se apropie pas cu pas de acea graniță, atât de tare încât să simtă sub picioare unde se sfârşeşte pământul solid şi unde începe vidul de dincolo şi, dintr-odată, să se lase să cadă, uşoară şi nepăsătoare.

Deşi nu era nici curajoasă, nici excentrică, o sământă de nonconformism fusese sădită în sufletul ei cândva în tinereţe, încolţind neobservată, aşteptând să scoată capul din pământ. Nazperi Nalbantoğlu, mereu cuviincioasă, prudentă şi echilibrată, tânjea să încalce graniţele, tânjea să păcătuiască.

— Cina! a anunţat Azur cu un zâmbet larg, ispititor, din cealaltă parte a încăperii, fluturând o furculiţă mare pentru servit de parcă ar fi fost o ţepuşă destinată unui invitat care nu bănuieşte nimic.

Noaptea

Oxford, 2001/2

Peri s-a ținut după ceilalți până la o masă de refectoriu din stejar ce ar fi putut folosi drept recuzită într-o piesă cu subiect medieval. Parcă o vedea, cu ochii minții, înconjurată de lorzi și cavaleri, încărcată cu fripturi la proțap, fazani împănați și jeleuri lucioase. Doar că asta nu avea tăvi de argint și pocale aurite, ci vase obișnuite de porțelan.

Dincolo de masă era un șemineu cu plăci de majolică ce se prelungeau în sus, încadrând polița deasupra căreia atârna o fotografie alb-negru înrămată. Peri s-a apropiat de focul care duduia, atrasă de dansul flăcărilor. Plăcile de majolică păreau să înfățișeze fiecare un personaj diferit – majoritatea bărbați, dar și câteva femei –, toate îmbrăcate în haine dintr-o epocă diferită și cu chipuri grave. Erau figuri de profeți, soli, sfinți. Pe alte plăcuțe erau scrise numele lor: regele Solomon, Sf. Francisc, Avraam, Budha, Sf. Teresa, Ramananda[1]... Personajele cărau apă, scriau pe pergament, vorbeau cu discipolii sau mergeau singure prin pustietăți. Nu păreau aranjate într-o ordine anume. Văzându-le pe toate laolaltă, de parcă ar fi luat parte la un ospăț al lor, a avut un sentiment ciudat. Era mai ușor să-și imagineze toate acele figuri sacre separat. Peri l-a căutat din priviri pe profetul Mahomed, întrebându-se dacă fusese și el inclus. Iată-l, urcând la cer pe un bidiviu, cu chipul acoperit de un văl, cu capul înconjurat de flăcări, ca în miniaturile persane și turcești din trecut. Era acolo și Fecioara Maria cu Pruncul

---

1. Poet religios vishnuist din secolul al XIV-lea care a trăit în nordul Indiei.

Iisus, cu pielea albă ca zăpada de-afară, însoțită de îngeri înaripați. L-a văzut pe Moise arătând spre un toiag care zăcea pe jos, preschimbat pe jumătate în șarpe.

De ce își pusese oare Azur imaginile alea în jurul șemineului? Dacă nu era o problemă de estetică, să fi fost o manifestare a sistemului său de credințe – și, în acest caz, în ce credea mai exact? Citise deja câteva dintre cărțile lui, totuși rămânea un mister. Nefiind în stare să răspundă la întrebarea care îi muncea mintea, s-a concentrat în schimb la fotografia de deasupra șemineului.

Era o poză a casei, făcută în mod clar cu ceva ani înainte. Copacul pe care îl văzuse când venise pe jos de la stația de autobuz era acolo, la fel și aleea șerpuitoare. În fotografie se mai zăreau o grădină înțesată de flori și niște nori compacți, albi și grei, atât de joși că păreau să atingă acoperișul. Casa arăta altfel, mai mică – poate că se mai construise la ea de-a lungul anilor. Deși surprindea primăvara și natura în toată splendoarea, lui Peri i se părea o Arcadie pierdută, o clipă de bucurie fără griji pe care n-o mai puteai regăsi.

Invitații se strânseseră toți în jurul mesei, cu paharele în mână, așteptând răbdători să fie conduși la locurile lor.

— Azur, cum vrei să ne așezăm? a întrebat un bărbat slab, cu obraji scofâlciți, despre care Peri a aflat mai târziu că e un eminent profesor de fizică cuantică.

— De parcă ar fi așa de tipicar! Așezatul e o chestiune de alegere personală în casa asta, a răspuns alt bărbat cu burtă proeminentă.

Profesor la Facultatea de teologie și religie, era prieten vechi cu Azur și unul dintre oamenii care îl cunoșteau cel mai bine. Ca să dea greutate propriilor spuse, și-a tras un scaun și s-a așezat.

Ceilalți invitați, urmându-i exemplul, s-au așezat și ei rând pe rând în jurul mesei. De îndată ce Peri și-a ales un loc, Darren l-a ocupat pe cel de alături. Blonda atrăgătoare s-a așezat de partea cealaltă a mesei, lângă Azur.

Profesorul de teologie s-a lăsat pe spătarul scaunului, savurând muzica unduitoare ce se auzea încă în fundal. După o clipă a ridicat paharul.

— Aş vrea să ciocnim în cinstea gazdei noastre generoase. Îi mulţumim că ne-a strâns laolaltă, pe noi, sufletele părăsite şi uitate de la Oxford, mistuite de noaptea îngheţată.

Privind pe deasupra unui candelabru de fier cu trei lumânări aprinse, care arunca umbre lungi pe pereţi, Azur i-a întors complimentul cu un zâmbet.

Peri s-a uitat în jur, la oamenii cu care stătea la masă - o adunătură pestriţă de profesori şi studenţi de la diverse discipline. Când intrase în casă, presupusese că toţi cei dinăuntru, în ciuda diferenţelor dintre ei, aveau acelaşi punct comun: inteligenţa. Trebuie să fi fost speciali dacă făceau parte din cercul intim al lui Azur, hotărâse ea, mai informaţi şi mai sensibili decât media. Cât de arogantă fusese. Ce aveau toţi în comun era faptul că, dintr-un motiv sau altul, se pregăteau să-şi petreacă Anul Nou singuri - până să intervină Azur şi să-i adune laolaltă ca pe nişte scoici risipite pe o plajă îndepărtată.

— Mai e un motiv pentru care aş vrea să ciocnim în cinstea gazdei noastre, a continuat profesorul în vârstă. Că ne-a pus întruna Bach. Dacă toată lumea ar asculta Bach zece minute pe zi, vă asigur că numărul credincioşilor ar creşte.

Azur a clătinat din cap.

— Ai grijă, John, ştii mai bine decât mine că, teologic vorbind, Bach e un teren minat. Adevărat, muzica lui e privită ca instrumentul sublim al vocii lui Dumnezeu. Dar cu cât o asculţi mai mult, cu atât Dumnezeu pare mai puţin necesar creării sale. Ajungi să înţelegi lucrările lui pur şi simplu ca pe cea mai înaltă expresie a spiritului uman. Bach te poate face credincios - sau un adevărat sceptic.

Câţiva dintre ei au râs.

— Vă rog, luaţi! i-a îndemnat Azur desfăcând braţele.

Invitaţii şi-au îndreptat deodată atenţia spre mâncare. Trei platouri mari erau aşezate în mijlocul mesei. Pe primul era o grămadă de fasole fiartă, pe al doilea - nişte orez negru, iar pe al treilea - un curcan mare ce fusese rumenit până devenise auriu. Şi un decantor cu vin roşu. Asta era tot. Nu tu dressinguri, nu tu condimente. Totul era simplu, de o simplitate aproape afectată. Peri a zâmbit gândindu-se la mama ei. Selma ar fi preferat să moară mai degrabă decât să poftească oamenii la o masă atât de modestă. Îi spusese fiicei sale că secretul unui dineu reușit e „să ai grijă să pregătești câte două feluri speciale de persoană. Pentru patru invitați, trebuie să pregătești opt. Pentru cinci, zece feluri". În seara aceea erau doisprezece invitați și trei feluri de mâncare. Maică-sa ar fi fost îngrozită.

Oamenii au început să ia din fiecare platou, trecându-l pe urmă celui de-alături. Când i-a venit rândul, Peri și-a pus în farfurie o porție generoasă din fiecare fel, dându-și seama dintr-odată că nu mâncase nimic toată ziua.

Blonda fără nume s-a aplecat spre Azur.

— Ai făcut toate astea singur?

Peri a ridicat capul. Dacă îl întreba așa ceva, n-avea cum să fie soția lui.

— Da, draga mea, hai să vedem dacă îți place, a zis Azur. Apoi, adresându-se celorlalți, a adăugat: *Bon appétit*.

În lumina pâlpâitoare a lumânărilor, ochii lui erau de un verde ca al pădurii. Vârfurile genelor păreau să-i strălucească, iar buzele - pe care Peri nu îndrăznise să le privească înainte - îi erau de un roșu foarte viu, aproape ca vinul pe care-l bea.

Azur a înclinat capul și s-a uitat pieziș la Peri pe sub pleoapele plecate, cu o expresie ușor surprinsă. Ea a roșit, dându-și seama îngrozită că rămăsese cu privirea pierdută la el de prea multă vreme. S-a întors imediat spre Darren, recunoscătoare că era acolo.

*

La desert au avut *plum pudding*[1]. Azur a turnat un strop de coniac peste budinca încă aburindă și l-a aprins cu un chibrit.

---

1. Budincă de stafide cu melasă servită la masa de Crăciun în Marea Britanie.

Flăcările albastre s-au întins pe toată suprafaţa ei, răsucindu-se şi dănţuind înainte să-şi dea ultima suflare a vieţii lor scurte şi nevinovate. Cu îndemânare, Azur a tăiat budinca şi i-a servit pe toţi cu câte o felie generoasă ornată cu cremă de ouă. Invitaţii, care tăcuseră privind trucul cu flambatul, s-au grăbit să laude talentele culinare ale gazdei de cum au luat prima înghiţitură.

— Ar trebui să scrii o carte de bucate, i-a sugerat profesorul de fizică. E delicioasă. Cum ai făcut-o?

— Păi, înveţi, a murmurat Azur.

Lui Peri, cuvintele acelea i-au oferit un indiciu despre viaţa privată a profesorului. Trebuie să fie singur, a dedus ea. A sperat să pună cineva vreo întrebare, însă n-a făcut-o nimeni. Apoi s-au lansat cu toţii într-o discuţie despre Afganistan. Spiritul din jurul mesei s-a schimbat când unii dintre invitaţi s-au arătat nemulţumiţi de Tony Blair, lăudând revolta membrilor fără funcţii importante din Partidul Laburist. Totuşi, vocile lor erau de un calm pe care lui Peri îi venea greu să-l asocieze cu politica. În Turcia, toate discuţiile despre politică la care asistase, de la cele între prietenii tatălui ei la cele la care luase parte ea însăşi, se aflau sub semnul celor trei *R*: Resentiment, Revoltă şi Resemnare. Când subiectele erau fierbinţi, emoţiile - puternice, iar şansele ca situaţia să se îndrepte - foarte slabe, stilul părea să fie primul lucru sacrificat într-o conversaţie. Pe când cei de-aici vorbeau într-un fel care acorda prioritate stilului asupra conţinutului. Mintea ei era atât de adâncită în comparaţii culturale, încât a pierdut şirul discuţiei de la masă şi, când i-a văzut pe toţi uitându-se la ea, n-a înţeles imediat de ce.

Profesorul în vârstă i-a venit în ajutor.

— Tocmai spuneam că vii dintr-o ţară interesantă.

Aducându-şi aminte avertismentul lui Shirin în legătură cu epitetul „interesant“, Peri a aruncat o privire spre profesor. Dar Azur, uitându-se la ea peste rama ochelarilor, părea curios să audă ce avea de spus.

— Ce crezi? Turcia va avea vreodată şansa să fie admisă în Uniunea Europeană? a întrebat o femeie cu părul alb şi scurt răsucit în şuviţe ca nişte fulgi.

Era soția profesorului în vârstă.

— Păi, așa sper, a răspuns Peri.

— Nu crezi că, din punct de vedere cultural, e... diferită? s-a băgat în vorbă blonda.

— Nu știu ce înțelegi prin *diferită*, a răspuns Peri și sufletul ei a devenit un câmp de luptă.

Pe de o parte, își dorea să fie critică, fiindcă erau multe lucruri care o umpleau de frustrare la țara ei. Pe de altă parte, voia ca oamenii ăia să-i aprecieze țara natală. A cuprins-o un soi de dorință de-a îi lua apărarea. Un simț al responsabilității. Nu mai simțise niciodată până atunci că reprezenta o entitate colectivă.

— Deci nu vezi religia ca pe un obstacol? a întrebat profesorul de fizică. Nu-ți faci niciodată griji că Turcia ar putea ajunge ca Iranul?

— Există pericolul ăsta. Dar Iranul e o societate cu memorie și tradiție. Noi, turcii, suntem buni amnezici.

— Ce crezi că e preferabil? a întrebat Darren de-alături. Să-ți amintești sau să uiți?

— Ambele au dezavantajele lor, a răspuns Peri fără ezitare. Dar aș prefera să uit. Trecutul e o povară. Ce rost are să-ți amintești dacă nu poți schimba nimic?

— Numai tinerii se bucură de luxul de-a uita, a zis profesorul în vârstă.

Peri a plecat capul. Nu voise să pară tânără. Mai degrabă voise să pară isteață și înțeleaptă. Totuși, spre uimirea ei, l-a văzut pe Azur încuviințând din cap.

— Dacă aș fi avut de-ales, aș fi preferat să nu am memorie deloc. Abia aștept să fac Alzheimer.

Femeia frumoasă și-a așezat mâna peste a lui.

— Dragul meu, sunt sigură că nu vorbești serios.

Peri și-a ferit privirea. Nu-i cunoștea pe oamenii ăia – trecutul lor, legăturile dintre ei, toate îi depășeau puterea de înțelegere. Putea doar să simtă, însă nu să priceapă, lucrurile lăsate nespuse, subiectele pe care le ocoleau tiptil.

Cu puțin înainte de miezul nopții, în timp ce se serveau ceaiul și cafeaua, s-a scuzat ca să meargă la toaletă. Fața pe care a văzut-o în oglindă când se spăla pe mâini era cea a unei tinere care nu reușea deloc să fie plină de încredere și lipsită de griji. Se învinovățise mereu că nu știa să fie fericită. Cu siguranță făcuse ceva greșit dacă-și sporea singură nefericirea. Dar poate că oamenii care nu treceau Testul Fericirii nu erau vinovați. Tristețea nu e o manifestare a lenei sau a milei de sine. Poate că astfel de oameni se nasc pur și simplu așa. Să te străduiești să fii fericit e absolut inutil, ca și cum te-ai strădui să fii mai înalt.

Când s-a întors, în hol, printre feluritele portrete, Peri a zărit o poză care a făcut-o să se oprească în loc.

Femeia din fotografie – pomeți înalți, ochi depărtați, buze pline – era goală, în afară de o eșarfă stacojie legată neglijent în jurul taliei. Purta părul prins într-un coc larg, iar umerii îi erau albi și lucioși, ca ornamentele făcute din fildeș șlefuit. Avea sâni mari și rotunzi, cu sfârcurile ridicate în mijlocul areolelor, și buricul îi era ușor ieșit în afară. Cu o mână ținea pânza care îi acoperea picioarele, gata s-o lase să cadă în orice clipă. Zâmbetul de pe chipul ei spunea că îi plăcea să fie fotografiată. Dar și că îl cunoștea pe fotograf.

Uluită, Peri s-a aplecat, de parcă ar fi încălcat un teritoriu interzis. A rămas nemișcată, încremenită în acea clipă. Undeva în măruntaiele casei ticăia un ceas. Un presentiment – oarecum familiar, însă cu care era imposibil să te obișnuiești. Cuprinsă de neliniște, a simțit prezența copilului cețurilor alarmant de aproape. Uite-l, cu fața lui rotundă, ochii încrezători și pata vineție ce îi acoperea jumătate de obraz. Încerca să-i spună ceva – despre femeia din poză. Tristețe. Era atâta acolo – intensă, neatinsă. Peri n-ar fi putut spune dacă dăduse peste o tristețe veche sau dacă o adusese cu ea.

— Pleacă! a șoptit Peri îngrozită. (Nu avea răbdare cu el.) Nu acum. Nu aici.

Copilul cețurilor s-a bosumflat.

— Ce încerci să-mi spui? Nu poți să vii aici, locul ăsta...

O voce a întrerupt-o.

— Cu cine vorbești, Peri?

S-a întors și l-a văzut pe Azur stând în spatele ei. Ochii lui în care sclipeau scântei aurii nu trădau nimic.

— Pur și simplu vorbeam cu mine însămi... și mă uitam la ea, a zis Peri arătând spre perete.

A aruncat pe furiș o privire într-o parte și a fost ușurată să vadă că între timp copilul cețurilor începuse să se destrame, un fuior de abur în aer.

— Soția mea, a zis Azur.

— Soția dumneavoastră?

— A murit acum patru ani.

— O, îmi pare rău.

— Iar? a zis el, mutându-și privirea de la femeia din poză la cea din fața lui. Zău că trebuie să încetezi...

— Are trăsături de orientală, a adăugat Peri imediat, ca să scape de reproșurile lui.

— Da, tatăl ei era algerian. Berber, ca Sfântul Augustin.

— Sfântul Augustin era berber? Dar era creștin.

Azur s-a uitat la ea, admirându-i frumusețea.

— Istoria e vastă. Berberii au fost evrei, creștini, chiar și păgâni odată. Și musulmani. Trecutul e plin de lucruri care ne-ar putea părea bizare astăzi, însă care erau perfect rezonabile pe-atunci.

Cuvintele, deși nu aveau nici o legătură cu ea, au căscat un gol înăuntrul lui Peri, un spațiu neexplorat. Din experiența ei, nu numai trecutul, ci și prezentul era plin de lucruri care sfidau rațiunea.

— Pari cam palidă, a zis el.

Atunci și-a deschis inima în fața lui. Pe când stăteau acolo, ascultând zgomotele făcute de invitații aflați la câțiva pași, Peri i-a mărturisit profesorului ei că de când era mică, dintr-un motiv pe care nu-l putea înțelege, avea „experiențe supranaturale". I le povestise tatălui ei, care le respinsese ca pe o „superstiție", și mamei ei, care se temuse că e posedată de un djinn. De atunci nu le mai povestise nimănui, ca să n-o judece.

Azur a ascultat-o cu mirare crescândă.

— Nu pot comenta experiențele tale *supranaturale*. Dar poți să-ți spun cu convingere un lucru: nu te teme să fii diferită. Ești foarte specială.

Strigătele entuziaste din salon i-au întrerupt.

— Trebuie să fie miezul nopții! a zis Azur trecându-și degetele prin păr. Hai să vorbim despre asta mai târziu. Neapărat! Vino la biroul meu.

S-a apropiat și a sărutat-o pe amândoi obrajii.

— Un An Nou fericit!

Apoi s-a dus să-i sărute pe ceilalți.

— Un An Nou fericit, profesore! a murmurat Peri în urma lui, încă simțindu-i buzele calde pe piele.

Vino la biroul meu. Sigur nu era o remarcă obișnuită. Fără să vrea, a simțit un val de emoție alergându-i prin vene. Spusese că e specială – foarte specială. Stând nemișcată acolo, pierdută în contemplare, totul a devenit mult mai clar, ultima picătură a tuturor așteptărilor și speranțelor ei s-a cristalizat. Când s-a întors la petrecere, deja era convinsă că și profesorul ei simțea ceva pentru ea.

*

La puțin timp după miezul nopții, invitații au început să plece. Abia când a pășit în întuneric, Peri și-a amintit de Troy. A aruncat o privire neliniștită spre gardul viu înalt – nu era nimic acolo în afară de noapte.

Toată lumea părea să aibă mașină în afară de Peri și Darren. Blonda atrăgătoare – o mândră abstinentă, după spusele ei – s-a oferit să-i ducă cu mașina.

Drumul până la Oxford a fost scurt și ciudat de tăcut după zarva serii. BBC Radio 4 difuza o emisiune despre scrisorile de dragoste ale lui Gustave Flaubert. Cuvinte senzuale au umplut mașina, făcându-i pe ocupanții ei să se simtă singuri și să tânjească după o aventură romantică. Stând lângă șoferiță, Peri s-a întrebat dacă în trecut oamenii înțelegeau mai bine iubirea. Și-a rezemat capul de geamul pe jumătate înghețat și și-a ațintit privirea la drumul din față, luminat pe bucăți de farurile mașinii înainte să fie înghițit de noapte. S-a gândit la Azur și la femeia din fotografie. Cum fusese oare viața lor sexuală? Și-a amintit cum zâmbea când i-a văzut pe oaspeți umplându-și din nou farfuriile; cum ținea cana de cafea cu ambele mâini, ridicată la gură, savurând aburul care-i mângâia fața; cum le-a ajutat pe femei să-și pună haina, chiar și pe ea, când i-a condus pe toți la sfârșitul serii și cât de diferit era față de cum se purta în clasă, deloc intimidant, sensibil, surprinzător de fragil.

Când au ajuns în Oxford, Peri și Darren s-au dat amândoi jos din mașină. Frigul tăios de seara trecută lăsase locul unui aer înviorător. Au mers, vorbind întruna, până au ajuns la locuința temporară a lui Peri. S-au sărutat sub un felinar. Apoi din nou pe întuneric. Simțindu-se amețită, nu atât de vin, cât de euforia serii, Peri a închis ochii, stârnită mai mult de dorința lui decât de-a ei.

— Pot să urc? a întrebat el.

L-a văzut pe băiatul care fusese odată - strângând mâna mamei când treceau strada, învățând cum să trateze femeile cu respect. Dacă ar spune nu, știa că n-ar insista. Și-ar vedea de drum, poate dezamăgit, dar fără să fie nepoliticos. A doua zi, dacă s-ar întâlni, ar fi drăguț cu ea și ea cu el.

— Da, a zis dintr-un impuls pe care n-a vrut să-l pună la îndoială.

Își dădea seama că dimineață avea să se trezească cu un sentiment neplăcut. Vinovăție pentru că se culcase cu cineva de care nu-i păsa, de fapt, prea mult; vinovăție pentru că își dezamăgise tatăl și adeverise temerile cele mai cumplite ale maică-sii. Chiar dacă ei nu aveau să afle nimic din toate astea, Peri urma să se simtă cu conștiința încărcată data viitoare când aveau să vorbească, și probabil o bună bucată de vreme după aceea. Dar era ceva care o îngrijora și mai tare. Pe când răspundea la atingerile şi săruturile lui Darren, se gândea la altcineva. Intuiția că pe profesorul ei îl dorea îi înăbușea toate celelalte emoții.

Se spune că ce faci în primele ore ale noului an o să faci tot restul anului. Numai de n-ar fi fost adevărat. Fiindcă intrase în prima zi din ianuarie cu inima apăsată de emoții complicate. Spera ca 2002 să nu fie anul vinovăției.

Minciuna

Oxford, 2002

Înainte de sfârşitul vacanţei, Peri a luat trenul spre Londra, hotărând să accepte invitaţia lui Shirin. S-a uitat cum studenţii şi familiile cu copii se urcau în vagoane. În compartimentul ei – din greşeală îşi luase bilet la clasa întâi – erau trei bărbaţi între două vârste îmbrăcaţi elegant greu de deosebit între ei şi o femeie căreia nu-i putea ghici vârsta, cu părul roşcat perfect coafat. S-au uitat cu răceală la Peri, de parcă i-ar fi spus: Nu pari să ai ce căuta în vagonul ăsta. Găsindu-şi locul, s-a cufundat în *Operele mistice complete ale lui Meister Eckhart*[1].

Îşi luase cu ea jurnalul dedicat lui Dumnezeu, în care a scris acum: *Ochiul cu care-L văd pe Dumnezeu este acelaşi cu care Dumnezeu mă vede pe mine, spune Eckhart. Dacă-L tratez pe Dumnezeu cu rigiditate, Dumnezeu mă tratează cu rigiditate. Dacă-L văd pe Dumnezeu cu un ochi iubitor, Dumnezeu mă priveşte cu un ochi iubitor. Ochiul meu şi al lui Dumnezeu sunt Unul.*

Trenul înainta, ritmul său constant răsunând în conştiinţa ei. Peste puţin timp a venit un steward, care a împins zdrăngănind înăuntru un cărucior de pe care împărţea tăvi de plastic cu micul dejun şi diverse băuturi. Apropiindu-se de Peri, a anunţat-o că are două alegeri. Meniul unu: şuncă şi corn cu brânză. Meniul doi: ouă poşate cu cârnat de porc.

Peri a clătinat din cap.

— Mai aveţi altceva?

---

1. *The Complete Mystical Works of Meister Eckhart.*

— Sunteţi vegetariană?

— Nu, porcul e problema, a răspuns Peri.

Ochii bărbatului, închişi la culoare şi afundaţi în faţa acoperită de o barbă rară, au studiat-o o clipă. Privirea lui Peri a alunecat spre numele de pe ecusonul său: Mohammed.

— Să văd ce pot face, a zis el şi a dispărut.

Un minut mai târziu, Mohammed s-a întors cu un sandvici cu pui. I l-a întins lui Peri, zâmbind. Abia când bărbatul a trecut mai departe, ei i-a trecut prin minte că poate îi dăduse propria lui mâncare. Prânzul lui, probabil. Fire nevăzute de solidaritate se ţeseau între străini care, aflând că sunt de aceeaşi religie sau naţionalitate, se priveau imediat cu simpatie. Cu o camaraderie care se întrevedea în cele mai mici detalii - un zâmbet, o înclinare din cap, un sandvici. Totuşi s-a simţit ca o impostoare. Omul o luase drept o bună musulmană, dar oare chiar era?

Cultural vorbind, era musulmană, fără îndoială. Deşi putea număra pe degetele de la o mână rugăciunile pe care le învăţase pe de rost. Nici nu era o musulmană practicantă, nici nu recunoştea, ca Shirin, că e nepracticantă, „o musulmană stricată", cum zicea prietena ei. Cuvântul ăla, „stricată", avea ceva care o ducea cu gândul la ouăle expirate sau la untul rânced. Că era practicantă sau nu, relaţia ei cu islamul nu *expirase*. Confuzia ei părea o poveste fără sfârşit. Vie. Perpetuă. Locul ei, în caz că ar fi avut unul, era alături de cei derutaţi. Dacă i-ar fi spus asta, Mohammed i-ar fi cerut sandviciul înapoi?

*

Când Peri era mică, de fiecare Eid al-Adha izbucneau certuri în casă. Mensur era împotriva ritualului sacrificării animalelor, convins că mai bine împărţeau banii daţi pe un miel celor care aveau nevoie. Aşa, flămânzii puteau să-şi umple burţile, iar sătuii să se împăuneze fără ca vreun animal să fie omorât.

Selma nu era de acord. Sigur exista un motiv pentru care Dumnezeu rânduise lucrurile astfel, zicea ea.

— Dacă te-ai obosi să citești Cartea Sfântă, ai înțelege.

— Am citit-o, a răspuns Mensur. Mă rog, partea asta. N-are nici o noimă.

— Ce n-are noimă? a întrebat Selma supărată.

— În *Coran*, Dumnezeu nu i-a poruncit niciodată lui Avraam să se ducă și să-și sacrifice fiul - omul a înțeles totul pe dos.

— Omul!

— Ascultă la mine, femeie, Avraam nu l-a auzit de fapt pe Dumnezeu poruncindu-i să își ucidă fiul. A avut un vis, corect? Dacă l-a interpretat greșit? Cred că Dumnezeu, în milostivirea Lui, a văzut în ce hal a încurcat Avraam lucrurile și, ca să-i salveze fiul, a trimis mielul.

Selma a oftat.

— Ești ca un copil mare și ursuz. Eu mi-am crescut copiii, mulțumesc lui Dumnezeu. Nu mai am chef de alt copil în casă.

Hotărâtă să cumpere singură o oaie, Selma a pus bani deoparte. Animalul avea să fie ținut în grădină, vopsit cu henna și hrănit până când venea timpul să fie trimis la tăiere. Apoi, carnea lui urma să fie împărțită la șapte vecini și la săraci.

Într-un an - Peri trebuie să fi avut vreo treisprezece ani - aceiași vecini au decis să pună mână de la mână și, cu lirele strânse, să cumpere un taur. Se așteptau la un animal maiestuos, care emana forță, urmat de umbra lui neagră. Taurul pe care l-au primit, deși uriaș, părea neliniștit, înnebunit de frică. N-a fost nici un miel de sacrificiu umil, nici o jertfă glorioasă. A fost o dezamăgire.

Au băgat animalul în garaj unde, în următoarele două zile, a devenit tot mai agitat. Noaptea îl auzeau zbătându-se să scape, scoțând mugete ce păreau să vină din adâncul sufletului. Probabil că simțise ce soartă îl aștepta. În cea de-a treia zi, cum l-au scos la lumina soarelui, a reușit să scape. Galopând cu toată viteza, s-a repezit la primul om care i-a ieșit în cale, un trecător nefericit, și l-a pus la pământ. Acesta a reușit să se salveze și să se ascundă după o pubelă. Spectatorii care se adunaseră între timp au izbucnit în râs. Cineva l-a bătut pe spate pe supraviețuitor.

Copiii au alergat să vadă ce era cu tărăboiul ăla. Urcată pe zidul grădinii, Peri a văzut coarnele taurului legănându-se și animalul singuratic împrăștiind mulțimea, acum scos cu totul din minți de spaimă.

Spre deosebire de mieii duși la tăiere, taurul era un luptător și cu câtă îndârjire se lupta – împotriva a douăzeci de oameni care îl vânau din toate părțile. S-a năpustit spre șosea, un câmp de luptă din asfalt unde era înconjurat de o armată de monștri metalici. Le-a trebuit oamenilor trei ore să pună mâna pe animal, și asta abia după ce l-au doborât cu o pușcă cu tranchilizant înainte să-l omoare. Mai târziu, unii au avertizat că de fapt carnea lui nu era halal, fiindcă tranchilizantele te amețeau. Dar deja nu-i mai păsa nimănui nici cât negru sub unghie de părerea lor.

— Ce barbarie mai e și asta? i s-a plâns Mensur soției acasă. Islamul ne spune să nu facem rău nimănui, nici măcar animalelor. Bietul taur a murit îngrozit. L-au torturat. Eu nu mănânc din carnea lui.

Selma n-a zis nimic o clipă.

— Bine, atunci nu mânca. Poate că n-o să mănânc nici eu. Dar nu spune nimic rău. Ai puțin respect.

Peri, care se așteptase la o ceartă, a fost surprinsă că părinții ei erau de acord măcar de data asta. Porția de carne care le revenea a fost împărțită familiilor nevoiașe.

În seara aceea la cină, Peri a observat că tatăl ei își umplea mult prea des paharul.

— Ce zi! a zis el tulburat. Să alergi după niște oameni care aleargă un taur. Nu m-am mai simțit așa de obosit de când v-ați născut voi doi și ne țineați treji jumate de noapte.

Cuvintele îi erau bolborosite.

Peri, care își turna niște apă în pahar dintr-o carafă, aproape că a vărsat-o.

— Ce vrei să spui cu „voi doi"?

Mensur și-a trecut o mână peste frunte. Avea mina unui om care tocmai și-a dat seama că lăsase să-i scape din gură ceva ce nu trebuia să afle nimeni. O clipă a părut să se gândească dacă să vorbească deschis sau nu.

— Păi, sunt sigur că-ți amintești.

— Ce să-mi amintesc?

— A mai fost un băiat, fratele tău geamăn. N-a supraviețuit.

Ceva se ivea la marginea conștiinței sale.

— De ce?

— Of, bondărel, nu întreba. A trecut atâta timp de-atunci, a răspuns Mensur, însă apoi, mânat de curiozitate, a întrebat: Chiar nu ai idee?

— Nu știu despre ce vorbești, *baba*.

— Văd... Ce ciudat! Mi-am închipuit întotdeauna că s-ar putea să-ți amintești... unele lucruri.

Lui Peri avea să-i ia ani de zile să descopere ce voia să spună cu asta.

*

Trenul a intrat în Paddington Station. Shirin o aștepta lângă automatele de bilete, purtând o haină de blană gri-argintie care îi ajungea până la genunchi. În inima orașului, arăta ca o creatură descinsă din stepă.

— Câte animale au fost sacrificate pentru chestia asta? a întrebat Peri.

— Nu-ți face griji, nu e blană adevărată, a răspuns Shirin sărutând-o pe amândoi obrajii.

Peri a cercetat fața prietenei ei.

— Minți, așa-i?

— Ha! a exclamat Shirin. E prima oară când mă prinzi cu mâța-n sac. Felicitări! Mă bucur pentru tine, Șoarece. Începi să deschizi ochii.

Peri știa că o tachinează. Oricât ar fi râs, a simțit o împunsătură de stânjeneală când și-a dat seama de micul adevăr din cuvintele prietenei sale: Shirin o mințise și înainte, probabil de mai multe ori, însă trebuia să descopere în legătură cu ce.

Dansatoarea din buric

Oxford, 2002

Peri a deschis fereastra, bucurându-se de aerul rece. Era fericită că se întorsese în camera ei, deși își dorea cu ardoare mai mult spațiu. S-a așezat pe pat, cu o carte în mână, și și-a tras picioarele sub ea. La unul dintre cursurile de mai demult, Azur își rugase studenții să citească un articol despre idea de Dumnezeu în filosofia kantiană. Textele lui Kant i s-au părut și mai încâlcite la a doua lectură decât la prima. Își dădea seama de ce teologii erau atrași de scrierile filosofului german. Dar, pe de altă parte, gânditori renumiți din tabăra opusă, Nietzsche sau Darwin de pildă, se revendicau tot de la el. Peri a tras concluzia că gândirea lui Immanuel Kant, la fel ca Istanbulul, are multe fațete.

Nu-i de mirare că lui Azur îi plăcea. Și el avea nenumărate fețe. Erau o mulțime de Azuri, o întreagă paletă. Oratorul sigur pe sine de la dezbatere; actorul din viața de zi cu zi care adora și avea nevoie să fie în centrul atenției; profesorul intimidant de la seminare; inchizitorul exigent în biroul lui; gazda amabilă în intimitatea casei lui – oare câte fețe mai avea? S-a întors cu gândul la cina din ajunul Anului Nou și la urmările ei. De atunci îl evitase întruna pe Darren, deși el o sunase de o groază de ori și îi lăsase mesaje în care părea tot mai îngrijorat, dacă nu chiar rănit. S-ar fi bucurat să se poată închide în cameră până își limpezea mintea, dacă n-ar fi fost cursurile și jobul part-time de la librărie – și Shirin, care găsea mereu câte un pretext să-i bată la ușă.

Atracția față de Azur îi făcea viața de zi cu zi dureros de intensă. De câte ori îl vizita în biroul său ca să discute despre copilul ceţurilor, îi urmărea fiecare gest, fiecare cuvânt şi le interpreta greşit, nefiind deloc în stare să-l privească la rece. Ca o necromantă care vede semne divine oriunde, căuta mesaje ascunse în cele mai obişnuite lucruri. Totuşi muncea pe brânci, hotărâtă să-l impresioneze cu inteligenţa ei sclipitoare. Dar ocazia de a-l impresiona, momentul revelator pe care-l aştepta de atâta vreme, n-a venit niciodată. În cea mai mare parte a timpului, în prezenţa lui era retrasă, simţind un gol în stomac. Din când în când cădea în cealaltă extremă. Într-o explozie de curaj sau disperare, obiecta şi dezbătea, înfrunta şi punea la îndoială, iar apoi se cufunda din nou în tăcere.

Ei nu avea să i se întâmple aşa ceva, îşi zisese. Ea nu era una dintre fetele alea care făceau o obsesie pentru bărbaţi mai în vârstă şi care, după părerea ei, căutau o figură paternă ce lipsea din vieţile lor. De ce se simţea atrasă de Azur, era convinsă că n-ar fi putut explica nimănui, cu atât mai puţin ei înseşi. Nu că ar fi vrut să împătăşească cuiva ce simţea pentru el. La fel ca jurnalul dedicat lui Dumnezeu pe care-l ţinea de când era mică sau copilul ceţurilor, Azur devenise un secret bine păzit. Totuşi Peri îşi luase obiceiul să adoarmă ţinând în mână o carte a lui şi urmărind cu degetele conturul literelor ce îi alcătuiau numele, în timp ce în fundal se auzea o melodie siropoasă. Ziua dădea târcoale colegiului la care preda el, aruncând pe furiş o privire pe după colţ în caz că era prin preajmă. Oricând nu avea cursuri sau seminare, se ducea să-şi bea cafeaua de dimineaţă la o cafenea care nu-i era deloc în drum, dar pe care ştia că o preferă el, deşi în puţinele dăţi când l-a văzut pe acolo s-a ascuns la toaletă. În timp ce făcea toate lucrurile astea ridicole, o parte a ei distantă şi critică o privea dezaprobator, sperând că era doar un moment de nebunie care avea să treacă în curând.

Acum, incapabilă să suporte propriile gânduri sau pe ale lui Kant, Peri şi-a pus adidaşii şi a ieşit să alerge. În ciuda frigului, promisiunea bucuriei stăruia în aerul serii ca nişte picături de rouă cristalizate. Lipsa zgomotului, care o izbise când se mutase acolo din Istanbul, n-o mai surprindea.

Pe Longwall Street, în colț, a zărit o cabină telefonică. Luând în calcul diferența de fus orar de două ore, tatăl ei bea acasă – singur sau cu prietenii.

Mensur a răspuns la telefon.

— Alo?

— *Baba*... Scuze, te sun într-un moment prost?

— Peri, draga mea! a exclamat el. Ce vrei să spui cu „moment prost"? Poți să suni oricând. Aș vrea s-o faci mai des.

I s-a tăiat respirația când a simțit tandrețea din glasul lui.

— Ești bine?

— Da, sunt bine, a răspuns ea. Mama ce face?

— E în camera ei. Vrei s-o chem?

— Nu, o să vorbesc altă dată cu ea. A adăugat încet: Mi-e așa dor de tine.

— Of, ai să mă faci să plâng, bondărel.

— Mă simt îngrozitor că n-am reușit să vin acasă de Anul Nou.

— A, cui îi pasă de Anul Nou? a răspuns Mensur. Maică-ta a uitat curcanul în cuptor și a ars pilaful. Așa că am mâncat carne uscată și orez negru. Am jucat Tombola. Maică-ta a câștigat. Zice că n-a trișat, dar putem s-o credem? A, și ne-am uitat la o dansatoare din buric la televizor – adică, eu m-am uitat. Atâta tot.

Erau multe lucruri de care nu pomenise, totuși Peri le-a auzit: mama ei s-ar fi înfuriat sigur văzând că Mensur nu lasă paharul din mână o clipă și că dansatoarea sumar îmbrăcată își scutură coapsele prin fața lui; cearta pe care o trăseseră din nou.

De parcă i-ar fi citit gândurile, Mensur a zis:

— Da, am băut câteva pahare. Ce ocazie ar putea fi mai bună? Știi cum se spune: ce faci în primele ore ale noului an o să faci tot restul anului.

Lui Peri i s-a strâns inima.

— Nu-i nimic că n-ai putut să vii, a zis Mensur. O să mai fie mulți ani de sărbătorit. Școala e cea mai importantă.

Școala... Nu facultatea sau colegiul, ci școala. Cuvântul acela de bază era aproape sacru pentru nenumărați părinți care, deși nu aveau cine știe ce educație, credeau în ea și investeau cât puteau în viitorul copiilor lor.

— Fratele meu ce face? a întrebat Peri.

N-a simțit nevoia să specifice care. Cu siguranță Hakan, fiindcă vorbeau foarte rar despre Umut, și de obicei pe un ton diferit.

— Bine, bine. Așteaptă un copil.

— Chiar?

— Da, a zis Mensur cu glasul plin de mândrie. Un băiat.

Trecuse mai bine de un an de la noaptea aceea cumplită de la spital, însă amintirea ei rămăsese încă proaspătă în mintea lui Peri. Mirosul de dezinfectant, vopseaua verde-mușchi, semilunile roșii din palmele miresei - și acum Feride îi purta copilul în pântec. Cuvintele mamei sale i-au răsunat în minte: *Multe căsătorii au supraviețuit unor lucruri și mai rele.*

— Eu nu cred c-aș putea face vreodată așa ceva.

— Ce?

— Să mă mărit cu cineva care se poartă urât cu mine.

Mensur a pufnit - pe jumătate oftând, pe jumătate râzând.

— Mama ta și cu mine te iubim, a zis el și a tăcut, nefiind obișnuit să vorbească despre amândoi odată. Te susținem orice-ai face, numai să fii fericită.

Lui Peri i s-au umplut ochii de lacrimi. Se simțea întotdeauna mai vulnerabilă când oamenii se arătau plini de compasiune mai degrabă decât de ranchiună.

— Ce s-a întâmplat, inimioara mea? Plângi cumva?

Ea n-a luat în seamă întrebarea.

— Dar, *baba*... dacă într-o zi te-aș face de rușine? M-ai respinge?

— Nu mi-aș respinge fiica orice-ar fi, a răspuns Mensur. Asta dacă nu-mi aduci acasă drept ginere vreun imam bărbos. Asta m-ar omorî! Și poate n-ar trebui să ieși nici cu vreunul dintre muzicienii ăia cu piepturile tatuate. Cum le zice? Metaliști. Pe mine nu m-ar deranja, însă maică-ta și-ar ieși din minți. Dar, în afară de imami și metaliști, ai de unde alege berechet.

Peri a râs. Și-a amintit de ritualurile lor din fața televizorului, cum o învățase să fluiere, să facă baloane de gumă, să mănânce semințe sărate de floarea-soarelui spărgându-le cu iscusință între dinți.

— Și cine-i băiatul norocos? a întrebat Mensur.

Auzind cuvântul „băiat“, s-a trezit la realitate. Din punctul de vedere al tatălui ei, nu putea să iubească decât un băiat, pe cineva de vârsta ei.

— O, doar un student, nu e nimic serios. Sunt prea tânără pentru ceva serios.

— Așa-i, Pericim. (A părut ușurat.) O să-ți treacă. Doar concentrează-te la învățat.

— Așa o să fac, *baba*.

— A, și nu-i spune nimic maică-tii. Nu e nevoie s-o îngrijorăm.

— Sigur că nu.

După ce a închis, Peri a alergat vreo oră întreagă. Picioarele îi alunecau pe pietrele de pavaj înghețate, dar nu s-a oprit. Când s-a întors în curtea pătrată, se forțase atât de tare, încât pulpele îi zvâcneau de durere și gâtul o ustura de fiecare dată când înghițea, primele semne ale unei gripe nasoale. A adormit imediat, alergând încă în somn și strângând în mână un bilet pe care Shirin i-l lăsase pe pat.

Peri, am găsit casa perfectă pentru noi! Pregătește-te, ne mutăm!

Lista

Istanbul, 2016

— Ați auzit ce s-a întâmplat? Groaznic, groaznic!

Era femeia din PR, care se adresa tuturor celor din salon. Ieșise ca să se ducă la baie, însă se întoarse imediat, roșie la față.

— Ce mai e *de data asta*? întrebă cineva.

În lume sunt două feluri de orașe: cele care își asigură locuitorii că mâine, și poimâine, și răspoimâine totul va fi aproape la fel; și cele care fac exact opusul, amintindu-le perfid locuitorilor de nesiguranța vieții. Istanbulul face parte din a doua categorie. Nu e loc de introspecție, nici timp să aștepți ceasurile să prindă din urmă cursul evenimentelor. Istanbuliții trec în viteză de la o știre de ultimă oră la alta, mișcându-se repede, consumând și mai repede, până se întâmplă altceva care le solicită întreaga atenție.

— Am văzut pe *feed*-ul de Twitter, o explozie, răspunse femeia din PR.

— În Istanbul? zise omul de afaceri. Când?

Cele trei întrebări esențiale, mereu în aceeași ordine: Ce? Unde? Când? Ce: se anunțase o explozie de proporții. Unde: în unul dintre cele mai populate cartiere din partea istorică a orașului. Când: cu doar patru minute în urmă. Explozia fusese atât de puternică, încât demolase fațada clădirii în care avusese loc și spulberase toate ferestrele de acolo și până pe strada următoare, rănind trecătorii, declanșând alarmele mașinilor și schimbând pentru o clipă culoarea cerului nopții într-un maroniu-ruginiu.

Cei mai mulți dintre invitați, conduși de femeia de afaceri, se repeziră la etaj să vadă știrile la televizor. Peri îi urmă, ceva mai încet, într-o încăpere luminoasă și confortabilă. Rămase în spatele celorlalți, de unde putea zări ecranul plat imens. O reporteră agitată – o tânără cu un păr așa de lung că l-ar fi putut folosi ca pe-o mantie – vorbea repede, ținând microfonul cu amândouă mâinile.

— Încă nu știm câți oameni au murit și câți au fost răniți, însă lucrurile nu arată prea bine. Nu arată bine deloc. Tot ce știm e că a fost o bombă puternică.

O bombă. Cuvântul, ca un fum toxic ivit de nicăieri, plutea prin mijlocul încăperii. Până atunci, invitații speraseră în secret că o scurgere de gaze sau un generator defect crease tot haosul ăla. Nu că asta ar fi micșorat gravitatea celor întâmplate. Dar o bombă e ceva diferit. O bombă nu înseamnă numai un incident tragic, ci și o intenție criminală. Dezastrele sunt înfiorătoare, cu siguranță. Însă răul combinat cu dezastrele e înspăimântător.

Totuși se obișnuiseră cu bombele – sau cu posibilitatea lor. Oricât de aleatorii și sporadice ar fi fost, se credea că teroriștii urmau anumite tipare. Nu loveau noaptea. Alegeau aproape întotdeauna orele zilei, când puteau să omoare cât mai mulți oameni într-un timp cât mai scurt și să ajungă pe prima pagină a ziarelor de a doua zi. Noaptea, deși periculoasă în alte feluri, era scutită de astfel de violență. Sau așa crezuseră.

De aceea, femeia de afaceri se miră:

— O bombă? La ora asta neobișnuită?

— Probabil că și teroriștii au fost blocați în trafic, glumi omul de afaceri. Nimic nu mai ajunge la timp în Istanbul, nici măcar Azrael.

Râseră cu toții – un chicotit scurt, trist. Glumele în fața unei calamități te fac să te simți murdar, vinovat, însă în același timp risipesc frica și mai ușurează din povara nesiguranței, care e mult prea grea.

Pe ecran, în fundal, se adunase un grup de bărbați și copii care îi sorbeau reporterei cuvintele de pe buze, sperând să li se pună și lor vreo întrebare. Un băiat care n-avea mai mult de doisprezece ani a făcut cu mâna spre cameră, încântat să-i vadă obiectivul ațintit asupra feței lui.

Pe ecran apăru apoi o imagine filmată din elicopter cu cartierul văzut de sus. Case construite una peste alta, atât de înghesuite încât semănau cu un bloc masiv de beton. Totuși, la o privire mai atentă, diferențele se vedeau clar. O clădire, mai ales, arăta de parcă trecuse prin ani întregi de război civil. Ferestre distruse, pereți arși, sticlă spartă pe caldarâm.

— Eram acasă, toată familia, ne uitam la televizor, când am auzit un zgomot și pământul a început să se zgâlțâie. Am crezut că e un cutremur, a zis un martor ocular - un bărbat scund și îndesat, în pijamale.

În vocea lui se simțea o exaltare pe care abia și-o stăpânea - uluit că se putea vedea acum pe același post la care se uita cu câteva minute în urmă, urmărit de milioane de oameni. Pe când continua să descrie „ce simțise", la cererea reporterei, în partea de jos a ecranului se derula o bandă roșie ce anunța numărul victimelor.

În conacul de pe țărmul mării, invitații se întorceau în salon, unul câte unul, punând la curent restul grupului.

— Cinci morți, cincisprezece răniți.

— Numărul lor s-ar putea să crească. Unii dintre răniți erau în stare critică, zise jurnalistul, care rămăsese acolo să sune la birou.

Cu degajarea cu care își pasau platourile cu *mezeler* la cină, schimbau acum fărâme de detalii sângeroase. Nu conta că erau redundante, și chiar mai puțin că erau repetitive. Cu cât își împărtășeau mai multe, cu atât păreau mai puțin reale. Tragedia e o marfă ca oricare alta. Destinată să fie consumată - individual sau în grup.

Iubita jurnalistului trase adânc aer în piept, zicând:

— Făceau o bombă în apartamentul unde locuiau. Ia închipuiți-vă! Au asamblat piesele, ca într-un joc de Lego diavolesc. Și a explodat. Vestea bună: teroriștii au murit pe loc. Vestea proastă: vecinul de deasupra și-a pierdut și el viața. Un profesor la pensie.

— Probabil preda geografia, bietul om, își dădu cu părerea omul de afaceri, bolborosind puțin cuvintele. Ce soartă... trebuie să fi fost un cetățean onest, corectând lucrările elevilor, purtând costume ponosite. După ani de muncă grea, iese la pensie. Sătul să se lupte cu puști ignoranți. Niște teroriști se mută în apartamentul de dedesubt... și, naiba să-i ia, se apucă de meșterit bombe... Bum! Și s-a zis cu profesorul. Îi învăța pe copii despre brațe de fluviu moarte și capitale, când sunt înconjurați de o geografie a terorii, ce naiba!

Nimeni nu zise nimic vreun minut.

— Se știe cine erau teroriștii? întrebă femeia din PR. Marxiști? Separatiști kurzi? Islamiști?

— Ce listă generoasă! chicoti arhitectul.

Peri îl auzi pe soțul ei dregându-și încet glasul.

— Nu e vorba numai de terorism sau de groaza pe care o inspiră, zise Adnan. Ci și de cât de repede ne obișnuim cu asemenea știri. Mâine pe vremea asta, puțină lume o să mai vorbească despre profesor. Peste o săptămână o să fie dat cu totul uitării.

Peri plecă privirea, tristețea din cuvintele lui ajungându-i la inimă și rămânând acolo, precum căldura ce stăruie în tăciunii aproape stinși ai unui foc de lemne.

Chipul Celuilalt

Oxford, 2002

În fața porții le aștepta un taxi. N-au vorbit o vreme, până când Peri a rupt tăcerea cu un strănut.

— Noroc, Șoarece!

— Mulțumesc... Tot nu pot să cred că mă mut cu tine! oftă Peri uitându-se cum străzile alunecau pe lângă geam.

Fără să-i ia în seamă împotrivirea, Shirin continuase să caute o casă potrivită. Reușise să convingă conducerea colegiului că s-ar putea muta în mijlocul anului universitar. Cu zelul ei neobosit, nu-i luase mult să o găsească. Harnică mai ceva ca o albină ce zboară din floare în floare, plătise avansul și chiria pe prima lună și aranjase să vină o mașină să le mute lucrurile. Organizase totul atât de fără cusur și fără drept de apel încât, în ziua stabilită, Peri n-a avut altceva de făcut decât să-și ia haina și să iasă pe ușă împreună cu prietena ei.

— *Chill*, o să ne distrăm, s-a entuziasmat Shirin. Toate trei!

Lui Peri i s-a tăiat respirația.

— Cine mai stă cu noi?

Shirin a scos o pudrieră din geantă și s-a privit în oglindă, de parcă trebuia să-și verifice expresia înainte să răspundă.

— Mona.

— Ce? Și-mi spui asta abia acum?

— Păi, când vine vorba de împărțit o casă, în trei e mai bine decât în doi, a răspuns Shirin zâmbind larg, deși nici ea nu credea în ce spune.

Peri a clătinat din cap.

— Ar fi trebuit să mă întrebi și pe mine.

— Scuze, am uitat. Am avut prea multe pe cap. (Vocea lui Shirin a devenit mai blândă.) Care-i problema? Credeam că-ți place de Mona.

— Îmi place, dar voi două nu vă înțelegeți deloc!

— Exact! a zis Shirin. Am nevoie de o provocare.

— Ce vrei să spui?

Dacă Shirin avea într-adevăr o explicație, aceasta trebuia să aștepte. Ajunseseră la adresă. O casă victoriană înșiruită în Jericho, cu bovindouri la parter, tavane înalte și o mică grădină în spate.

Mona stătea pe trepte, lângă ușa de la intrare, cu mai multe genți și cutii alături. Le-a făcut cu mâna și a coborât, chipul ei trădând oarecare neliniște. Peri și-a dat seama dintr-o privire că prietena ei o aburise și pe ea.

— Bună, Mona! i-a strigat Shirin după ce a plătit taxiul și s-a dat jos.

Stânjenite, stăteau toate trei pe trotuar, salutându-se. Diferențele dintre ele contrastau cu armonia arhitecturală a străzii: Mona - cu paltonul ei cărămiziu și vălul bej; Shirin - supermachiată, cu rochia neagră scurtă și cizmele ei cu tocuri înalte; Peri - în blugi și cu trenciul ei albastru.

— O să facem mai multe copii, a anunțat Shirin zdrăngănind cheile. O să fie palpitant.

Apoi a descuiat ușa și s-a repezit în casă. După ea a intrat Mona, cu dreptul, mișcându-și buzele într-o rugăciune.

— *Bismillah ir-Rahman ir-Rahim.*[1]

Peri a trecut pragul ultima, strănutând și tușind. Deși văzuse poze cu casa înainte și era mobilată, acum arăta pe jumătate goală. Să locuiască sub același acoperiș cu alții, să interacționeze cu ei la orice oră, zi de zi, i se părea intimidant - o asemenea apropiere obligatorie între oameni care, cu toate că nu erau iubiți, împărtășeau o oarecare intimitate. Se strădui să-și

1. În numele lui Allah, cel Îndurător, cel Milostiv (arabă).

alunge temerile. N-o ajută cu nimic. Soarta e o jucătoare căreia îi place la nebunie să crească mizele. După această experiență, simți Peri, ori aveau să fie cele mai bune prietene, surori pe viață, ori totul avea să se sfârșească în certuri și lacrimi.

*

Dacă o casă ar avea personalitate, a lor ar fi fost o adolescentă veșnic nemulțumită. Se plângea întruna. Scările scârțâiau, podelele trosneau, balamalele ușilor scrâșneau, dulapurile din bucătărie se tânguiau, frigiderul zăngănea, iar cafetiera gemea, supărată pentru fiecare strop de cafea pe care trebuia să-l dea. Totuși era casa lor, atâta vreme cât plăteau chiria. Aveau chiar și o mică grădină, unde plănuiau să facă un grătar când vremea se mai îndrepta.

Dintre cele trei dormitoare de la etaj, două erau cam de aceeași mărime, pe când cel din partea din spate era mai mic și mai întunecos. Peri a insistat să-l ia ea pe acela. Având în vedere contribuția ei financiară neglijabilă, i s-a părut cel mai corect. Bănuia că Shirin și Mona, fără s-o mai întrebe, hotărâseră să împartă cheltuielile. Grosul banilor îl punea Shirin, ținându-se de cuvânt. Mona plătea facturile, ceea ce nu depășea, probabil, suma pe care o plătea pentru camera ei la colegiu. Cât despre Peri, trebuia să contribuie doar la cumpărături. În acele condiții, n-ar fi acceptat niciodată una dintre camerele mai mari.

— Prostii! s-a opus Mona. Trebuie să tragem la sorți. Cine trage paiul cel mai scurt ia camera mai mică.

— Chiar lăsați treaba asta în voia sorții? a zis Shirin clătinând din cap cu mirare.

— Tu ce propui? a întrebat-o Mona.

— Am o idee mai bună, a răspuns Shirin. Haideți să facem cu rândul. În fiecare lună împachetăm și ne mutăm în camera următoare, ca triburile nomade. O să fim ca hunii, doar ceva mai pașnice. Așa o să fim toate egale.

— Păi, mulțumesc mult, sunteți foarte drăguțe amândouă. Dar nu vreau să aud nimic, le-a întrerupt Peri. Ori îmi dați camera mică, ori plec.

Cele două fete au schimbat priviri amuzate. N-o mai auziseră vorbind așa până atunci.

— Bine! a cedat Shirin. Dar trebuie să încetezi să-ți mai bați capul cu banii! Viața e scurtă, adică, cine știe cât o să-ți datorez la sfârșit? Poate că o să mă înveți vreun lucru neprețuit, știu și eu?

*

În următoarele câteva ore s-au retras în camerele lor, ocupate să despacheteze. În ciuda micimii și a mobilelor puține, camera ei, cu o fereastră ce dădea spre grădină, a fermecat-o din prima clipă pe Peri. Dar cea mai mare surpriză a fost patul masiv, cu baldachin, învăluit în perdele. O relicvă din altă epocă în care se simțea ca într-o caleașcă trasă de cai dacă trăgea perdelele și se întindea. Mai era și o nișă cochetă lângă fereastră. Peri a așezat acolo un scaun, declarând-o „colțul pentru citit".

La ora cinei, a bătut la ușa Monei, care era vizavi de a ei. Au coborât amândouă în bucătărie, nerăbdătoare să pregătească prima lor masă împreună. Au fost surprinse s-o găsească pe Shirin deja acolo, aranjând pe masă o sticlă de vin, o cutie cu suc de mere, o farfurie cu măsline și trei pahare.

— Trebuie să sărbătorim, a zis ea. Trei tinere musulmane la Oxford! Păcătoasa, Credincioasa și Nehotărâta.

S-a lăsat o clipă tăcerea până când Mona și Peri și-au dat seama ce epitet îi revenea fiecăreia. Peri și-a luat paharul de vin și l-a ridicat.

— Pentru prietenia noastră!

— Pentru criza noastră existențială colectivă! a zis Shirin.

— Vorbește în numele tău, a răspuns Mona sorbind din sucul ei de mere.

— Ei, ești în faza de negare, a zis Shirin. În momentul ăsta noi, musulmanii, trecem printr-o criză de identitate. Mai ales femeile. Și cu atât mai mult femeile ca noi!

— Adică?

— Adică cele expuse la mai mult de o cultură! Punem întrebări spinoase. Crapă de ciudă, Jean-Paul Sartre! Ia de-aici! Avem o criză existențială cum n-ai văzut niciodată!

— Nu-mi plac discuțiile de genul ăsta, a zis Mona așezându-se. Ce te face să crezi că ești atât de diferită de ceilalți? Vorbești de parcă am fi de pe altă planetă!

Shirin a luat repede o gură din vinul ei.

— Alooo, trezește-te, sora mea! Sunt o groază de nebuni afară care fac lucruri absolut revoltătoare în numele religiei, al religiei *noastre*. Poate nu a mea, dar cu siguranță a ta. Nu te deranjează?

— Ce legătură are asta cu mine? a zis Mona ridicând bărbia. Somezi orice creștin cu care te întâlnești să-și ceară iertare pentru ororile Inchiziției?

— Dacă trăiam în Evul Mediu, probabil că o făceam.

— Aha, deci creștinii și evreii din ziua de azi sunt toți niște îngeri neînaripați? a zis Mona. Ai trecut vreodată prin punctul de control din Gaza? Nu cred! Și cum rămâne cu genocidul din Rwanda? Cu Srebrenica? Nu îi învinuiești pe toți creștinii din lume pentru crimele alea îngrozitoare, și nici n-ar trebui! Atunci de ce îi învinuești pe toți musulmanii pentru faptele câtorva maniaci?

— Ăăă... ați putea să nu vă mai certați? a zis Peri între două accese de tuse.

Simțea cum crește tensiunea.

Shirin a insistat.

— Sigur, sunt o grămadă de ciudați și printre creștini și evrei și trebuie să condamnăm orice fel de fanatism, de oriunde ar veni. Dar nu poți să negi că în momentul ăsta există mai mult fanatism în Orientul Mijlociu decât altundeva. Poți să te plimbi prin Egipt fără să fii agresată sexual? Lasă străzile cufundate în întuneric! Știu femei care au fost hărțuite în pelerinaj. În locuri sacre! În plină zi! În fața poliției saudite! Femeile nu vorbesc despre lucrurile astea pentru că sunt stânjenite. De ce suntem noi stânjenite şi nu molestatorii? Sunt multe lucruri pe care trebuie să le punem sub semnul întrebării.

— Asta *și* fac, a răspuns Mona. Pun sub semnul întrebării istoria. Politica. Sărăcia globală. Capitalismul. Inegalitatea economică. Exportul creierelor. Industria de armament. Nu uita moştenirea îngrozitoare a colonialismului. Secole de jaf şi exploatare. De asta Occidentul e atât de bogat! Să lăsăm islamul în pace şi să începem să discutăm despre problemele grave!

— Tipic, a zis Shirin ridicând mâinile disperată. Dai vina pe alții pentru problemele *noastre*.

— Ăăă... putem să mâncăm? a făcut Peri o nouă încercare, nu că s-ar fi aşteptat la vreun răspuns.

Era o situaţie pe care o cunoştea mult prea bine - parcă locuia din nou cu părinţii. Acuzaţii furioase zburând dintr-o parte în alta - un ping-pong de neînţelegeri. Totuşi, de data asta i s-a părut mai uşor să fie martoră. Tensiunea din aer n-o afecta la fel ca aceea de acasă. Shirin şi Mona nu erau mama şi tatăl ei care îşi scoteau ochii. Nu simţea nevoia să medieze conflictul. Fără apăsarea vreunei responsabilităţi emoţionale, mintea ei era liberă să analizeze. Aşa că a ascultat, invidiindu-le în secret. În ciuda polarităţii lor evidente, erau la fel de pasionate. Mona avea credinţa ei, Shirin - furia ei. Ea de ce putea să se agaţe?

— Nu spun decât, a continuat Shirin, că provocările cu care se confruntă o tânără musulmană în ziua de astăzi sunt mai complicate decât cele cu care se confruntă un călugăr budist sau un pastor mormon. Să admitem lucrul ăsta.

— Nu admit nimic, a zis Mona. Atâta vreme cât eşti pornită împotriva propriei tale religii, nu putem avea o discuţie ca lumea.

— Iar începem! a exclamat Shirin ridicând vocea. Cum deschid gura şi-mi spun părerea, te superi. Poate să-mi spună cineva de ce tinerii musulmani se supără aşa de repede?

— Poate pentru că suntem atacaţi? a răspuns Mona. În fiecare zi sunt silită să mă apăr, deşi n-am făcut nimic greşit. Trebuie să *dovedesc* că nu-s o potenţială atentatoare sinucigaşă cu bombă.

Mi se pare că sunt tot timpul sub lupă – știi cât de singură te face să te simți?

Drept răspuns parcă, norii care se strânseseră toată ziua s-au rupt și ploaia a început să răpăie pe fereastră. Peri s-a gândit cum se umfla fluviul Tamisa în apropiere, încercând să iasă din matcă.

— Tu, singură! Mai scutește-mă! a zis Shirin. Ai milioane alături. Guverne. Religia convențională. Media dominantă. Cultura populară. Și crezi că și Dumnezeu e de partea ta, ceea ce trebuie să fie ceva. De câtă companie mai ai nevoie? Știi cine sunt cei cu adevărat singuri în religia noastră? Ateii. Yazidiții[1]. Homosexualii. Travestiții. Ecologiștii. Opozanții stagiului militar obligatoriu. Ăștia sunt niște paria. Dacă nu faci parte din una dintre categoriile astea, nu te mai plânge de singurătate.

— Habar n-ai, a zis Mona. Am fost intimidată, jignită, dată jos din autobuz, tratată ca o proastă – numai din cauza vălului. N-ai idee cât de îngrozitor am fost tratată. E doar o bucățică de pânză.

— Atunci de ce-l porți?

— E alegerea mea, identitatea mea! Pe mine nu mă deranjează obiceiurile tale, atunci pe tine de ce te deranjează ale mele? Cine e liberala aici, ia gândește-te!

— Ce ignoranță crasă! a izbucnit Shirin. Întâi e doar unul, apoi sunt zece, apoi – milioane. Până te dezmeticești, e o întreagă republică de văluri. De aia au plecat părinții mei din Iran: *bucățica ta de pânză* ne-a trimis în exil!

Cu fiecare cuvânt rostit, expresia de pe chipul lui Peri se înăsprea. Se uita la masa de lemn, ciobită într-un colț. Fusese întotdeauna atrasă de zgârieturile și imperfecțiunile de sub o suprafață netedă.

— Tu ce crezi, Peri? a întrebat-o Shirin dintr-odată.

— Da, spune-ne, care din noi are dreptate? a zis Mona.

---

1. Grup religios de etnie kurdă a cărui religie este un sincretism între islam și vechile religii persane, în special zoroastrismul.

Peri s-a foit neliniştită sub privirile lor. S-a uitat de la o faţă nerăbdătoare la cealaltă, căutându-şi cuvintele. În unele privinţe, avea dreptate Shirin, a răspuns ea, în altele avea dreptate Mona. De pildă, era de acord că viaţa putea fi sistematic nedreaptă pentru un membru al unei minorităţi - fie ea culturală sau religioasă sau sexuală - într-o cultură musulmană închisă, totuşi îşi dădea seama şi de greutăţile prin care trece o femeie ce poartă văl într-o societate occidentală. Pentru ea, important era întotdeauna contextul. Dacă cineva era oprimat sau defavorizat într-un anume loc sau timp, voia să-l ajute. De aceea nu lua categoric partea cuiva, în afară de a celor mai slabi.

— E un răspuns prea abstract, a zis Shirin nerăbdătoare, bătând darabana cu degetele în masă.

Judecând după expresia Monei, măcar de data asta păreau să fie de acord. Răspunsul lui Peri, oricât de echilibrat era, nu mulţumise pe nimeni.

— Lasă-mă să clarific un lucru, a zis Mona întorcându-se din nou spre Shirin. Nu am nimic cu ateii. Sau homosexualii. Sau travestiţii. E viaţa lor. Dar mă deranjează într-adevăr islamofobii. Dacă ai de gând să vorbeşti ca o neoconservatoare instigatoare la război, mai bine mă mut din casa asta.

— Eu, neoconservatoare? a exclamat Shirin punând paharul pe masă cu un gest atât de smucit, încât vinul s-a vărsat. Vrei să pleci? Bine! Dar asta înseamnă să alegi calea uşoară. Trebuie să încercăm să plecăm urechea la ce spune cealaltă.

A pleca urechea. Trebuie să ţin minte expresia asta, şi-a zis Peri.

— De acord, a răspuns Mona.

— Grozav, a zis Shiri. O să scriem un Manifest al Femeilor Musulmane. Ar avea un logo super, MFM. O să punem în el tot ce ne frustrează. Fanatismul. Sexismul.

— Islamofobia, a adăugat Mona.

— Chiar cred că acum ar trebui să începem să pregătim cina, a zis Peri.

Au râs toate trei. O clipă a părut că furtuna trecuse. Era linişte. Furtuna de-afară se domolise şi ea. După-amiaza târzie se preschimba în înserare. Luna era un talisman sidefat în înaltul cerului. Peste Port Meadow, Tamisa curgea năvalnic, cu vârtejurile ei adânci, ca o cărare argintie ce șerpuiește prin întuneric.

— Știi ce? a zis Mona cu un oftat resemnat, de parcă ar fi dezvăluit un lucru pe care îi luase ceva să-l înțeleagă. Te-ai născut într-o religie extraordinară, ți s-a dat drept călăuză un Profet minunat, dar în loc să vezi cât ești de binecuvântată și să încerci să fii un om mai bun, tot ce faci e să te plângi întruna.

— Că veni vorba de Profet, sunt niște chestii pe care le găsesc..., a început Shirin.

— Nici să nu te gândești, a întrerupt-o Mona cu glasul tremurând pentru prima oară. Poți să te iei de mine. Nici o problemă. Dar nu vreau să aud oameni vorbindu-mi Profetul de rău când nu știu mai nimic despre el. Critică lumea musulmană, OK, însă pe el lasă-l în pace.

Shirin a pufnit, frustrată.

— De ce să scutim pe cineva de o gândire critică? Mai ales că suntem la facultate!

— Pentru că ceea ce numești tu gândire critică e o absurditate interesată! a replicat Mona. Pentru că știu ce o să spui și îmi dau seama că privirea ta este impură, cunoașterea ta este întinată. Nu poți judeca secolul al VII-lea din perspectiva secolului XXI.

— Ba da, pot, dacă secolul al VII-lea încearcă să domine secolul XXI.

— Îmi doresc să fii mândră de cine ești, a zis Mona. Știi ce ești – o musulmană care se urăște pe sine.

— Au! a exclamat Shirin mimând durerea. N-am înțeles niciodată oamenii care sunt mândri să fie americani, arabi sau ruși... creștini, evrei sau musulmani. De ce să mă simt mândră de ceva care n-a fost alegerea mea? E ca și cum aș spune că sunt mândră că am un metru optzeci. Sau ca și cum m-aș felicita pentru nasul meu acvilin. Loteria genetică!

— Dar ești foarte încântată de ateismul tău, a zis Mona.

— Păi, eram atee militantă... însă nu mai sunt, datorită profesorului Azur, a răspuns Shirin teatral. Totuşi am muncit din greu să ajung la scepticismul de-acum, pe bune. Mi-am pus mintea, inima şi curajul în toată treaba asta. M-am detaşat de mulţimi şi congregaţii! Nu mi-a căzut pur şi simplu în poală. Mda, sunt foarte mândră de călătoria mea...

— Deci e adevărat, îţi dispreţuieşti cultura. Mă... dispreţuieşti. Pentru tine, sunt fie înapoiată, fie spălată pe creier. Oprimată. Ignorantă. Dar, spre deosebire de tine, eu am studiat *Coranul*. Mi s-a părut profund elocvent, înţelept, poetic. Am studiat viaţa Profetului. Cu cât citeam mai mult despre el, cu atât îl admiram mai tare. În credinţă îmi găsesc pacea lăuntrică. Dar ce-ţi pasă ţie? Nici măcar nu ştiu de ce am fost de acord să mă mut cu tine!

Mona a fugit sus, în camera ei. Podeaua scârţâia sub greutatea emoţiilor sale.

Shirin şi-a ridicat paharul gol şi l-a aruncat cu toată puterea de perete. Cioburi mărunte au căzut pe duşumea ca o ploaie tristă de confetti. Peri a tresărit, dar s-a ridicat imediat să le strângă.

— Nu te mişca, i-a ordonat Shirin. Eu am făcut mizerie, eu strâng.

— OK, a zis Peri. (Ştia că Shirin o să strângă doar cioburile mari, însă aşchiile aveau să rămână între scândurile podelei, aşteptând să le rănească într-o zi.) Mă duc în camera mea.

Shirin a oftat.

— Noapte bună, Şoarece.

Peri a făcut câţiva paşi, dar apoi s-a oprit, cu ochii aţintiţi la Shirin, de pe a cărei faţă dispăruse toată bravada.

— M-a avertizat că n-o să fie uşor, a murmurat ea ca pentru sine când a crezut că e singură.

— Cine te-a avertizat? a întrebat Peri.

Shirin a ridicat capul, clipind derutată.

— Nimeni, a zis. (Glasul ei avea ceva tăios, pe care nu-l mai auzise înainte.) Uite, vorbim mai târziu, OK? Trebuie să fac o baie. A fost o zi lungă.

*

Neputând să doarmă, singură în bucătărie, Peri și-a turnat încă un pahar de vin, cu mintea chinuită de frământări. Ghicise din întâmplare vreun secret? Remarca neglijentă a lui Shirin o sâcâia. Din intuiție sau bun-simț, bănuia că în spatele dorinței arzătoare a lui Shirin de a se muta împreună se afla un maestru al manipulării: Azur.

Și-a amintit un pasaj pe care îl citise într-una dintre primele lui cărți, unde explora ideea ca oamenii care se contrazic cu îndârjire sau se acuză întruna să fie lăsați împreună într-un spațiu închis și siliți să se privească în ochi. Un prizonier alb rasist ar trebui pus în celulă cu unul negru; un muncitor într-o mină de jad cu un ecologist; un amator de trofee de vânătoare cu un conservaționist de specii pe cale de dispariție. Când citise lucrurile alea, nu le dăduse prea mare atenție, însă acum începeau să prindă contur. Era într-un joc, jucându-și rolul fără să știe, controlată de la distanță de alt creier. Cuprinsă de spaimă, a alergat la etaj. Ușa de la camera Monei era închisă. În baia din capătul holului se auzea apa curgând. Înăuntru, Shirin fredona o melodie care i se părea oarecum cunoscută, aproape obsedantă.

A intrat în vârful picioarelor în camera lui Shirin. Erau cutii de carton peste tot. Evident, nu prea se obosise să despacheteze. Pe una dintre cutiile mai mari scria cu litere de tipar: CĂRȚI. Era desfăcută, și Peri a observat că unele dintre ele fuseseră așezate pe raft. După câte se părea, Shirin se plictisise rapid, lăsând restul cutiei neatins.

Peri a scotocit prin ea. Nu i-a luat mult să găsească ce căuta. Titlu cu titlu, a scos toate cărțile publicate până atunci de profesorul Azur. A deschis-o pe prima, dând la pagina de titlu. Avea autograf, exact cum se așteptase.

Dulcii Shirin,

Veșnică emigrantă, răzvrătită neînfricată, paria a filosofiei,

Fata care știe să pună întrebări și nu se teme să caute răspunsurile...

A.Z. Azur

Peri a închis cartea dintr-o mișcare, cu o împunsătură de gelozie. Nu că n-ar fi știut că Shirin îl vizita regulat pe profesor, cel puțin de două ori pe săptămână, și că erau apropiați, însă o durea să vadă cât o aprecia el. A verificat și celelalte titluri, doar ca să descopere că și ele aveau autografe. Ultima carte pe care a deschis-o avea un autograf mai lung.

Lui Shirin, care,
deși numele ei n-o arată, e
dulce și acrișoară, ca rodiile din Persia,
ținutul leului și al soarelui...
Dar trebuie să afle, dacă nu să iubească, ce disprețuiește;
pentru că numai în oglinda Celuilalt
putem zări chipul lui Dumnezeu.
Iubește, draga mea,
Iubește-ți sora vitregă...
A.Z. Azur

Care soră vitregă? Peri știa că Shirin nu are așa ceva – asta dacă nu era o metaforă pentru „cealaltă femeie".

Peri a tras adânc aer în piept înțelegând amploarea operațiunii. Shirin disprețuia religia și pe oamenii religioși. Deși ataca toate confesiunile, cel mai tare critica religia în care fusese crescută. Detesta mai ales tinerele musulmane care alegeau să poarte văl. „*Mullah*-ii și poliția morală ne reduc la tăcere din afară. Dar fetele alea care cred sincer că trebuie să se acopere ca să nu ademenească bărbații ne reduc la tăcere dinăuntru", spusese ea odată. Cu cât se gândea mai mult, cu atât Peri se convingea mai tare că profesorul Azur o pusese pe Shirin într-un laborator social ca s-o oblige să interacționeze cu ideea ei de „Celălalt": Mona.

Oricât de zguduită ar fi fost de această descoperire, era ceva care o îngrijora și mai tare. Poate că nu era vorba doar de Mona. A înghițit cu noduri, văzându-se, pentru prima oară, prin ochii lui Shirin. Nesiguranța, șovăiala, timiditatea, pasivitatea ei... Trăsături pe care cineva ca Shirin le-ar detesta. *Trei musulmane la Oxford: Păcătoasa, Credincioasa și Nehotărâta.* Nu numai Mona fusese aleasă pentru acest experiment social bizar. Acum înțelegea: cea de-a doua soră vitregă era Peri însăși.

A pus cartea la loc, a închis cutia și a ieșit din cameră. Cât regreta că dăduse pacea și liniștea camerei sale de la colegiu pentru casa asta, unde orice mișcare a lor avea să-i fie raportată profesorului Azur. Se simțea ca o muscă într-un borcan de sticlă – la căldură și în siguranță la prima vedere, totuși captivă.

Chakrele

Istanbul, 2016

— Profesorul la pensie o să fie dat uitării, repetă Adnan. Nimic nu ne mai șochează. Ne-am desensibilizat.

— Dragul meu, nu ești cam dur? Ce altceva putem face? întrebă femeia de afaceri. Altfel am înnebuni!

Auzind-o, mediumul se băgă și el în vorbă cu o scuturare nerăbdătoare din cap:

— Națiunile au și ele un semn zodiacal, ca oamenii. Țara asta s-a născut în 29 octombrie. Scorpion, guvernat de Marte și Pluto. Cine e Marte? Zeul războiului. Cine e Pluto? Zeul lumii subpământene. Planetele spun totul.

— Aiureli astrologice, zise magnatul media, care conducea un ziar religios. Ce vrei să spui prin „zei", când toți credem într-un singur Dumnezeu?

Mediumul se îndreptă de spate, cu o mutră jignită.

— Întregul Orient Mijlociu are chakrele blocate, zise jurnalistul.

— Nici nu-i de mirare, glumi omul de afaceri. Singura energie pe care o cunosc cei de-aici e petrolul. Și mai vorbim de energii spirituale!

— Deci, ca profesionist, care chakre crezi că trebuie deblocate? întrebă femeia de afaceri fără să ia în seamă remarca soțului ei.

— A cincea, veni răspunsul. Chakra gâtului. Gânduri reprimate, dorințe neexprimate. Începe aici, în partea din spate a gurii, și apasă pe esofag și stomac.

Câțiva invitați își atinseră gâturile.

— Că tot vorbim de asta, mi s-a uscat gâtlejul, trebuie să-mi deblochez chakra, zise omul de afaceri *Kızım*, mai adu-ne niște whisky.

Mediumul continuă:

— E o tehnică ce poate fi folosită pentru a debloca chakrele unei națiuni...

— Se numește democrație? sugeră Peri.

Chirurgul plastician se uită la ceas.

— O, Doamne, ce târziu s-a făcut! Ar fi bine să plec. Iau avionul mâine-dimineață devreme.

Deși se stabilise în Stockholm cu mulți ani în urmă, se întorcea adesea la Istanbul, unde avea afaceri și, potrivit zvonurilor, o iubită destul de tânără să-i fie fiică.

— Așa, dispari și lasă-ne pe noi să ne descurcăm cu mizeria asta, zise femeia din PR.

Cei care plecau în străinătate să-și facă o viață mai bună erau automat invidiați și disprețuiți. Nu conta dacă trăiau la New York, la Londra sau la Paris. Pentru cei rămași în urmă, problema era tocmai *ideea* unei vieți în altă parte. Și ei tânjeau după ceruri noi sub care să se preumble. La mic dejunuri și brunch-uri făceau planuri elaborate să se mute în străinătate – aproape întotdeauna în Occident. Dar planurile lor, ca niște castele de nisip, se năruiau încet sub mareea în creștere a familiarității. Rudele, prietenii și amintirile împărtășite îi ancorau acolo. Astfel, încet-încet, uitau de dorul lor după alt loc – până când se întâlneau cu cineva care chiar făcuse ce își doriseră ei odată să facă. Atunci mureau de ciudă.

Chirurgul plastician simți supărarea îndreptată împotriva lui.

— Nici Suedia nu e un paradis, zise el.

Un argument prea slab, care n-a convins pe nimeni. A doua zi avea să se întoarcă în Europa și să-i lase acolo cu problemele lor. Avea să mănânce rulouri cu scorțișoară în timp ce ei se confruntau cu instabilitatea regională, tulburările politice și bombele.

Peri îi zâmbi înțelegător.

— Nu-i ușor nici să pleci, nici să rămâi.

Voia să le explice că cei care rămâneau, în ciuda greutăților, se bucurau de prietenii durabile și cercuri sociale mai largi, pe când cei care emigrau de tot rămâneau incompleți, puzzle-uri din care lipsea o piesă esențială.

— Păi, e de-a dreptul tragic că trebuie să trăiască în Alpi! zise iubita jurnalistului, care – în ciuda ghionturilor acestuia – continua să bea.

— Alpii sunt în Elveția, nu în Suedia, încercă cineva s-o corecteze, însă iubita jurnalistului ignoră comentariul.

Cu burtica ei strânsă în fusta mini mulată, sări în picioare și îndreptă o unghie dată cu ojă, pe jumătate roasă, spre chirurgul plastician.

— Tu și toți cei ca tine sunteți niște dezertori! Plecați în străinătate și trăiți confortabil... pe când noi ne luptăm cu extremismul, fundamentalismul, sexismul și... (Se răsuci, căutând alt *-ism* prin preajmă.) Libertățile *mele* sunt în pericol...

— Că tot vorbim de pericol..., zise gazda întorcându-se spre medium. Dragul meu, trebuie să-ți fac turul casei. Numai tu poți să-mi spui de ce am avut atâtea accidente ciudate. Mai întâi inundația, pe urmă fulgerul. Și ai auzit de vapor? A intrat drept în conac, ca într-un film de acțiune!

Se uită la soțul ei să vadă dacă îi scăpase ceva.

— Copacul, o ajută el.

— A, da, ne-a căzut un copac peste acoperiș! Crezi că e vorba de deochi?

— Așa pare. Nu subestimați niciodată puterea invidiei, răspunse mediumul. Ați verificat camerele servitoarelor? Poate că vreuna dintre ele a aruncat un blestem asupra voastră.

— Crezi c-ar îndrăzni? Le dau afară într-o clipită dacă găsim ceva suspect. (Femeia de afaceri își pipăi gâtul de parcă nu mai putea respira.) De unde vrei să începem?

— De la subsol. Dacă te-apuci să cauți un blestem, verifică întotdeauna cotloanele întunecoase.

În timp ce mediumul și gazda treceau pe lângă ea, Peri simți o vibrație. Îi mai trebui o secundă ca să-și dea seama că era telefonul soțului ei. Se albi la față – o suna Shirin.

Casa din Jericho

Oxford, 2002

Curând a devenit clar că fiecare prefera o parte diferită a casei. A lui Shirin era baia – mai precis, cada de sine stătătoare, sprijinită pe picioare în formă de labe. Cu ajutorul lumânărilor, sărurilor de baie, cremelor și uleiurilor, a transformat-o într-un altar al răsfățului. Ritualul ei de seară era să umple ochi cada cu apă fierbinte în care turna un amestec amețitor de parfumuri. Se îmbăia vreo oră, citind reviste, ascultând muzică, făcându-și unghiile sau visând cu ochii deschiși.

Locul preferat al Monei era bucătăria. Se trezea devreme – nu pierdea niciodată rugăciunea de dimineață. Își făcea abluțiunile, întindea covorașul de rugăciune din mătase – un dar de la bunica ei – și se ruga pentru ea și pentru ceilalți, chiar și pentru Shirin, care – credea Mona – avea nevoie de un ghiont divin. Ce forță trebuia să aibă acesta, Îl lăsa pe Allah să hotărască, fiindcă El știa cel mai bine. Pe urmă cobora în bucătărie și pregătea micul dejun pentru toată lumea – clătite, *ful mudamma*[1], omletă.

Cât despre Peri, locul ei preferat era patul cu baldachin pe care îl avea în cameră. Shirin îi dăduse încă o lenjerie de pat din bumbac egiptean, moale ca blana de iepure, ceea ce a făcut-o să se atașeze și mai tare de acea piesă de mobilier. Acolo învăța. Noaptea, când se întindea în pat, asculta foșnetul vântului prin

1. Fel de mâncare specific bucătăriei Orientului Mijlociu, constând în bob fiert servit cu ulei, chimion, pătrunjel, usturoi, zeamă de lămâie și ardei iute.

crengile de sus ale arinului de afară sau clipocitul îndepărtat al fluviului. Pe peretele opus, umbrele se legănau într-un ritm tăcut. Vedea forme ce îi aminteau de hărţile ţării ei, imaginare sau reale, teritorii pentru care oamenii fuseseră ucişi cu zecile de mii, valuri peste valuri de sânge. Epuizată de ritmul închipuirilor ei, adormea, mângâiată de gândul că a doua zi când se va trezi lumea va fi încă acolo, neschimbată.

Dimineaţa, pe când Shirin, care dormea până târziu, era încă în pat şi Mona, care se trezea devreme, se ruga, Peri ieşea să alerge. Forţându-şi trupul să înainteze, se gândea la Azur. La ce se aşteptase când o îndemnase pe Shirin să le aducă pe toate trei împreună - el ce avea de câştigat din asta? Cu cât se străduia mai tare să rezolve misterul, cu atât ura pentru el creştea, ridicându-se dinăuntrul ei ca fierea.

Majoritatea certurilor aveau loc în jurul mesei din bucătărie, adesea în mirosul de pâine coaptă. O dată, Shirin ieşise pe uşă valvârtej, ţipând că ei îi ajunsese, însă pe urmă se întorsese la cină. Altă dată, Mona făcuse acelaşi lucru. Certurile lor se iscau de la Dumnezeu, religie, credinţă, identitate şi, de câteva ori, de la sex. Mona credea că e mai bine să rămâi virgină până la căsătorie - un sacrificiu la care se aştepta atât din partea ei, cât şi a viitorului soţ -, în timp ce Shirin făcea mişto de o astfel de idee. Iar Peri, care nu era nici devotată noţiunii de virginitate, nici atât de în largul ei când venea vorba de sexualitate pe cât i-ar fi plăcut, le asculta, simţindu-se undeva la mijloc, aşa cum i se întâmpla adesea.

*

Joi după-amiază, când s-a întors la casa din Jericho, Peri le-a găsit pe Mona şi pe Shirin urmărind în tăcere un tablou al haosului la televizor. Camera se mişca încolo şi-ncoace în zgomotul sirenelor, oprindu-se pe sticla spartă, pe sângele de pe jos. O sinagogă din Tunisia fusese atacată de terorişti. Un camion încărcat cu gaze naturale şi explozibil fusese detonat în faţa clădirii, omorând nouăsprezece oameni.

Muşcându-şi obrajii pe dinăuntru, Mona a zis:

— Te rog, dă, Doamne, să nu fi făcut un musulman aşa ceva.

— Dumnezeu nu vrea să te asculte, a replicat Shirin.

Mona i-a aruncat o privire de gheaţă. Când a vorbit din nou, toată blândeţea îi pierise din glas.

— Îţi... baţi joc de mine!

— Îmi bat joc de inutilitatea rugăciunii tale, a răspuns Shirin. Chiar crezi că poţi să schimbi lucrurile dacă te rogi cu foc? Ce-a fost a fost.

Ostilitatea dintre Shirin şi Mona creştea cu fiecare minut. Cearta din seara aia a fost cea mai urâtă din câte avuseseră vreodată.

Peri s-a retras în camera ei fără să mai ia cina, s-a aruncat pe pat şi şi-a acoperit urechile cu mâinile în timp ce jos ţipetele nu încetau o clipă.

Mâine-dimineaţă, şi-a zis şi a sperat, *o să le fie ruşine de lucrurile pe care şi le-au spus.*

Dar, cel mai probabil, aveau să uite de ele – până la următoarea ceartă. Dintre toate trei, numai Peri încredinţa memoriei fiecare cuvânt al lor, fiecare gest, fiecare jignire. Era, încă din copilărie, o arhivară dedicată, o păstrătoare a amintirilor dureroase. Trata memoria ca pe o datorie, o responsabilitate ce trebuia îndeplinită până la capăt – chiar dacă simţea că o povară atât de grea nu putea decât s-o tragă în jos într-o bună zi.

Când era mică, Peri înţelegea limba vântului, citea semnele săpate în câmpurile pe jumătate culese sau în zăpada căzută din salcâmi, cânta împreună cu apa ce curgea dintr-un robinet. Chiar îşi închipuia că într-o zi îl va vedea pe Dumnezeu cu ochii ei, dacă se străduia îndeajuns. O dată, când se plimba împreună cu mama ei, a dat peste un arici călcat de o maşină. A insistat să se roage pentru sufletul lui – lucru care a îngrozit-o pe Selma. Raiul e un spaţiu strâmt şi închis, rezervat doar câtorva. Animalele nu sunt primite acolo, i-a explicat maică-sa.

— Cine nu mai e primit în rai? a întrebat Peri.

— Păcătoşii, răufăcătorii, cei care abandonează religia noastră şi se abat de la calea cea dreaptă... şi cei care se sinucid. Nu au dreptul nici măcar la o slujbă de înmormântare.

Şi aricii, se părea. Animalul mort a fost aruncat în pubela lor. În noaptea aceea, Peri s-a strecurat afară din casă şi a scos ariciul mort din containerul urât mirositor. Nu reuşise să găsească nişte mănuşi şi, când i-a atins trupul fără viață, s-a cutremurat, de parcă ceva ar fi trecut din corpul animalului mort într-al ei. A săpat o groapă cu mâinile goale, a îngropat ariciul şi a marcat locul cu o piatră de mormânt făcută dintr-o riglă de lemn. Apoi s-a rugat. Treptat, să pună în scenă înmormântări a devenit unul dintre jocurile ei favorite. Organiza îngropăciuni pentru albine moarte şi petale ofilite, fluturi cu aripile frânte şi jucării stricate ce nu mai puteau fi reparate. Cei care nu erau primiți în Cennet[1].

Crescând, a învățat să-şi înăbuşe ciudățeniile, una câte una. Toate anomaliile ei au fost sfărâmate de familie, şcoală şi societate într-o pulbere de banalitate plictisitoare. În afară de copilul ceţurilor. Dar a ştiut întotdeauna că era *diferită*. O stranietate pe care trebuia să facă tot ce îi stătea în puteri să o ascundă. O cicatrice care avea să-i rămână gravată în piele pentru totdeauna. Făcea atâtea eforturi să fie normală, încât adesea nu mai avea nici un strop de energie să fie altcumva, lucru care îi dădea un sentiment de inutilitate. De la un moment dat, fără să-şi dea seama, singurătatea încetase să mai fie o alegere şi devenise în schimb un blestem. Un gol în piept atât de adânc şi de permanent, încât îşi închipuia că poate fi comparat doar cu absența lui Dumnezeu. Da, probabil că asta era. Purta absența lui Dumnezeu înăuntrul ei. Nu-i de mirare că i se părea aşa de grea.

1. Rai (tc.).

Pionul

Oxford, 2002

Peri traversa Radcliffe Square pe bicicletă, cu o geantă de umăr plină cu cărți și câțiva struguri rămași de la prânz. În fața la Radcliffe Camera, l-a zărit pe Troy stând pe o bancă împreună cu un grup de prieteni și vorbind cu însuflețire. Când a dat cu ochii de Peri, s-a rupt de grup și s-a îndreptat spre ea.

— Bună, Peri. Tot mai citești pentru Azur?

— Dar tu... tot îl mai spionezi?

Felul în care și-a răsfrânt buza de jos era o confirmare suficientă.

— Omul ăla n-ar trebui lăsat să predea într-o instituție respectabilă. Știi că nu-i pasă nici cât negru sub unghie de studenții lui? E vorba numai despre propriul orgoliu.

— Studenții îl plac.

— Mda, sigur. Mai ales studentele... Prietena ta, Shirin, de pildă.

A smucit din cap într-un fel bizar când i-a rostit numele.

Peri și-a afundat tocul pantofului în pietriș.

— Ce-i cu ea?

— Ei, parcă n-ai ști. (S-a uitat la ea cu ochii mari.) Chiar trebuie să-ți explic?

— Ce să-mi explici?

Ochii lui Troy au scânteiat.

— Că Azur e încurcat cu Shirin.

O tăcere tulbure s-a lăsat între ei, însă nu pentru mult timp.

— Dar e o veche studentă de-a lui..., a zis Peri cu glas tot mai pierit.

— Se culca cu el şi când era înscrisă la seminarul lui. Pun pariu că notau împreună eseurile ei, în pat.

Peri şi-a ferit privirea. În clipa aia a văzut ce nu fusese în stare să vadă în tot acel timp: ura pe care o nutrea Troy pentru Azur venea din gelozie. Băiatul era îndrăgostit de Shirin.

— Uneori se duce la el în birou. Și încuie uşa. Le ia între douăzeci de minute şi jumătate de oră, în funcție de zi. I-am cronometrat, am aşteptat afară.

— Încetează.

Peri a simţit că faţa îi ia foc.

— Ştiu că şi tu îl vizitezi. Te-am văzut.

— Ca să discutăm despre... Peri s-a oprit o clipă, apoi a adăugat: Activitatea mea.

— Mincinoaso, n-ai seminar cu el trimestrul ăsta!

— Am... am avut ceva important să-i spun, a răspuns Peri. Nu putea să-i explice în nici un caz că fusese acolo de câteva ori ca să vorbească despre copilul ceţurilor. Azur îi pusese o grămadă de întrebări despre cum începuse totul şi despre reacțiile atât de diferite ale părinţilor ei. Frica de djinni, vizita la exorcist, lucrurile mâzgălite în jurnalul dedicat lui Dumnezeu... Nu-i ascunsese nimic, prefăcându-şi amintirile din copilărie într-un pod despre care spera că avea să-i îngăduie să ajungă la inima lui. Totuşi, când s-a săturat, Azur a dărâmat podul şi nu şi-a reînnoit invitaţiile de a-l vizita în biroul lui.

— Nu vezi? a zis Troy. Tipul e un prădător egocentric. Are nevoie de minţi şi trupuri tinere ca să se hrănească.

— Trebuie să plec, aproape că a şoptit Peri.

*

Cuprinsă de o migrenă groaznică, s-a oprit la farmacie în drum spre casă. De când venise la Oxford încercase toate analgezicele care se dădeau fără reţetă. Acum mergea pe culoarele familiare, încetinind în dreptul rafturilor pline cu contraceptive de o varietate pe care n-o văzuse niciodată în Istanbul. Pachete strălucitoare, culori voluptuoase, designuri groteşti, cuvinte pasionale. I-a trecut prin minte că, dacă tatăl şi mama ei ar fi folosit unul dintre produsele alea, ea nu s-ar fi născut. Nici *el*. Ar fi fost doar un neant încântător. Nu tu suferinţă, nu tu vinovăţie, nimic.

Îi luase mulţi ani să descopere adevărul pe care părinţii ei i-l ascunseseră cu grijă în copilărie. Adevărat, Selma avusese o sarcină neaşteptată la vârsta ei, însă născuse doi copii, nu unul. O fată şi un băiat. Peri şi Poyraz – fata purta numele unei zâne înveşmântate în aur, băiatul, pe al celui mai aprig vânt dinspre nord-est.

Când aveau patru ani, într-o după-amiază călduroasă şi moleşitoare, Selma i-a lăsat pe copii singuri pe sofa câteva clipe şi s-a dus până în bucătărie. Făcea magiun – una dintre specialităţile ei. Cumpăraseră o mulţime de prune de la bazarul din apropiere şi acum unele stăteau într-un castron pe măsuţa de cafea, iar celelalte aşteptau pe blatul de bucătărie să fie fierte, îndulcite şi conservate. Lumea se colorase în vineţiu.

Curând, plictisită, Peri a reuşit să se dea jos de pe sofa pe covor. A ajuns la castronul cu prune, a înhăţat una, a cercetat-o curioasă, a muşcat din ea. Prea acră. S-a răzgândit. I-a dat-o fratelui ei, care a primit-o bucuros. Au fost de-ajuns câteva secunde, doar atât. Până s-a întors Selma din bucătărie, copilaşul ei nu se mai zbătea să respire, cu faţa de aceeaşi culoare ca fructul cu care se înecase. Peri privise toată scena fără să înţeleagă, încremenită.

— De ce nu m-ai strigat? s-a răstit Selma la fiica ei de faţă cu rudele şi vecinii care se strânseseră acasă după înmormântare. Ce te-a apucat? Te-ai uitat la frate-tu cum moare şi n-ai scos o vorbă. Copil rău ce eşti!

Nu aveau să treacă niciodată peste asta. Peri ştia, în adâncul sufletului, că maică-sa avea s-o învinovăţească întotdeauna pentru moartea fratelui ei geamăn. *Cât de greu poate să fie pentru un copil de patru ani să strige după ajutor? Dacă m-ar fi strigat, l-aş fi putut salva.*

Amorţire. Asta căuta Peri mai mult decât orice. De-ar fi reuşit să nu simtă şi să nu-şi aducă aminte nimic. Dar, oricât ar fi încercat, trecutul revenea întruna şi, odată cu el, revenea şi durerea. Amintirea acelei după-amiezi o însoţea întruna prin stafia fratelui ei geamăn. La fel şi vinovăţia, ruşinea şi ura de sine care sălăşluiau în pieptul ei, de parcă n-ar fi fost sentimente, ci carne din carnea ei.

*

În aceeaşi seară, Peri a găsit-o pe Shirin singură în bucătărie, tăind nişte roşii să-şi facă salată. Avea mare grijă la greutate, care fluctua la fel ca dispoziţia ei. Mona ieşise să ia cina în oraş cu nişte rude venite în vizită din afara oraşului şi avea să vină târziu.

— Vreau să te întreb ceva, a zis Peri.

— Sigur, dă-i drumul!

— A fost planul lui Azur? Să locuim împreună. Prietenia noastră, chiar de la început – a fost ideea lui?

Shirin a ridicat dintr-o sprânceană.

— Ce te face să crezi asta?

— Te rog, nu mai... minţi, a zis Peri. E un experiment pe care-l faci pentru el, aşa-i? Laboratorul social al lui Azur.

— Uau, ce conspiraţie! (Shirin a aruncat roşiile într-un bol cu salată şi a adăugat nişte măsline.) Ce ai cu profesorul?

— Pare să-i placă să se amestece în vieţile studenţilor lui.

— Asta-i acum, a zis Shirin. Cum să predea altfel? Cum crezi că şi-au instruit cărturarii discipolii de-a lungul istoriei? Maeştrii şi ucenicii. Filosofii şi protejaţii lor. Prin ani de muncă grea şi disciplină strictă. Dar am uitat toate astea. Universităţile depind în asemenea măsură de partea financiară în zilele noastre, încât studenţii care îşi permit să plătească taxele de şcolarizare sunt trataţi de parcă ar face parte din cine ştie ce familie regală.

— Azur nu e maestrul nostru, şi noi nu suntem ucenicii lui.

— Ei, eu sunt, a răspuns Shirin luând o lingură şi o furculiţă şi amestecând salata. Eu mă consider unul dintre discipolii lui devotaţi.

Peri a tăcut, neştiind ce să răspundă.

— Respectul pentru Azur e singurul lucru pe care Mona şi cu mine îl avem în comun. Ce s-a întâmplat? Credeam că-ţi place de profesor.

Peri a simţit că roşeşte - se ura pentru că era atât de transparentă.

— Mă tem că aşteaptă prea mult de la noi şi că n-o să reuşim să fim la înălţime.

— A, deci te temi să nu-l dezamăgeşti, a zis Shirin cu un zâmbet cunoscător, luând bolul cu salată şi îndreptându-se spre camera ei. Atunci n-o face!

— Stai puţin, a zis Peri.

Îşi simţea gura uscată. Se temea de urmări dacă punea întrebarea care o măcina, şi totuşi trebuia s-o facă.

— Ai o relaţie cu el?

Shirin, ajunsă la jumătatea scărilor, s-a oprit. Punând o mână pe balustradă, s-a uitat în jos la prietena ei cu ochii ca nişte mingi de foc.

— Dacă mă întrebi fiindcă eşti paranoică, e problema ta, nu a mea. Dacă mă întrebi fiindcă eşti geloasă, din nou, e problema ta, nu a mea.

— Nu sunt nici paranoică, nici geloasă, a răspuns Peri neputându-se abţine să ridice glasul.

— Zău? a râs Shirin. E un proverb iranian pe care l-am învăţat de la *mamani*: *Cine se face şoarece, îl mănânce pisicile.*

— Ce vrei să spui?

— Nu te băga în treburile mele, că te mănânc de vie, asta vreau să spun, Şoarece.

Pe urmă, Shirin s-a îndreptat cu paşi apăsaţi spre camera ei, lăsând-o pe Peri în bucătărie, să se simtă mică şi lipsită de importanţă.

Cât îl detesta pe Azur. Aroganța lui. Nechibzuința lui. Indiferența pe care i-o arăta ei în timp ce flirta cu Shirin și Dumnezeu știe cu mai cine. Se simțea amețită, de parcă o roată a urii s-ar fi învârtit în sufletul ei, fără s-o poată opri. Avusese așteptări atât de mari de la el. Crezuse că Azur, cu știința și viziunea lui, urma să-i arate calea de ieșire din dilema care o chinuise încă din copilărie. Dar nu făcuse deloc asta.

Totuși cel mai mult se detesta pe sine: mintea ei zbuciumată, care nu plăsmuia gânduri fericite, ci neliniști și coșmaruri; trupul ei rușinos, pe care-l îndura ca pe-o povară zilnică, incapabilă să se bucure de plăcerile lui; trăsăturile ei insipide, pe care își dorise de atâtea ori să le schimbe cu ale altcuiva – ale fratelui ei geamăn, de pildă. De ce el murise și ea rămăsese în viață? Era încă una dintre greșelile cumplite ale lui Dumnezeu?

Era convinsă că nu putea fi nici ca Shirin – îndrăzneață și sigură de sine –, nici ca Mona – credincioasă și puternică. Se săturase de ea însăși, rănită de trecut, speriată de viitor. Neagră la suflet, confuză din fire, timidă ca un pui de tigru abia fătat, însă incapabilă să se ridice la înălțimea sălbăticiei pe care o purta în adâncul ei... Nimeni nu avea idee cât de epuizant era să fii Peri. De-ar fi putut să doarmă și să se trezească altcineva. Sau, și mai bine, să nu se mai trezească deloc.

În noaptea aceea a vizitat-o din nou copilul cețurilor. Pata vineție de pe obrazul lui parcă crescuse. A plâns cu lacrimi vineții pe așternutul ei. O culoare închisă, intensă, amintind de cea a prunelor coapte, s-a întins peste tot. Copilul vorbea întruna în felul său peltic, îndemnând-o să facă un lucru îndelung amânat. De data asta a înțeles ce voia să-i spună și a fost de acord. Poate că avea să se întâlnească din nou ariciul ăla ghinionist. Ce se alesese de el, de trupul, de sufletul lui? Avea să afle, direct de la sursă, ce se întâmplă cu cei care nu sunt primiți în raiul lui Dumnezeu.

Coridorul

Istanbul, 2016

Când ieși pe terasă s-o sune pe Shirin, Peri zări două siluete înghesuite într-un colț, ascunse pe jumătate în întuneric, deși era imposibil să nu le recunoști – omul de afaceri și directorul de bancă. Cu umerii aduși, capetele plecate și ochii ațintiți în pământ, păreau să discute o problemă destul de gravă.

— Deci ce-o să faci? întrebă directorul de bancă.

— Nu știu încă, răspunse omul de afaceri suflând pe gură un fuior de fum de trabuc. Dar jur pe Dumnezeu că o să-i fac pe jegoșii ăia să plătească. O să afle cu cine s-au pus.

— Ai grijă să nu afle careva c-ai avut vreun amestec, zise directorul de bancă.

Cei doi bărbați n-o văzuseră stând lângă ușă. Peri dispăru discret, simțind că i se învârte capul după ce auzise. Pozele înrămate din biroul lui, care îi dovedeau legăturile cu liderii corupți și cu dictatorii din Lumea a Treia; zvonurile că deturna fonduri publice; relațiile sale cu capi ai mafiei – toate se legau. Afacerile gazdei lor erau dubioase, iar Peri bănuia că unii invitați de la dineu – printre care, probabil, și soțul ei – știau lucrul ăsta. Dar nu aveau de gând să lase o reputație îndoielnică să stea în calea unei seri plăcute alături de un om bogat și puternic. În ce punct devii complice la o infracțiune – când iei parte la desfășurarea ei sau când simulezi pasiv ignoranța?

Între bucătărie și salon era un mic coridor, cu unul dintre pereți acoperit de o oglindă. Peri se opri acolo, în spațiul acela strâmt, strângând telefonul de parcă s-ar fi temut să nu i-l fure cineva. De fiecare dată când vreo servitoare intra sau ieșea pe ușa batantă, arunca o privire în bucătărie - *chef*-ul toca usturoi, cuțitul din mâna lui dansând un adevărat fandango pe fundul de lemn. Bărbatul părea obosit și nervos. După ce gătise atâta mâncare, i se ceruse să facă o ciorbă de burtă - ca remediu pentru mahmureală, în cea mai bună tradiție istanbulită.

Peri îl văzu pe *chef* mormăind ceva printre dinți spre ajutorul lui, care își dădu capul pe spate și râse cu poftă. Trăseseră cu urechea la tot ce se spusese la masă, era aproape sigură, și acum își băteau joc de ei. Ușa se închise, despărțind-o de lumea agitată a bucătăriei. Singură pe coridor, simți că o cuprinde o spaimă familiară. Să faci un lucru amânat prea multă vreme e ca și cum ai plonja în apa înghețată a mării. Dacă eziți doar o clipă, îți pierzi curajul. O sună repede pe Shirin. Îi răspunse din prima.

— Bună, Shirin... Sunt Peri.

O auzi trăgând adânc aer în piept.

— Da, știu.

Vocea nu i se schimbase deloc - era la fel de vioaie, răsunătoare, sigură de sine.

— A trecut ceva vreme, zise Peri.

— Nu mi-a venit să cred când am ascultat mesajul de la tine, răspunse Shirin. Apoi adăugă ceva mai calm: Ciudat, am repetat de atâtea ori momentul ăsta. M-am gândit ce ți-aș fi spus dacă mai sunai vreodată, dar acum...

— Ce mi-ai fi spus? întrebă Peri mutând telefonul de la o ureche la cealaltă.

— Crede-mă, n-ai vrea să știi, răspunse Shirin. De ce n-ai sunat mai demult?

— M-am temut că ești încă supărată.

— Chiar eram, zise Shirin. Tot nu înțeleg, nu *te* înțeleg. A fost o nebunie ce ți-ai făcut ție însăți... și lui. Nici măcar nu ți-ai cerut scuze.

— Aveam o înțelegere, îi mărturisi Peri. (Cuvintele, la fel ca fiecare centimetru al trupului ei, păreau fragile, frângându-se.) M-a pus să îi promit că nu o să-i mai cer niciodată scuze, orice s-ar întâmpla.

— Prostii.

Peri își înăbuși un suspin.

— Eram tânără.

— Erai geloasă!

Peri dădu din cap.

— Da... eram.

Ușa bucătăriei se deschise. O servitoare se repezi afară cu o tavă mare, încărcată cu farfurii aburinde. Un miros puternic de usturoi și oțet ajunse la nările lui Peri.

— Unde ești? o întrebă Shirin.

— La o petrecere într-un conac de pe țărmul mării. Acvarii, genți de designer, trabucuri groase, trufe... Ți s-ar părea odioasă.

Shirin râse.

— Am avut o zi așa de ciudată, zise Peri. (Acum că se apucase să vorbească, cuvintele îi veneau fără nici un efort.) Am fost jefuită. L-aș fi putut omorî pe nemernic. (Nu îi spuse că încercase s-o violeze. Dacă ar fi trecut prin așa ceva, Shirin ar fi vorbit fără rușine despre asta. Cât de diferite fuseseră, cât de diferite erau încă.) A găsit o poză cu noi pe care-o țin în portofel.

— Umbli cu o poză de-a noastră la tine? se miră Shirin. Care dintre ele?

— O ții minte pe cea făcută în fața la Bod, iarna? (Peri nu așteptă răspunsul prietenei sale.) Tu, Mona și eu... Profesorul Azur. În toți anii ăștia am încercat să mă conving că am lăsat Oxfordul în urmă, dar n-am făcut decât să mă amăgesc.

— N-am înțeles niciodată cum de ți-ai pierdut interesul pentru mediul academic. Erai o studentă strălucită.

— M-am schimbat, răspunse Peri. Acum sunt mamă, soție... (Tăcu o clipă.) Casnică, membră a mai multor asociații caritabile! Dau petreceri pentru șeful soțului meu – exact genul de femeie de care îmi era groază. O versiune modernă a maică-mii. Și știi ce? Îmi place – în mare parte a timpului.

— Ai băut ceva? întrebă Shirin.

— Mai mult decât ar fi trebuit.

Un râs domol, ca un foşnet slab de frunze. Dacă Shirin mai spuse ceva, Peri nu auzi, fiindcă tocmai atunci mediumul trecu pe lângă ea braţ la braţ cu gazda, după ce scotociseră prin toată casa în căutare de semne ale deochiului. Se îndepărtă, uitându-se la Peri cu o strângere uşoară din buze, de parcă ar fi ştiut cu cine vorbeşte.

— Ce mai fac gemenii? întrebă Shirin.

— De unde ştii că am gemeni?

— Am auzit.

Nu era greu de ghicit de la cine - amândouă păstraseră, separat, legătura cu Mona de-a lungul anilor.

— Cresc. Fiică-mea a pornit un Război Rece împotriva mea. Până acum câştigă.

Shirin scoase un oftat plin de înţelegere. Era îngăduitoare - mult mai îngăduitoare decât se aştepta se Peri.

— Cum merg lucrurile acasă?

Şi ea auzise câte ceva. Ştia că Shirin şi partenerul ei de viaţă - un avocat specializat în drepturile omului - deja nu mai ţineau minte de câte ori se despărţiseră şi se împăcaseră iar.

— Bine... de fapt, sunt însărcinată. Trebuie să nasc în mai.

Deci asta era. Hormonii. Shirin era pe cale să devină mamă. Se afla într-o stare în care e mai firesc să înclini spre iertare decât spre ranchiună. E greu să porţi pică cuiva când te pregăteşti să întâmpini o nouă viaţă.

— Felicitări, e o veste minunată, zise Peri. Mă bucur pentru tine. Băiat sau fată?

— Băiat.

— Te-ai gândit la un nume? întrebă Peri, însă intui imediat răspunsul.

— Cred că ştii deja cum o să-l cheme, răspunse Shirin. (O tăcere scurtă în care se strecură o urmă de duşmănie, ca aburul dintr-un vechi samovar.) Te-am urât atâta vreme, încât am rămas fără rezerve de ură.

— Dar Azur? Ce părere are despre mine?

Trecuseră aproape paisprezece ani de când vorbise ultima oară cu el. Uneori, Peri nu era sigură că prezența profesorului în viața ei fusese așa de puternică cum își amintea, fiindcă imaginea lui se topise cu totul în trecut.

— De ce nu afli singură? Ar trebui să fie acasă la ora asta. Ai cu ce să scrii?

Surprinsă, Peri se uită în jur.

— Stai o secundă.

Deschise ușa bucătăriei, cu telefonul încă la ureche, și făcu un gest ca și cum ar fi scris cu mâna bandajată. *Chef*-ul îi dădu un stilou pe care îl ținea în buzunarul de la piept și o foaie dintr-un carnet prins pe frigider.

— Mulțumesc, mimă Peri cuvântul.

Shirin repetă numărul, mai puțin pentru că era nevoie și mai mult pentru că așa avea ceva de spus.

— Sună-l, adăugă.

Chiar atunci, țârâitul soneriei de la intrare răsună în toată casa. O servitoare se repezi afară din bucătărie să vadă cine venise. Părea să ascundă niște mâncare în mână. Peri se întrebă dacă servitoarele putuseră să guste din felurile de mâncare fantastice pe care le serviseră, dacă luaseră măcar cina.

Se auzi o izbitură neașteptată – o ușă trântită de perete, urmată de un șir de zgomote: un țipăt înăbușit, pași grei și grăbiți.

— Mi-e dor de tine, se auzi Peri zicând.

— Șoarece, și mie mi-e dor de tine.

De pe coridor, Peri văzu, în partea cealaltă a salonului, doi bărbați dând buzna înăuntru, cu fețele acoperite cu eșarfe negre și cu puști în mâini. Unul strigă cât putu de tare:

— Toată lumea în picioare!

— Ce se petrece? țipă femeia de afaceri.

— Gura! Faceți ce vi se spune! Acum!

— Nu poți să vorbești așa cu mine...!

Femeia de afaceri scoase un sunet înăbușit, sugrumat. Soțul ei era probabil încă pe terasă.

— Încă un cuvânt prostesc și jur pe Dumnezeu că o să-l regreți!

Clicul metalic al unui trăgaci. Era a doua oară în viață când Peri vedea o armă de atât de-aproape. Spre deosebire de pistolul cu care fusese prins fratele ei Umut, puștile jefuitorilor erau mari, de un verde întunecat.

— Șoarece, mai ești acolo? întrebă Shirin.

Peri nu putea să-i răspundă. Nici un cuvânt. Încet, tăcută precum ceața care se furișa dinspre Bosfor, închise.

Paharul cu sherry

Oxford, 2002

Birourile președintelui ocupau o întreagă latură dintr-o curte pătrată de secol XV din față. Azur a mers cu pași mari până la ușa neagră și lucioasă de la intrare și a apăsat butonul soneriei. Câteva clipe mai târziu, a apărut un servitor în vârstă și l-a poftit într-un hol luxos.

— Pe-aici, vă rog, domnule profesor, a zis bărbatul conducându-l pe Azur la etaj, pe o scară de stejar elisabetană și apoi printr-o imensă galerie lambrisată, până în biroul președintelui.

Înăuntru, acesta era ocupat să-și organizeze hârtiile – cele-de-maximă-importanță în tava ivorie, cele importante-dar-puțin-urgente în tava maro, iar celelalte în tava galbenă –, așa cum făcea întotdeauna când îl aștepta o întâlnire pe care ar fi preferat să n-o aibă. Avea să fie o discuție dificilă și trebuia să-și pună ordine în gânduri. Între timp făcea curat pe birou. Post-iturile, capsatorul, cuțitașul de scrisori din sidef cu mâner de argint... A pus creioanele, fiecare ascuțit la perfecție, într-o cutie de piele cilindrică – un cadou de la fiica lui.

O bătaie bruscă în ușă l-a smuls din visare.

— Intră.

Azur a intrat, îmbrăcat cu o haină de catifea într-o nuanță intensă de vișiniu. Pe dedesubt purta o helancă mai deschisă. Părul și-l lăsase în dezordine, ca întotdeauna.

— Bună dimineața, Leo, a trecut ceva vreme.

— Azur, mă bucur să te văd, a zis președintele cu o voce politicoasă și plină de afecțiune, totuși încordată. Multă vreme, într-adevăr. Mă gândeam să beau un ceai. Vrei şi tu unul? Sau – ce oră e? – poate mai bine un pahar cu sherry?

Azur nu adoptase niciodată obiceiul sherry-ului servit înainte de amiază împământenit printre profesori, însă în dimineaţa aia s-a gândit că şi el, şi preşedintele s-ar putea să simtă nevoia să bea ceva.

— Da, de ce nu?

Peste câteva clipe a apărut un servitor şi mai bătrân – cu chipul dăltuit de o rezervă împietrită, cu spatele gârbovit de ani de muncă. La fel ca în cazul portretelor de pe pereţi sau al scaunelor de stejar în stil gotic de lângă fereastră, cu greu îţi puteai imagina vremea când nu făcea parte din colegiu.

Un timp, cei doi bărbaţi s-au uitat cum servitorul, ţinând un braţ la spate, turna sherry-ul în pahare cu o mână tremurătoare, chinuitor de încet. Carafă de argint, pahare de cristal, migdale sărate.

— Ţi-am citit interviul apărut de curând în *The Times*, bună treabă, a zis preşedintele când au rămas din nou singuri.

— Mulţumesc, Leo.

A urmat o tăcere stânjenitoare.

— Ştii cât te admir, a zis preşedintele. Suntem norocoşi că te avem drept coleg. Şi ţineam mult la Anissa.

— Mulţumesc, dar sigur nu m-ai invitat aici ca să vorbim despre regretata mea soţie, a răspuns Azur. Te cunosc destul de bine ca să-mi dau seama când eşti supărat. Ce s-a întâmplat? Spune-mi.

Preşedintele şi-a scos post-iturile. Mai devreme le pusese pe culori – portocalii, verzi, roz. Fără să ridice privirea spre Azur, a murmurat:

— Am primit nişte plângeri pe numele tău.

Azur l-a cercetat pe preşedinte – părul încărunţit la tâmple, fruntea zbârcită, zvâcnirea nervoasă a buzelor, în întregime trezorierul care fusese odată. A zis:

— Nu e nevoie să umbli cu mănuşi cu mine.

— Nu, sigur că nu. Nici nu-mi trece prin cap. De fiecare dată când ai fost atacat – şi Dumnezeu ştie că au fost destule ocazii –, fie din cauza vederilor tale, fie a stilului de predare... adică, ești un profesor iubit, dar nu de toată lumea, sigur știi lucrul ăsta... te-am susținut, tot timpul.

— Știu, a răspuns Azur liniștit.

Președintele a construit un turnuleț din post-ituri.

— Am fost alături de tine pentru că am crezut în integritatea ta intelectuală. Am respectat dedicarea ta față de cunoaștere și obiectivitate. (A oftat.) De ce, mă rog, ai supărat atâția oameni?

Studenți în lacrimi au despus reclamații orale sau scrise despre Azur și metodele lui de predare, acuzându-l că exagerează, că le scoate la iveală slăbiciunile, că îi umilește în fața prietenilor, că e ostentativ critic și jignitor.

— Jignitor, a zis președintele tare.

— Trebuie să învețe să nu se simtă jigniți, a răspuns Azur. Nu suntem la grădiniță, ci la universitate. E timpul să se maturizeze. Nu pot fi răsfățați și cocoloșiți la nesfârșit. Studenții noștri trebuie să învețe să se decurce în orice situație. Astfel de lucruri se întâmplă.

— Da, dar nu figurează neapărat în fișa postului tău.

— Eu cred că da.

— Treaba ta e să-i înveți filosofie.

— Tocmai!

— Filosofie ca în manuale.

— Filosofie ca în *viață*.

Alt oftat.

— Nu pot să se simtă tot timpul jigniți și împinși până la limită. Se plâng prea mulți studenți. (Președintele a dărâmat turnulețul din post-ituri.) Dar mai e ceva... important.

— Ce?

— O studentă.

Cuvintele au stăruit în aer, refuzând să se destrame.

— Se spune că ai relații cu unele dintre studente, a zis președintele.

— Asta nu-i treaba nimănui, așa-i? Atâta vreme cât nu profit de nimeni... sau nu profită nimeni de mine.

Preşedintele a clătinat din cap.

— Moralitatea acestei abordări e discutabilă.

— E vorba de Shirin? Nu e studenta mea, sigur ştii lucrul ăsta. Nu mai e.

— Ăăă... Nu, nu ăsta-i numele ei.

Azur s-a încruntat nedumerit.

— Despre cine vorbeşti?

— O turcoaică. Ţi-e studentă. (Preşedintele a ridicat ochii obosiţi.) A încercat să se sinucidă azi-noapte.

Azur a pălit.

— Peri? O, Doamne! E bine?

— Da, e bine... tinereţea, a răspuns preşedintele. Supradoză de paracetamol. Are un ficat rezistent.

— Nu-mi vine să cred.

Azur s-a prăbuşit în scaun, ca şi cum i s-ar fi scurs toată energia din trup.

— Umblă vorba că ai avut o aventură cu ea şi pe urmă ai... părăsit-o.

Azur a tras adânc aer în piept, de parcă l-ar fi pocnit cineva.

— A spus ea asta?

— Păi, nu chiar. Fata nu e în stare să vorbească deocamdată, a răspuns preşedintele. Băiatul ăla care te-a dat în judecată, Troy, a spus asta... A ameninţat că vorbeşte cu presa. Părea foarte tulburat. Am aici declaraţia lui scrisă.

— Pot s-o văd?

— Mă tem că nu. Trebuie trimisă la Comisia de Etică.

— Te asigur că nu s-a întâmplat nimic între mine şi Peri. Tot ce trebuie să faci e s-o întrebi pe ea. Sunt sigur că o să-ţi spună adevărul.

— Uite ce-i, eşti un profesor foarte bun, dar – înainte de toate – eşti membru al acestui colegiu. Nu putem lăsa bunul nume al colegiului să fie compromis. Fără îndoială, îţi dai seama că ţi-ai făcut duşmani de-a lungul anilor. (Preşedintele a luat o gură de sherry.) Poţi să-ţi închipui că cei din media... o să se arunce asupra poveştii ăsteia ca nişte fiare.

— Ce sugerezi?

— Păi... poate ai vrea să iei o mică pauză. Să nu mai predai o vreme. Lasă lucrurile să se liniștească și comisia să-și încheie investigația. Când fata o să depună mărturie, o să fie totul bine. Până atunci trebuie să înăbușim... *chestia* asta.

Azur s-a uitat lung la el, cercetându-l cu atenție. Apoi s-a ridicat.

— Leo, mă cunoști de multă vreme. N-am avut niciodată o purtare lipsită de etică.

Președintele s-a ridicat și el.

— Ascultă...

— Declarația lui Troy e falsă, te asigur de asta. Ce-a spus Anaïs Nin? *Nu vedem lucrurile așa cum sunt ele. Le vedem așa cum suntem noi.*

— Pentru numele lui Dumnezeu! Anaïs Nin e ultima persoană pe care ar trebui s-o citezi în situația de față.

— O să aștept să spună Peri adevărul, a zis Azur. A clătinat din cap. Biata fată, ce și-a făcut?

Apoi a plecat. Fiind membru al colegiului, cu siguranță nu puteau scăpa de el dacă nu voia să plece. Totuși, deși nici măcar acum nu-i păsa cu adevărat de ce credeau alții despre el, în adâncul sufletului știa că devenise stânjenitor pentru facultate. Capul îi zvâcnea de parcă ceva captiv de multă vreme înăuntru încerca să scape. Cu pași grăbiți și legănați, a ieșit din clădire și apoi în ploaia de afară, care căzuse fără întrerupere toată dimineața.

Zgomotul absenței lui Dumnezeu

Oxford, 2002

Când și-a venit în fire în salonul de la spitalul John Radcliffe, Peri nu și-a dat seama imediat unde se află. Culorile erau prea intense, supărătoare – albul așternuturilor prea imaculat, albastrul cuverturilor prea vesel. Cenușiul cerului dincolo de fereastră îi amintea de bucățile de plumb pe care mama ei le topea ca să alunge deochiul. Auzea murmure în cap, rugăciuni zadarnice. Stânjenită, a încercat să închidă din nou ochii, dorindu-și ca zgomotul să dispară, însă pacienta de alături – o femeie de vreo șaizeci de ani – părea să aibă chef de vorbă.

— Dumnezeule, fetițo, ai deschis ochii! Am crezut că n-o să te mai trezești niciodată.

Vorbăreață de felul ei, femeia i-a spus că fusese măritată vreme de patruzeci de ani și spitalizată de atâtea ori, încât cunoștea întreg personalul după nume. Vocea ei a umplut încăperea ca un balon umflat, crescând presiunea din urechile lui Peri.

— Dar tu, fetițo? Ești începătoare sau recidivistă?

Peri și-a dres glasul și un gust îngrozitor de chimicale i s-a ridicat în gâtlej, năpădindu-i gura. A dat să răspundă și a clătinat din cap, neputând să vorbească. S-a chircit în așternuturi și s-a întors cu fața la fereastră. Crâmpeie din ziua trecută au început să i se îngrămădească în minte. Ce făcuse?

O lacrimă i s-a prelins pe obraz când și-a amintit cuvintele tatălui ei: *Ești fetița mea deșteaptă. Dintre toți copiii mei, numai tu poți să faci asta. Educația o să te salveze, pe tine și familia noastră destrămată. Tinerii ca tine o să salveze țara de la înapoiere.* Copila ambițioasă care fusese trimisă la Oxford ca să umple familia Nalbantoğlu de mândrie îi adusese în schimb numai rușine și înfrângere. Fără să-și dea seama, Peri a început să plângă atât de tare și de zgomotos, încât cealaltă pacientă, temându-se pentru starea ei, a apăsat butonul de urgență și a chemat-o pe asistentă. În câteva minute, lui Peri i s-a administrat un lichid de culoarea piersicii, care mirosea oribil, însă - lucru ciudat - nu avea nici un gust. Și-a îngropat capul în pernă și pleoapele i s-au închis de epuizare.

În starea ei de semidelir, singurul chip pe care îl vedea era cel al copilului cețurilor. Unde era acum, când avea nevoie de el? Avea o viață și o voință în afara ei sau era pur și simplu rodul unei minți încărcate de vinovăție?

*

A doua zi dimineață, Peri s-a întâlnit prima oară cu psihiatrul ei. Un doctor tânăr cu zâmbet blând și generos. Nu ești singură, i-a spus el. Aveau să lucreze în echipă. El urma să-i furnizeze instrumentele cu care să construiască o nouă Peri, iar ea - să fie arhitecta propriului suflet. Creatoarea ei. Obișnuia să facă pauze dese și, de fiecare dată când termina de spus ceva, să repete aceeași întrebare: „Cum ți se pare?". Tratamentul nu avea să facă să dispară gândurile autodistructive, i-a explicat el, ci mai degrabă s-o învețe să le înfrunte. Vorbea despre tendițele sinucigașe ca despre vreme, ca despre o aversă de ploaie. Nu puteai s-o eviți, dar dacă reușeai să nu te uzi, n-avea să te afecteze atât de tare.

— Mai e ceva, a zis el. Când te simți pregătită, nu e nici o grabă, s-ar putea să ți se pună câteva întrebări despre un anumit profesor. Din câte se pare, e acuzat că își intimidează studenții, printre care și tu, în fața tuturor. Universitatea investighează reclamațiile – pentru binele tău și al celorlalți studenți. Când te simți pregătită, nu e nici o grabă. Cum ți se pare?

Peri a simțit un fior pe șira spinării. Deci credeau că Azur declanșase tentativa ei de sinucidere. Oricât de uimită ar fi fost să audă lucrul ăsta, n-a spus nimic.

Dawn redwood[1]

Oxford, 2002

În dimineața când era așteptată să se prezinte în fața comisiei, Peri stătea singură în grădina botanică, în apropiere de Magdalen Bridge. De fiecare dată când venea acolo, se simțea de parcă s-ar fi plimbat printr-un loc preferat din copilărie, în largul ei în peisajul care o înconjura. Un sequoia *dawn redwood* – cât îi plăcea numele ăla! – de vreo douăzeci de metri străjuia banca pe care se așezase. Arborele, cunoscut înainte doar din studiul fosilelor, fusese descoperit apoi într-o vale îndepărtată din China. O încânta povestea aceea magică de descoperire botanică.

Pe când soarele îi mângâia spatele, și-a strâns picioarele la piept, cu genunchii ridicați până sub bărbie, aflând o liniște stranie printre plantele și copacii rari. Ținea în mână un pahar cu cafea, pe care l-a lipit de obraz, căldura lui aducându-i parcă aceeași alinare ca atingerea unui iubit.

Vocea lui Shirin îi răsuna în urechi. *De ce faci întruna totul ca să fii nefericită, Șoarece? Ce-i cu fața aia tristă și obosită? Pari o babă de nouăzeci de ani. Când o să-nveți să te distrezi un pic?*

Totuși Azur spunea că cea mai bună cale de-a aborda „noțiunea de Dumnezeu“ nu era nici religiozitatea, nici scepticismul, ci singurătatea. Exista un motiv pentru care toți asceții și ermiții se retrăseseră în deșert să-și ducă la bun sfârșit căutarea spirituală. În compania celorlalți, ești mai înclinat să te apropii de Diavol

1. *Metasequoia glyptostroboides* – specie de sequoia pe care de dispariție originară din China.

decât de Dumnezeu, susţinea Azur. O glumă, desigur - deşi cu el nu puteai şti niciodată.

Da, avea să se ducă să depună mărturie în favoarea lui. I-o datora. Contribuise la nefericirea ei, fără îndoială - o iubire neîmpărtăşită e ultimul lucru de care ai nevoie în viaţă -, dar nu putea fi făcut răspunzător pentru tentativa ei de sinucidere. În plus, îi era recunoscătoare. Azur deschisese în conştiinţa ei o dimensiune care, fără să-şi dea seama, fusese până atunci inertă. Aştepta, nu, *cerea* ca studenţii lui să-şi conştientizeze prejudecăţile culturale şi personale şi, în cele din urmă, să se elibereze de ele. Era un profesor extraordinar, un savant integru. Reuşise s-o zguduie, s-o motiveze, s-o provoace. Muncise pentru seminarul lui mai mult decât pentru oricare alt curs. El îi arătase poezia înţelepciunii şi înţelepciunea poeziei. La seminarele sale toţi erau bine-veniţi şi trataţi egal, indiferent de mediul din care proveneau şi de vederile lor. Dacă exista ceva sacru pentru Azur, cu siguranţă era cunoaşterea.

Adora felul în care ultimele raze de soare îi aureau părul şi în care îi scânteiau ochii în fluxul gândirii când vorbea despre o carte preferată sau un filosof îndrăgit. Adora pasiunea cu care preda, ce părea uneori mai puternică decât propria voinţă. Atâţia profesori se ţineau de programă, an de an, pe când el improviza la fiecare curs. În universul lui nu exista rutină, doar riscuri pe care merita să ţi le asumi. Îşi amintea cum citase din Chesterton: *Viaţa pare doar a fi ceva mai matematică şi mai regulată decât e în realitate; exactitatea ei este evidentă, dar inexactitatea ei este ascunsă - delirul ei stă la pândă*[1].

Însă apoi, oricât de îndrăgostită ar fi fost de el, detesta aerul lui de superioritate, mândria lui exagerată, hybris-ul care îi umplea întreaga fiinţă. Alunga grijile altora, îndoctrinând studenţii cu propria lui perspectivă, exercitând un soi de putere asupra lor, adesea cu riscul de a-i răni.

---

1. G.K. Chesterton, *Ortodoxia*, trad. şi note de Mirela Adăscăliţei, Editura Humanitas, Bucureşti, 2008, p. 102.

Și-a închipuit mâna lui mângâind părul lui Shirin și coborând spre gât... era mai mult decât putea suporta. Să-i știe împreună – vorbind, râzând, făcând dragoste. Astea erau scenele care i se derulau necontenit în minte când punea capul pe pernă seara. Cât de apropiat era Azur de Shirin, în timp ce față de ea rămânea distant și inaccesibil. Doar când aflase despre experiențele supranaturale pe care le avusese cu copilul cețurilor îi acordase mai multă atenție. Pentru el, fusese încă un experiment științific, încă o sursă de curiozitate. Își pierduse repede interesul pentru ea, ca un copil răsfățat pentru o jucărie nouă. Ura zgârcenia pe care o îmbina cu spiritul cercetător, vanitatea pe care o ascundea în spatele cercetării academice. N-ar fi putut spune ce o supăra mai tare: că se culca în secret cu Shirin sau că pe ea refuza s-o iubească la fel. Dăduse buzna în viața ei și lăsase în urmă numai distrugere. Da, avea să depună mărturie împotriva lui.

Shirin și Mona fuseseră absolut șocate când aflaseră despre tentativa de sinucidere a lui Peri. De îndată ce li s-a dat voie s-o viziteze, au venit s-o vadă, fără să aducă nimic în afară de îngrijorarea întipărită pe fețele lor. Își puseseră în cap să afle de ce făcuse așa ceva – o întrebare la care Peri nu știa cum să răspundă. Shirin o rugase și ea să depună mărturie în favoarea lui Azur. O implorase să-l salveze pe scumpul ei profesor. Asta fiindcă avea încredere în ea și o considera o prietenă dragă? se întreba Peri. Sau credea că ea – Șoarecele – e ușor de manipulat?

Fii obiectivă, și-a zis, *separă sentimentele de fapte, măcar atât îi datorezi lui Azur. Ai grijă să nu te lași condusă de emoții. El te-a învățat să faci asta.* Cât privește aventura lui cu Shirin, ei bine, erau amândoi adulți și știau ce fac, nici unul nu profita de celălalt. Iar motivele pentru care încerca Troy să îl distrugă erau în totalitate dezinteresate?

Pe o bancă din grădina botanică, fiecare întrebare care îi trecea prin minte ducea la una și mai complicată. Psihiatrul îi spusese că era de preferat să amâne să ia decizii serioase înainte să se simtă mai bine, mai puternică. Dar cum putea să facă asta în împrejurările de față? Peri s-a simțit pierdută. Frânghia care o ţinea legată la mal s-a rupt şi ea a început să plutească în derivă pe ape necunoscute, neştiind încotro să înoate. Curând avea să se prezinte în faţa membrilor comisiei. Ce urma să le spună? Ce fel de lucruri ar fi putut s-o întrebe ei? Sentimentele i se învârtejeau cu asemenea repeziciune, încât nu era sigură că ar fi reuşit să le pună în cuvinte, cu atât mai puţin în faţa unor străini şi într-o limbă care nu era a ei.

S-a uitat la ceas. Cu inima bătând să-i spargă pieptul, s-a ridicat şi s-a îndreptat spre clădirea în care se judeca reputaţia profesorului Azur.

*

În liniştea colegiului, Azur stătea la birou, uitându-se pe fereastră. Încerca să nu se gândească la urmările întrunirii comisiei. Faptul că nişte oameni care ţineau la el ar putea să aibă de suferit îi apăsa greu conştiinţa. Ştia că Shirin o să fie asaltată cu întrebări despre legătura lor. Şi că ea o să încerce să ascundă adevărul ca să-l protejeze. Inutil, s-a gândit, fiindcă hotărâse deja să spună adevărul. Nu avea nimic de ascuns. Nu făcuse nimic greşit.

Troy o să fie chemat şi el. O să-şi deşerte grămada de minciuni pe care o numea adevăr. Nu-i plăcuse niciodată băiatul ăla. Un ins perfid. Bine făcuse că-l dăduse afară de la seminar. De-a lungul anilor auzise o mulţime de poveşti despre studenţi şi profesori care intraseră în conflict din cauza determinărilor politice, vederilor asupra istoriei şi aşa mai departe. Cât despre el, rareori îl deranjaseră diferenţele de opinie. În fiecare an aveai câteva cazuri dificile, studenţi care voiau să arate cât de deştepţi, de speciali, de deasupra-colegilor-lor erau. Şi era OK. Atitudinea lui Troy de la curs îl făcuse să renunţe la el. Trata pe toată lumea de sus, ridiculiza pe oricine nu era de acord cu el, îi făcea pe ceilalţi în toate felurile, îi urmărea după cursuri şi îi bătea la cap cu părerile lui despre Dumnezeu. La început se gândise că prezenţa lui avea să-i provoace pe ceilalţi să gândească mai limpede, însă curând s-a dovedit că cei mai mulţi dintre studenţi se simţeau intimidaţi de el. Aşa că îl dăduse afară, ceea ce îl făcuse să se simtă exclus, ostil şi periculos de răzbunător.

Azur îşi dădea seama că cei care îl criticau – şi erau o mulţime – îşi frecau mâinile de bucurie că se anunţa un scandal care îl avea drept protagonist. Unii îşi doreau pe faţă să fie concediat. Există un anume gen de oameni care se bucură de nenorocirile altora, la fel de absurd ca unii care se aşteaptă să-şi umple burta cu foamea altcuiva.

Şi Peri... frumoasa, timida, fragila Peri, atât de dură cu ea însăşi. Ce avea să spună despre el? Nu-şi făcea griji în privinţa ei. Până la urmă, acuzaţiile în legătură cu Peri erau nefondate, şi ştia sigur că avea să fie obiectivă, sinceră. O să depună mărturie, dacă nu în favoarea lui, atunci în favoarea adevărului, ceea ce era acelaşi lucru.

Azur avea o balanţă imaginară, cu argumentele pro şi contra aşezate fiecare pe câte o palmă. Împotriva lui: stresa studenţii cu sarcini pe care unii le-ar putea considera neplăcute, chiar jignitoare; îi făcea pe studenţi să plângă la cursuri şi să cedeze nervos; şi, desigur, avea o aventură cu irezistibila Shirin. În apărarea lui: atâţia ani de muncă la catedră şi de cercetare; contribuţia lui la viaţa intelectuală şi academică; productivitatea lui în materie de cărţi şi articole publicate; şi faptul că Shirin – singurul aspect „moral“ din dosarul său – nu îi mai era studentă în momentul în care începuse legătura lor.

În ciuda eforturilor susţinute ale lui Troy şi ale amicilor săi, cazul împotriva lui era destul de şubred. Fusese mereu de părere că, dacă nu ştii să încasezi un pumn, n-ai cum să câştigi o luptă. Totuşi îşi dădea seama cât de orgolios fusese. Voise să-l transforme pe Dumnezeu într-o limbă care să fie, dacă nu vorbită, cel puţin înţeleasă şi împărtăşită de mulţi. Dumnezeu nu ca o fiinţă transcendentală sau un judecător răzbunător sau un totem tribal, ci ca o idee unificatoare, o misiune comună. Oare căutarea lui Dumnezeu, dezbrăcată de toate etichetele şi dogmele, putea fi prefăcută într-un spaţiu neutru în care toată lumea, chiar şi ateii şi non-monoteiştii, putea să aprecieze o discuţie?

Oare Dumnezeu, pur și simplu ca obiect de studiu, putea să unească oamenii? Era un experiment mental: dacă fiecare suflet de pe pământ îl întregește pe Dumnezeu, cum pretindea Hafiz, ce se întâmplă când niște indivizi incompatibili sunt închiși în aceeași cameră, siliți să se privească în ochi și încurajați să se completeze în *înțelegerea* Lui? Recunoștea că uneori fusese solicitant și autoritar. E drept, își folosise sala de clasă ca pe un laborator. Dar toate asta aveau un scop bun.

Studenții... lipsiți de avantajul cunoașterii, însă binecuvântați cu cel al vârstei, pripiți în judecăți și egoiști până în măduva oaselor. Nu le trecea niciodată prin cap că și profesorii lor aveau o poveste, un secret, o viață în altă parte. Azur crease un Turn Babel cu ei. Îi împinsese cât de departe fusese în stare. Însă eșuase.

Fusese o mare greșeală să se încurce cu Peri. I-a stârnit interesul faptul că o fată atât de tăcută și retrasă avea o latură ascunsă, aflată în legătură cu ceea ce ea numea „mistic". Peri, mai mult decât oricare alt student de la seminar, avea o dispută personală cu Dumnezeu, iar asta îl atrăsese. Da, petrecuse ceva timp în plus cu ea, chiar dacă vedea – cum ar fi putut să nu vadă? – că fata era îndrăgostită de el. Era prea tânără. Prea naivă. Prea reținută. Ar fi trebuit să fie mai atent, însă când fusese el vreodată atent?

Azur nu crescuse într-o familie religioasă. Tatăl lui era un antreprenor englez bogat a cărui fericire părea invers proporțională cu succesul. Mama lui era o pianistă chiliană talentată, dar plină de frustrări și chinuită de resentimente din cauză că nu se bucurase de-a lungul vieții de recunoașterea pe care credea că o merită.

Familia lui avea o afacere în Havana, în Cuba, unde se născuse Azur. Tatăl său povestea cum pescuia rechini împreună cu Ernest Hemingway – deși se păstraseră puține dovezi ale acelei prietenii extraordinare, în afară de câteva fotografii și bilete scrise de mână. Azur își alesese să studieze filosofia ca o sfidare împotriva obligațiilor și așteptărilor familiei. Totuși, ca să-și facă părinții fericiți, fusese de acord să se specializeze în economie, ceea ce a și făcut, la Harvard.

În ultimul an de facultate, viața i s-a schimbat când a început să urmeze cursurile unui specialist în Studii despre Orientul Mijlociu. Profesorul Naseem fusese pentru tânărul Azur o provocare ca nici o alta de până atunci. Dintr-o familie de berberi algerieni, îl expusese pe Azur la diferite culturi, perspective schimbătoare și întrebări stânjenitoare. De asemenea, îl inițiase în scrierile misticilor – Ibn al-'Arabī, Meister Eckhart, Rumi, Isaac Luria, Farīd ud-Dīn Attar cu *Sfatul păsărilor* și, preferatul lui, Hafiz.

Într-o după-amiază, Azur l-a vizitat pe profesorul Naseem la casa din Brookline. Acolo a cunoscut-o pe fiica lui mai mică, Anissa. Ochi mari și căprui, păr negru ondulat, de o vervă care mișca și încălzea pe toată lumea din jur. Au vorbit la nesfârșit – despre cărți, muzică, politică. Fata visa să se mute într-un apartament al ei. „Dar oriunde m-aș muta, trebuie să fie lângă apă", a zis ea.

În seara aceea, Azur a fost invitat să rămână la cină. Fără îndoială, mâncarea era savuroasă, nu se compara cu nimic din ce gustase înainte, însă mai degrabă râsul vesel și melodiile arabe l-au fermecat. Ochii Anissei îl cercetau în lumina lumânării. În acea clipă și-a dorit ca familia profesorului să fie și a lui. Cât de diferită era spontaneitatea lor, veselia lor firească, de politețea reținută de acasă. Nici până în ziua aia, Azur nu-și dădea seama dacă se îndrăgostise de Anissa ori de familia ei.

În mai puțin de șapte săptămâni erau căsătoriți.

Curând, tinerii au descoperit că nu se potriveau deloc. Anissa era îngrozitor de interiorizată. Se dovedea cumplit de posesivă și extrem de geloasă, fiind înclinată spre căderi nervoase, uneori din cele mai stupide motive. Făcea terapie cu medicamente încă din adolescență.

Anissa avea o soră vitregă mai mare, Nour, din prima căsătorie a profesorului Naseem. Atentă, grijulie, drăguță, stătea lângă ei de fiecare dată când se strângea toată familia la masă, ascultând discuțiile dintre Azur și tatăl ei, punând întrebările potrivite. Treptat, Azur a început să o vadă într-o lumină diferită. Zâmbetul ei dulce, privirea luminoasă, degetele delicate, mintea ageră. Ea îi respecta părerile. El le respecta pe ale ei. Azur nu se gândise niciodată că un asemenea respect putea fi în sine o sursă de atracție.

În același an, la sfârșitul verii, Azur și Nour au călcat strâmb. Familia a aflat în scurt timp. Profesorul Naseem, bătrânul acela minunat, l-a chemat pe ginerele lui și a țipat la el – venele de pe gât îi erau ca niște pâraie albastre umflate. L-a acuzat pe tânărul său discipol că s-a purtat ca Șeitan, furișându-se în casa lui doar cu gândul să-i tulbure pacea și să-i distrugă reputația cu greu câștigată.

Azur și Anissa s-au mutat și au reușit să se împace. Au hotărât să plece din Boston. Să o ia de la capăt în Europa. *N-o să ne urmeze, rușinea de care te-ai acoperit*, a zis Anissa. *Rușinea nu poate trece oceane.* Totuși n-a încetat vreodată să vorbească despre ea, nu pe față, ci prin insinuări și remarci sarcastice, convinsă că, oricât de rău i-ar fi părut, Azur nu putea îndrepta ce stricase atât de tare. Într-un fel neașteptat, parcă se bucura de greșeala soțului ei, ce îi oferea un avantaj moral în căsnicie, un sentiment de dreptate mai dulce decât fructele de pădure coapte.

S-au stabilit la Oxford, pe malul fluviului, unde Anissa a părut să se adapteze ușor și Azur a început repede să stea pe picioarele sale. Soția lui a fost bine primită în comunitatea de la Oxford. Ce nu putea vedea nimeni dintre cei care o întâlneau era întunericul adânc ce îi mistuia sufletul. Când era fericită, devenea euforică. Iar când era tristă, avea o cădere nervoasă. Că era vorba de bucurie sau tristețe, Anissa trecea întotdeauna dintr-o extremă în cealaltă.

Era gravidă în patru luni în momentul în care a dispărut. Dimineață devreme, când ceața nu se ridicase încă, a plecat să se plimbe pe malul râului și nu s-a mai întors. Trupul i-a fost găsit douăzeci și șase de zile mai târziu, deși scafandrii poliției îl căutaseră în mai multe rânduri. A apărut și un articol despre ea în *Oxford Mail*, însoțit de o fotografie cu ea în rochia de mireasă, cu o cunună de flori de primăvară. Azur nu a reușit niciodată să-și dea seama cum făcuseră rost de poza aia. Moartea ei a fost clasată ca *inexplicabilă*, a zis purtătorul de cuvânt al poliției. N-a existat nici o suspiciune de crimă. Legistul a dat un verdict clar, însă Azur a devenit obsedat de acel cuvânt: inexplicabilă.

Profesorul Naseem a dat vina pe Azur și pe aventura lui cu Nour pentru schimbările bruște de dispoziție și dispariția neașteptată a Anissei. Familia nu l-a iertat niciodată, așa cum nici Azur nu s-a iertat niciodată în adâncul sufletului. Asta l-a făcut totuși foarte sensibil la scuze. Detesta să audă oamenii cerându-și iertare pentru toate nimicurile, când în viață există atâtea păreri de rău ce nu pot fi exprimate în cuvinte. Între ateismul în care fusese crescut și credința orientată spre dreptate a profesorului Naseem, și-a tăiat o cale numai a lui. Avea să predea inexplicabilul. Avea să predea Dumnezeu.

*

Pe când vântul dimineții se domolea, devenind o adiere, Peri se îndrepta ca prin vis spre audierea în fața comisiei. Își simțea picioarele grele și țepene. Soarele se ascundea după un nor, un lăstun zbura pe deasupra și i se părea că e în alt anotimp – ca și cum lumea s-ar fi schimbat de când plecase din grădina botanică, de sub acel *dawn redwood* care o învăluise în umbra lui.

Troy se plimba încolo și-ncoace prin fața intrării. Shirin stătea pe scări, cu brațele încrucișate pe piept, cu ochii umflați de atâta plâns. Fiecare aștepta cu nerăbdare să sosească Peri ca s-o atragă de partea sa. Undeva în acea clădire erau niște oameni cu chipuri de nepătruns și întrebări insolente.

Unde o fi Azur, s-a întrebat Peri, și ce gânduri i-or fi trecând prin minte? Cât își dorea să fie lângă ea acum, ca să se refugieze în una dintre multele fantezii pe care le avea cu el. Puteau să treacă pe lângă toți oamenii ăia, fără să ia în seamă privirile lor care îi judecau, nepăsători la acea nenorocire care se abătuse asupra lor din senin. Își dorea să fie noapte și el să-i vorbească despre poezie și filosofie și paradoxul lui Dumnezeu, vorbe luate de vânt ca scânteile din jarul unui foc în aer liber. Doar ei doi sub un cer care ar fi putut fi oriunde, într-un orășel universitar visător sau într-o metropolă aglomerată, ea odihnindu-și capul în scobitura umărului său. Își dorea ca toate diferențele dintre ei – de vârstă, statut și cultură – să se destrame în aer. Își dorea ca el să se aplece și să-i mângâie chipul, s-o sărute pe buze și să-i rostească numele ca pe-o incantație. Își dorea ca mintea și inima ei să se contopească într-un pumnal care să distrugă spiritul lui Shirin ce sălășluia înăuntrul lui. De multă vreme nu-și mai dorise ceva cu atâta ardoare.

Peri și-a strâns haina, simțind că frigul o pătrunde până la piele. Dacă depunea mărturie în favoarea lui, așa cum o îndemna simțul dreptății, poate că Azur avea să înțeleagă cât de mult ținea la el și s-o iubească – măcar un pic. Poate... Totuși, în adâncul inimii, știa că e puțin probabil să se întâmple vreunul dintre lucrurile alea. Avea să fie declarat nevinovat și să sărbătorească împreună cu Shirin – care obținea întotdeauna ce-și dorea.

De departe, Peri se gândea la toate acele lucruri. Apoi, încet, de parcă n-ar mai fi avut energie, s-a oprit. Nu era ea fata care-și privise fratele geamăn cum moare înecat cu o prună și nu strigase după ajutor? Mereu la mijloc, temându-se să atragă atenția asupra ei, ferindu-se să ia partea cuiva, atât de grijulie să nu supere pe cineva că până la urmă dezamăgea pe toată lumea. În ciuda eforturilor uriașe pe care le făcea să se schimbe, nu avea destulă putere să învingă paralizia emoțională întipărită în sufletul ei. Ea, Peri, Nazperi, Rosa, Șoarece, n-avea să depună mărturie. Nici acum, nici mai târziu. Ea nu era actriță, ci o simplă spectatoare. Era problema *lor*. Jocul lor stupid. S-a răsucit pe călcâie și s-a îndepărtat de parcă ar fi fost în joc reputația unui străin și nu viitorul bărbatului pe care îl iubise, la care visase și pe care îl dorise cu toată ființa ei.

Trebuiau să treacă ani buni până să-și dea seama că pasivitatea ei contribuise activ la distrugerea omului pe care-l iubea. Când îl trădase pe Azur, trădase adevărul.

Dressingul

Istanbul, 2016

Un al treilea bărbat, cu fața acoperită de-o eșarfă, se alăturase celor doi intruși. După cum vorbea, părea să fie șeful. Probabil așteptase afară, în grădină, cât ceilalți doi dăduseră buzna în conac, deschizându-i calea.

— Faceți cum vă spunem și nimeni nu pățește nimic, zbieră el. (Deși glasul nu îi era nici furios, nici agitat, ci doar rece, detașat.) Voi alegeți.

Peri își dădu seama că tremura. Inima îi bătea să-i spargă pieptul. Ar trebui să fugă sau să se ascundă? Cine erau bărbații ăștia – mafioți, hoți obișnuiți sau teroriști – pe care îi vedcai peste tot prin Istanbul? Toată chestia asta era legată de bani? Oare câți oameni călcase pe bătături omul de afaceri în timp ce strângea pe cât de mulți bani, pe-atâta invidie? Își aminti figura lui îngrijorată când stătea pe terasă. Dar nu avea timp să se gândească la asta. Privind ușa bucătăriei de unde stătea ghemuită pe coridor, șovăi. Nu putea să fugă până acolo fără să fie văzută din salon. Făcu un pas înapoi. Pipăi cu mâinile oglinda din spatele ei. Se mișca ușor – ușa unui dressing încastrat în perete.

O deschise. Înăuntru erau haine, cutii, pantofi, umbrele. Fără să stea pe gânduri, se strecură înăuntru și trase ușa până când încuietoarea magnetică o blocă. Cu spinarea lipită de peretele de lemn, se ghemui în întuneric. Deveni, încă o dată în viață, un arici înspăimântat.

Un minut mai târziu, poate mai puțin, cineva străbătu coridorul cu pași apăsați, strigând:

— Ieșiți din bucătărie! Toți. Acum!

Strângeau tot personalul. *Chef*-ul, ajutorul lui, servitoarele angajate pentru seara aceea. Paşi grăbiţi. Tropăit de bocanci grei. Şoapte speriate.

În dressing, Peri dădu mobilul pe *Silent* şi îi scrise un mesaj mamei ei: *Cheamă imediat poliţia. Ştii unde sunt.*

— La naiba! zise dându-şi seama că probabil Selma se dusese la culcare şi s-ar putea să vadă mesajul abia în dimineaţa următoare.

Se simţi grozav de uşurată că Deniz plecase şi era în siguranţă. Dar Adnan era aici... *acolo*. Soţul ei, confidentul ei, prietenul ei cel mai bun. Expiră, scoţând un scâncet ascuţit.

Auzi o bufnitură. O femeie ţipă. Peri desluşi un plânset care se preschimbă în râs isteric. Părea să fie al iubitei celebrului jurnalist.

— N-ai simţit că vin? Şi mai zici că eşti medium – medium pe dracu'!

Cuprinzându-şi genunchii cu braţele, Peri îngheţă. Toate astea se întâmplau pentru ca omul de afaceri să primească ce merita? Sau era doar o coincidenţă – un alt fapt întâmplător pe care te străduiai în van să-l înţelegi? Îşi aminti camerele de supraveghere şi sârma ghimpată pe care le văzuse la intrare – toate de nici un folos. Lumea e plină de pericole. Haosul şi dezordinea pândesc la fiecare colţ. E răul un fel de răzbunare divină pentru faptele noastre, sau doar lucrarea capricioasă a unei sorţi arbitrare? Dacă întâmplarea guvernează totul, ce rost are să încerci să devii un om mai bun? Cum poţi să te căieşti pentru păcatele săvârşite dacă nu schimbându-ţi felul de-a fi? Ea fusese bună cu toată lumea – în afară de bărbatul pe care îl iubise cu ani în urmă şi, într-un cotlon tainic al sufletului, îl iubea încă. Profesorul Azur o învăţase că incertitudinea e preţioasă. Dar dacă nu naşte decât confuzie?

Simţind că i se face greaţă, sună la poliţie. Ofiţerul care îi răspunse începu s-o bombardeze imediat cu întrebări, tratând-o mai degrabă ca pe-o infractoare decât ca pe o martoră. Peri îl întrerupse cu cea mai joasă voce cu putinţă:

— Sunt bărbaţi înarmaţi...

— Nu vă aud. Vorbiți mai tare, o dojeni ofițerul.

Peri îi dădu adresa.

— De ce vă aflați în casă? întrebă ofițerul.

— Am fost invitată, răspunse ea printre dinți, în culmea frustrării. Au puști.

— Unde anume vă aflați în casă? o chestionă ofițerul, fără să-i aștepte însă răspunsul.

Voia să știe cum o cheamă, cu ce se ocupă, unde locuiește. Numai întrebări inutile. Fusese o cetățeană exemplară în tot acel timp, dar în baza de date a statului nu era decât o creație digitală, un număr fără poveste.

În sfârșit, bărbatul zise:

— Bine, o să trimitem o echipă.

Peri verifică bateria mobilului. Mai ținea încă vreun sfert de oră, poate chiar mai puțin. Se întrebă ce urma să se întâmple până atunci: avea să fie descoperită și luată ostatică împreună cu ceilalți sau avea să sosească poliția și să demareze o operațiune, în timpul căreia puteau să fie cu toții salvați sau omorâți? Poate că până îi murea bateria, Cina cea de taină a burgheziei turce avea să se sfârșească, bine sau prost. Viața pare adesea nedreaptă, însă moartea e o nedreptate și mai mare. Ce e mai greu de acceptat: că în toată nebunia asta există un scop ascuns, dacă știi unde să cauți, sau că nu există nici o logică, și prin urmare nici o dreptate?

Mâna îi tremura din nou, de parcă ar fi avut o voință a ei, brațul unei caracatițe. În lumina fosforescentă a mobilului, înghesuită printre umerașe cu haine și pantofi în timp ce afară soțul și prietenii ei erau ținuți ostatici, ridică în fața ochilor numărul pe care i-l dăduse Shirin.

Și îl sună pe Azur.

Dizgrația

Oxford, 2016

În fiecare zi, la lăsarea serii, Azur ieșea să se plimbe. Mergea pe jos destul de mult, între opt și unsprezece kilometri, pe drumurile încărcate de istorie, trecând prin păduri bătrâne și peste dealuri cu terenuri cultivate. Mintea parcă ți-e mai limpede când ești în aer liber, se gândi mergând cu pași hotărâți și măsurați, însă fără vreo țintă anume. Dacă ajunsese la vreo convingere fermă în privința oamenilor, aceea era că au o minte cameleonică, în stare să se adapteze până și la rușine și dizgrație. Știa asta nu din speculații, ci din proprie experiență. Fusese făcut de rușine. Căzuse în dizgrație. Dacă cineva i-ar fi spus în tinerețe, pe când urca treptele universitare și sociale, ambițios și încrezător, că într-o zi avea să se prăbușească tocmai de sus, ca și cum s-ar fi apropiat prea mult de soare, i s-ar fi părut prea deprimant ca să-l ia în serios. De fapt, acel Azur mai tânăr, principial, ar fi spus probabil că mai bine mori decât să trăiești cu o asemenea rușine. Și totuși iată-l acolo, la mai bine de un deceniu după scandal, încă în preajmă, încă în viață și încă la fel de rănit.

Cu paisprezece ani în urmă fusese silit să renunțe la postul de profesor. De atunci păstrase vag legătura cu colegiul, ce fusese pentru el o a doua casă, ca pe un cordon ombilical care nu te mai hrănește, însă nu poate fi tăiat. Nu fusese rugat să se întoarcă la catedră și nici el nu încercase, ca nu cumva numele lui să aducă rușine colegilor și facultății. De-a lungul anilor citise o mulțime de articole despre el, totuși unul le întrecea pe toate.

Îl acuza că e un megaloman cu iluzii de autoritate, un amalgam foucaultian de putere și cunoaștere care distruge mințile tinere și labile precum cancerul. Zugrăvindu-l în cele mai negre culori, autorul făcuse o legătură între tentativa de sinucidere a lui Peri și dispariția Anissei. „E un individ care le-a împins clar la sinucidere pe toate tinerele pe care le-a sedus intelectual." Scris cu pasiune și grozav de bine documentat, articolul l-a dărâmat pe Azur, aruncându-l într-o depresie atât de adâncă, încât nu mai putea să-și amintească vremurile când lumea lui nu era plină de melancolie.

Totuși continuase să lucreze, de parcă ar fi simțit că, dacă se oprea din scris, n-ar mai avea nici un motiv să aștepte o nouă zi. Munca e un instinct de supraviețuire.

Ar fi putut să plece în America sau Australia și să o ia din nou de la capăt. Dar hotărâse să rămână. Eliberat de obligații administrative și profesorale, avea o grămadă de timp să citească, să studieze și să scrie. Asta, împreună cu o nouă pasiune ce pusese stăpânire pe sufletul lui, îl inspirase să publice carte după carte. Fiecare dintre titlurile pe care le scrisese de-a lungul anilor l-a propulsat spre faimă și recunoaștere, așa că astăzi ajunsese într-o poziție în care n-ar fi ajuns niciodată dacă nu-și pierdea postul. Poate că, la urma urmei, Plutarh avea dreptate. Soarta chiar îi conduce pe cei care doresc să fie conduși, iar cei care opun rezistență, ca el, sunt târâți cu putere înainte.

Locuia în aceeași casă cu bovindouri ce dădeau spre pădure. Punea ierburi aromatice și legume în grădină; socializa cu o mână de prieteni. Gătea. Viața era liniștită, ordonată, așa cum și-o dorea. Avea în continuare iubite, mai multe, și nu conta dacă femeile cu care se culca au vreo legătură cu universitatea. Dizgrația publică are ceva paradoxal care, deși te lipsește de rolurile sociale și de respectul celorlalți, te face să te simți eliberat. Da, era liber ca pasărea cerului și aproape la fel de lipsit de griji. Dar știa, fără îndoială, că păsările sunt creaturi ale obișnuinței, prin urmare nu tocmai libere, și au destule lucruri pentru care să-și facă griji.

Din când în când primea câte un telefon sau un e-mail de la un jurnalist care voia să-i ia un interviu sau de la un student care scria o disertaţie despre cărţile lui. Cu unii vorbea, pe alţii îi refuza, acţionând pur şi simplu din impuls. La început respinse categoric orice încercare de intruziune în viaţa lui privată. Ştia că prima întrebare ce avea să-i fie pusă ar fi despre scandal, deşi trecuse atâta vreme. Chiar dacă nu aduceau vorba despre el în interviu, îl menţionau întotdeauna în articol, ceea ce putea fi mai rău. Aşa că refuzase cât îi stătuse în puteri. Dar aerul lui inaccesibil îl făcea şi mai fascinant în ochii cititorilor. Avea un public loial care cunoştea, citea şi împărtăşea tot ce scria Azur. Cum se exprimase un jurnalist: era cel mai respectat dintre gânditorii cei mai discreditaţi ai timpului său.

După moartea lui Spinoza, nu voise să-şi mai ia alt câine. Dar hotărârea nu îl ţinuse mult. Un pui de ciobănesc românesc ce nu avea mai mult de două luni fusese lăsat la uşa lui, cu o fundă aurie prinsă de zgardă – un cadou de ziua lui de la Shirin. Blană deasă şi pufoasă, albă cu pete de un cenuşiu-deschis peste tot. Liniştit şi inteligent, un animal făcut pentru munţi. I s-a părut cel mai nimerit să-i dea numele unui filosof român faimos pentru viziunea lui saturniană asupra lui Dumnezeu şi a tuturor celorlalte. În plus, se potrivea cu dispoziţia lui Azur. Aşa că, de atunci, Cioran îl însoţea în plimbările lui.

*

În acea după-amiază, Shirin îi bătu la uşă, cu pântecul uriaş, roşie în obraji. Sarcina le dă unora dintre femei un aer radios, iar ea se număra printre ele. Dacă ar fi existat vreo sfântă păcătoasă, ca Shirin ar fi arătat.

— Vii, da? Te rog, nu spune nu. Mă supăr rău, zise ea bătând darabana pe masă cu unghiile date cu ojă verde-deschis.

Shirin ajunsese o profesoară universitară apreciată. După scandal plecase la Princeton, de unde îi scria negreşit aproape în fiecare zi. La întoarcere îşi găsise un post de profesoară la fostul ei colegiu. Rămăseseră prieteni buni, în ciuda diferenţei de vârstă şi a stilului de viaţă discordant. Că nici unul din ei nu încercase să reînvie vechea lor legătură era un lucru lăudabil şi corect, dar şi trist, se gândise Azur. Ştia că îmbătrâneşte.

— Ascultă, individul ăsta e îngrozitor. Rasist. Homofob. Islamofob, biata Mona o să facă infarct. N-are nici o ruşine. Spune că Dumnezeu vorbeşte prin gura lui.

Azur zâmbi.

— Sunt mulţi ca el. Obişnuieşte-te.

— Nu vreau, zise Shirin. Te rog, vino.

— Ce vrei de la mine, draga mea? Crezi că prezenţa mea înseamnă ceva pentru cineva, cu atât mai mult pentru el? În ochii lor sunt o ruşine ambulantă. În plus, am încetat să mai discut despre Dumnezeu. Nu mai fac aşa ceva.

— Nu cred o iotă. Vino, te rog.

După plecarea ei, Azur îşi făcu un ceai şi se aşeză la masa din bucătărie. O rază de soare ce se strecura pieziş prin frunzişul platanului de afară îi desena pe faţă o pată pestriţă, subliniindu-i trăsăturile sculpturale. Avea alături un ziar local în care era un articol despre savantul olandez faimos pentru vederile sale discutabile despre islam, refugiaţi, căsătoriile gay şi situaţia mondială. Pretindea că are acces direct la Dumnezeu - era membru al unui club privilegiat. De aproape două secole, Oxford Union[1] invita o gamă largă de vorbitori eminenţi din afară, de la unii convenţionali la unii controversaţi. Dar nimeni nu-şi amintea ca discursul vreunui invitat să fi provocat un tărăboi mai mare.

Azur duse cana cu ceai la buze, lăsând o pată în formă de cerc pe capul vorbitorului de pe ziar - acum arăta într-adevăr ca un sfânt. Se uită la poză o clipă, fascinat. Apoi, într-un impuls, îşi luă haina şi cheile maşinii.

*

Douăzeci de minute mai târziu, când se apropia de clădirea ce se profila pe cerul înnorat, Azur zări un grup de studenţi

1. Societate de dezbateri fondată în 1823 la Oxford.

care așteptau afară, agitând pancarte cu proteste împotriva vorbitorului și cerând să fie scos din universitate.

Îl opri un tânăr. Un boboc, după înfățișare. N-avea de unde să-l știe pe Azur.

— Am lansat o petiție ca să-l oprim pe monstrul ăsta. Vreți să ne dați o semnătură?

Vorbea engleza cu accent, care însă era plăcut auzului.

— Nu-i cam târziu? răspunse Azur. Omul începe să vorbească în zece minute.

— Nu contează. Dacă strângem semnături, Oxford Union va trebui să se gândească de două ori înainte să invite pe cineva ca el data viitoare. În plus, plănuim să mergem și să-i întrerupem discursul.

Îi întinse lui Azur un pix și un blocnotes.

— Regret să te dezamăgesc, zise Azur, dar nu vreau să semnez.

O expresie de dispreț străbătu chipul tânărului.

— Deci sunteți de acord cu el? Sunteți fascist?

— N-am zis că-i împărtășesc vederile despre lume.

Dar studentul, pierzându-și orice interes, îi întoarse spatele și se îndepărtă cu pași grăbiți. Azur șovăi dacă să-l lase să plece sau să-l prindă din urmă.

— Stai puțin!

Alergă după el.

Studentul se opri surprins.

— Ești musulman, corect?

Tânărul dădu din cap precaut.

— Bănuiesc că l-ai citit pe Rumi. Ții minte versul lui: *Dacă vă supără orice frecuș, cum ar putea fi lustruită oglinda voastră?*

— Ce?

— Lăsați-l pe tip să vorbească. Ideile trebuie combătute cu idei. Cărțile, cu cărți mai bune. Oricâte prostii ar spune, nu poți să înăbuși glasurile oamenilor. Să-i împiedici să vorbească nu e o soluție.

— Țineți-vă filosofia sforăitoare pentru dumneavoastră, răspunse studentul. Nimeni nu are dreptul să-mi insulte religia și tot ce e sacru pentru mine.

— Dar închipuie-ți ce liber te-ai simți dacă te-ai putea ridica deasupra urii omului ăstuia. Trebuie să răspundem la insulte cu înțelepciune.

— Asta spune tot Rumi?

— De fapt, o spune Shams, prietenul și...

— Lăsați-mă în pace! i-o tăie tânărul și se îndreptă cu pași mari spre prietenii lui, zicându-le ceva în șoaptă.

Toți se uitară la Azur.

De ce nu putuse să-și țină gura? Asta îi adusese destule necazuri în viață. Trecându-și degetele prin părul rărit, înspicat, intră în clădirea de la Oxford Union. La intrare era un afiș cu titlul conferinței: „Salvați Europa pentru europeni".

Mulțimea adunată era învăluită într-un zumzet de entuziasm și încordare. Unii veniseră acolo însuflețiți de furie, dispreț și scepticism față de vorbitor, care își făcuse o carieră din a jigni și a fi ironic; alții, cu satisfacția ascunsă că în sfârșit cineva spunea tare ceea ce ei doar gândeau.

Când Azur își făcu loc prin mulțime, câțiva colegi din anii în care preda îi făcură cu mâna, în timp ce alții se prefăceau că nu-l văzuseră. Rușinea e o mantie care te face invizibil. Azur o purta în public. Nu-l durea, nu la fel de mult ca înainte, să vadă cum se grăbesc oamenii să te judece și să se distanțeze de tine. În asemenea momente se gândea la Peri, întrebându-se ce făcea de când se întorsese în Istanbul, ce fel de viață ducea. Dacă el fusese condamnat la o viață de dizgrație, probabil că ea fusese condamnată la o viață de remușcare. Cine poate spune care îți apasă mai greu sufletul?

Când îl zări, Shirin se ridică și îi făcu cu mâna, ținându-se de pântec. Bucuria ei era atât de înduioșătoare, încât Azur se întristă. Nu acuzatorii săi lași sau rivalii oportuniști îl făcuseră să se simtă vulnerabil, ci oamenii care îl iubeau, îl respectau și îl susțineau în orice împrejurare. Așteptaseră să-și dovedească nevinovăţia, însă el refuzase. Fusese mereu de părere că, cu cât susţii mai mult că eşti nevinovat în faţa celorlalţi, cu atât te incriminezi mai tare în ochii lor. În plus, să redeschidă un dosar vechi însemna să o rănească şi pe Peri.

— Mulţumesc că ai venit, zise Shirin. Ştiam că o să apari.

— Plec repede. Nu cred că-l pot suporta până la capăt.

Ea încuviinţă.

Peste puţin timp vorbitorul urcă pe scenă, îmbrăcat într-un costum albastru-electric din caşmir, fără cravată. Vorbi cam patruzeci de minute despre pericolele care pândeau civilizaţia occidentală. Vocea i se unduia într-un ritm calculat, coborând uneori până la o şoaptă răguşită, ridicându-se la cuvinte despre care ştia că aveau să stârnească frică. Nu era rasist, zicea. Şi cu siguranţă nici xenofob. Brutăria lui preferată era ţinută de un cuplu de arabi, doctorul lui era de origine pakistaneză şi avusese cea mai bună vacanţă cu câţiva ani înainte în Beirut, unde un şofer de taxi îi adusese înapoi portofelul pierdut. Dar uşile Europei trebuiau zăvorâte bine. Era singura urmare logică a unui haos de proporţii creat de alţii. Europa e casa lor. Musulmanii sunt străini. Până şi-un copil de cinci ani ştie că nu trebuie să-i inviţi pe străini în casă. Toată lumea invidia Occidentul, aşa că trebuia protejat de outsideri şi de trădătorii din interior, care nu înţelegeau că să diluezi o cultură, să denaturezi o rasă, să profanezi o moştenire e o greşeală. O greşeală! O greşeală! Căsătoriile interrasiale şi interconfesionale puneau în pericol integritatea societăţii occidentale. Nu ar trebui să ne ruşinăm să vorbim despre puritate. Rasială, culturală, socială şi religioasă. Era elocvent, manierat şi – ca toţi bunii demagogi – ştia când să mai facă şi câte-o glumă.

Problema Europei era că îl abandonase pe Dumnezeu. Oamenii începeau în sfârşit să conştientizeze această greşeală istorică. Era timpul să-l aducă pe Dumnezeu Mântuitorul înapoi – în lumea academică, în familie, în spaţiul public. Libertatea n-ar trebui confundată cu ateismul. Europa îşi pierdea vremea dezbătând subiecte ridicole – precum căsătoria gay – pe când hoardele barbare se adunau la porțile sale. Dacă oamenii alegeau să fie gay, nici o problemă, însă trebuiau să suporte consecințele. Nu puteau să ridice pretenții la căsătorie - definită clar ca un legământ al bărbatului și femeii cu Dumnezeu. Dezordinea actuală - terorismul, criza refugiaților, extremismul islamic pe teren european - e felul lui Dumnezeu de a le da europenilor o lecție. De a-i testa, a-i corecta, a-i îmbunătăți, a-i perfecționa. În trecut, Dumnezeu abătuse o ploaie de foc și pucioasă asupra orașelor păcătoase; în ziua de azi plouă cu refugiați și teroriști. Fiecare epocă are pedeapsa ei.

— Prieteni, Dumnezeu este astăzi aici cu noi. Oamenii au încercat să-L alunge din universități. L-au supărat atâta timp. Dar s-a întors în toată gloria Lui. Eu nu sunt altceva decât receptaculul Său, umilul Său purtător de cuvânt.

De la locul lui din sală, Azur râse, tare și insolent, făcând să se lase o clipă tăcerea. Toți ochii se întoarseră spre el, chiar și ai vorbitorului.

— Pe cine zăresc dinainte? Sunt onorat cu prezența profesorului Azur, dacă nu mă înșel, zise acesta, deși acum nu mai e profesor.

Un val de șoapte străbătu sala pe când colegii și studenții întindeau gâturile ca să-l vadă mai bine pe ascultătorul rebel. Azur se ridică. Lângă el, Shirin stătea nemișcată, albă la față ca o stafie.

— Ai dreptate, nu mai sunt profesor.

Cu colțurile gurii lăsate în jos, vorbitorul zise:

— Da, am auzit. Vestea a ajuns până-n colțișorul meu liniștit din Amsterdam. (Un zâmbet de simpatie prefăcut i se întinse pe față.) Dar mă bucur să văd cu ochii mei că Dumnezeu te-a călăuzit din nou spre lumină.

— Cine-a spus că am fost în întuneric? întrebă Azur.

— Păi, e evident...

Azur încuviință din cap.

— Probabil că-ți dau speranță. Am fost un păcătos. Dacă Dumnezeu poate face minuni cu mine, atunci poate să facă minuni cu oricine - chiar să destupe o minte încuiată ca a dumitale.

— Ce minunat citezi din Sfântul Francisc. În interes propriu, bănuiesc. Așa fac toți oamenii. Trebuie să avem o dezbatere într-o zi. O să fie amuzant.

Apoi vorbitorul trecu mai departe, lăsându-l pe Azur să stea în picioare, nerăbdător să intre într-o polemică ce nu avea să-i fie oferită curând.

*

Când își termină plimbarea de seară, retrăind momentul de la Oxford Union, în casă i se păru rece. Fotografiile de pe pereți, plăcile de majolică din jurul șemineului. Tocmai își încălzea niște lasagna din ziua trecută când sună telefonul. Un număr necunoscut, probabil din altă țară. Neavând chef să vorbească cu nimeni, hotărî să nu răspundă. Țârâitul se opri la jumătate, urmat de o clipă de tăcere. Cioran, la picioarele lui, scoase un scheunat. Apoi telefonul începu să sune din nou.

De data asta, ceva nelămurit îl împinse să răspundă. Ceea ce și făcu. De partea cealaltă, sunând dintr-un conac de pe țărmul mării din Istanbul, era Peri, care se străduia să-și recapete glasul.

Cele trei pasiuni

Istanbul, 2016

Inspiră. Expiră. O clipă timpul păru că se topește, iar Peri deveni fata care fusese odată, catapultată dintr-un coșmar sau aruncată în altul – dressingul unde se ascunsese aducea cu celula în care fusese închis fratele ei. Între timp, afară, invitații și personalul fuseseră duși la etaj, în biroul luxos. Peri le auzise pașii pe când erau mânați sus laolaltă, însă apoi peste conac se lăsase o tăcere de rău augur. Strânse mai tare telefonul soțului ei, așteptând un răspuns. Dintr-odată i se puse un nod în gât când auzi vocea lui Azur.

— Da?

Timbrul familiar îi umplu ochii de lacrimi. Își simți gura năpădită de particule fine, grăuncioare de remușcare. O sperie viteza cu care trecutul comun, ca durerea lichidă, inundă tăcerea din prezent.

— Alo? Cine e?

Aproape că închise, atât de repede o părăsiră cuvintele. Dar obosise să mai fugă de ea însăși și impulsul de a-și înfrunta fricile o împinse de la spate.

— Profesore Azur… sunt eu, Peri.

— Pe-ri…, repetă el și tăcu, de parcă simpla rostire a numelui ei ar fi cuprins toate lucrurile, cele bune și cele rele și tot ce era între ele.

Mintea i-o luase razna. Pulsul i-o luase razna. Totuși, când vorbi, vocea îi era calmă.

— Ar fi trebuit să vă sun mai demult. M-am purtat ca o lașă.

Azur nu zise nimic. Știuse că avea să vină și clipa aia, însă n-o plănuise.

— Ce surpriză! zise el într-un târziu. (Dădu să adauge ceva, apoi se răzgândi.) Ești bine?

— Nu prea, răspunse ea, fără să insiste.

Nu-i spuse că în casă erau oameni înarmați. Nici că discuția lor s-ar putea întrerupe brusc, fiindcă i se descărca bateria mobilului. Auzi un câine lătrând în fundal.

— Spinoza?

— Spinoza a murit, draga mea. Sper că se află într-o lume mai bună.

Peri începu să plângă în tăcere.

— Vă datorez niște scuze, profesore Azur. Ar fi trebuit să vorbesc în fața comisiei.

— Nu te învinovăți, zise el cu blândețe. Nu erai în stare să judeci corect. Erai prea tânără.

— Eram destul de mare.

— Ei... Ar fi trebuit să am mai multă grijă.

Vorbele lui o uimiră. Deci n-o urâse în tot timpul ăsta, așa cum se temuse. Luase totul asupra lui.

V-am citit cartea apărută de curând, ar fi vrut să-i spună. *Am citit tot ce-ați publicat de atunci... V-ați schimbat. Sunteți mai cinic... mai apatic. Și mă întreb dacă asta înseamnă că v-ați pierdut neastâmpărul, spiritul jucăuș care îi fermeca pe studenți și subjuga săli întregi de ascultători. Sper că nu.*

Auzi un tropăit îndepărtat la etaj. Zarvă. Cineva țipă. Pocnetul unui foc de armă străpunse aerul. O bufnitură.

Peri se crispă, respirând șuierat.

— Ce-a fost asta? întrebă Azur.

— Nimic, răspunse ea.

— Unde ești?

În dressingul unui conac luxos din Istanbul care a fost ocupat de niște indivizi înarmați, simțind în gură gustul fricii și al unei bomboane numite Oxford. Nu, nu-i putea spune așa ceva.

— Contează? zise ea cu glas cât mai scăzut.

— Când te-am cunoscut, Peri, m-am gândit: fata poartă în suflet, fără să știe, cele trei pasiuni ale lui Bertrand Russell: nevoia de iubire, foamea de cunoaștere și mila nețărmurită pentru suferințele omenirii.

Peri se întunecă la față.

— Le aveai pe toate trei, continuă el. Atât de puternică era nevoia ta de iubire. Foamea ta de cunoaștere. Sensibilitatea ta față de ceilalți... până la autoeclipsare. Mi-a părut rău pentru tine. Dar am fost și *furios* pe tine. Pentru că îmi aduceai aminte de o femeie.

— Soția dumneavoastră? întrebă ea prudent.

— Nu, draga mea. De o femeie pe care o cheamă Nour. M-am temut că te-aș putea răni așa cum o rănisem pe ea. Drept să zic, știu că am ajuns să fac rău oricărei femei care se apropie de mine.

— În afară de Shirin.

— Adevărat, era invincibilă. Așa părea. Cu toată tinerețea ei, era puternică și încăpățânată. O războinică înnăscută. Alături de ea nu aveai de ce să te temi. N-o să i se întâmple niciodată nimic rău.

— Voiați o iubire lipsită de vinovăție.

— Poate, zise Azur. Vezi tu, nu ești singura care-și cere scuze de la Dumnezeu.

Pe ecranul mobilului, iconița pentru baterie se înroși.

— Vreți să faceți ceva pentru mine?

— Spune!

— Mi-ar plăcea să ținem încă un seminar. Acum.

El râse.

— Ce vrei să spui? Despre ce?

— Despre iertare și iubire, răspunse ea. Și despre cunoaștere. O să fiu eu profesorul de data asta, de acord?

O tăcere prudentă.

— Ascult, draga mea.

— Așa, zise Peri. Cursul de astăzi e despre Ibn al'-Arabī și Ibn Roshd – Averroes. Ibn Roshd era un filosof eminent, iar

Ibn al'-Arabī, un tânăr învățăcel plin de speranțe când cei doi s-au întâlnit prima oară. Au simțit imediat că între ei există o legătură, fiindcă amândoi erau pasionați de cărți și de cunoaștere și nici unul nu îmbrățișase ortodoxismul. Dar erau în același timp foarte diferiți.

— În ce fel?

— Vedeți, aceeași întrebare se pune și în Orient, și în Occident, nu-i așa? Cum îți sporești cunoașterea asupra ta și asupra lumii? Ibn Roshd avea un răspuns clar: prin gândire reflexivă. Reflectând. Studiind.

— Și Ibn al'-Arabī?

— Voia și rațiune, și *cunoaștere mistică*. Era de părere că e datoria noastră, a oamenilor, să ne sporim știința. Dar recunoștea că există și lucruri care ne depășesc puterea de înțelegere. Înainte s-o apuce fiecare pe drumul lui, Ibn Roshd l-a întrebat pentru ultima oară pe Ibn al'-Arabī: *Prin judecată rațională descoperim Adevărul?*

— Și ce-a răspuns Ibn al'-Arabī?

— Și da, și nu. „Între da și nu, a zis el, spiritele se desprind de materie și mințile de trupuri." Era convins că nimeni nu e mai ignorant decât cei care-L caută pe Dumnezeu, și totuși numai cei care caută un adevăr mai mare decât ei au șansa să-l descopere.

— Spune-mi, Peri, de ce te-a interesat pe tine povestea asta?

— Pentru că m-am aflat mereu pe tărâmul acela dintre da și nu. Nu-mi erau străine nici credința, nici îndoiala. Nehotărâtă. Șovăitoare. Niciodată sigură pe mine. Poate că toată incertitudinea aia m-a făcut să fiu cine sunt. Dar a devenit și cel mai înverșunat dușman al meu. Nu mai vedeam nici o cale de scăpare din ea. (Tăcu o clipă.) V-am spus despre copilul cețurilor. Dacă n-a fost o halucinație, era un gen de experiență de care nu mai auziserăți. Alt profesor ar fi luat-o în râs, cu siguranță, dar dumneavoastră n-ați făcut-o. V-am admirat pentru asta.

— Crezi că numai tu erai confuză. Dar așa suntem mulți dintre noi.

Noi. Un cuvânt ca un suspin. Atât de micuț, atât de uriaș. Noi, nehotărâții.

Peri clătină din cap.

— V-am admirat prea mult. Acum văd foarte clar. Când ne îndrăgostim, îl transformăm pe celălalt într-un Dumnezeu – există ceva mai periculos? Iar când el nu ne întoarce iubirea, răspundem cu furie, ranchiună, ură... Iubirea are ceva care seamănă cu credința, continuă ea. Un fel de încredere oarbă, nu-i așa? O dulce euforie. Magia de a stabili o legătură cu cineva care se află în afara eurilor noastre limitate și atât de cunoscute. Dar dacă ne lăsăm purtați de iubire – sau de credință –, aceasta se preface în dogmă, în obsesie. Dulceața devine acreală. Sfârșim chinuiți de zeii pe care noi înșiși i-am creat.

— Sunt ultimul om din lume care ar putea fi considerat un zeu, răspunse Azur.

— N-a fost vorba de dumneavoastră, zise Peri, ci de acel Azur pe care l-am creat eu. Cel de care aveam nevoie ca să-mi înțeleg trecutul fragmentat. Ăsta-i profesorul de care m-am îndrăgostit. Acel Azur din mintea mea.

Vorbi mai departe. Cu glas tot mai puternic, cu ochii obișnuiți acum cu întunericul, cu un mobil licărind în mâna rănită, îi ținu o prelegere unui bărbat din afara Oxfordului, în timp ce câinele lui aștepta răbdător alături. Ar fi putut foarte bine să fie invers: el în pericol, ea în siguranță. Astăzi ea era profesorul și el, studentul. Rolurile se schimbă. Cuvintele nu stau niciodată în loc. Viața are forma unui cerc, și fiecare punct de pe circumferința lui se află la distanță egală de centru – fie că îl numești Dumnezeu sau altcumva.

Auzi sirenele apropiindu-se de conacul de pe țărmul mării. În doar câteva minute totul avea să se schimbe – un nou început sau un sfârșit prea timpuriu. Pe când mobilul scotea un ultim bip înainte să se închidă de tot, Peri deschise ușa dressingului și păși afară.

Mulțumiri

Țara mea natală, Turcia, este o țară-fluviu, nici solidă, nici stabilă. Cât am scris acest roman, fluviul acela s-a schimbat de nenumărate ori, curgând cu o viteză amețitoare.

Cele mai sincere mulțumiri agentului meu, Jonny Geller, și editoarei mele, Venetia Butterfield, doi oameni care îmi sunt foarte dragi. Le sunt îndatorată amândurora pentru încurajările, sprijinul și încrederea lor, pentru că m-au ajutat să-mi depășesc angoasele și atacurile de panică și pentru că mi-au fost alături în această călătorie. Mulțumiri speciale lui Daisy Meyrick, Mairi Friesen-Escandell, Catherine Cho, Anna Ridley, Emma Brown, Isabel Wall și Keith Taylor: echipelor minunate de la Curtis Brown și Penguin, e o adevărată plăcere să lucrez cu voi toți.

Îi datorez mulțumiri nesfârșite, cât traficul din Istanbul, lui Stephen Barber, care a citit și a recitit această carte, oferindu-mi cele mai prețioase sfaturi. Îi sunt recunoscătoare Lornei Owen pentru contribuția și observațiile ei valoroase. E o binecuvântare pentru un autor să lucreze cu sclipitoarea Donna Poppy. Îi mulțumesc lui Nigel Newton pentru entuziasmul și camaraderia sa.

Mii de mulțumiri copiilor mei, Zelda și Zahir, pentru că s-au împăcat cu orele mele de scris neregulate și că au suportat muzica pe care o ascult în timp ce scriu. E prea zgomotoasă, știu.

Țările natale sunt iubite, fără îndoială, însă uneori pot fi și exasperante și înnebunitoare. Totuși am ajuns să aflu că pentru prozatori și poeți, care pun sub semnul întrebării, iar și iar, granițele naționale și barierele culturale, există cu adevărat doar o țară natală perpetuă și portabilă.

Țara Poveștilor.

Cuprins

PARTEA ÎNTÂI

PARTEA A DOUA

PARTEA A TREIA

PARTEA A PATRA

În seria ACTUAL
au apărut:

Takashi Hiraide – *Pisica musafir*
Zeruya Shalev – *Durere*
Tracy Chevalier – *La marginea livezii*
Saud al-Sanousi – *Tulpina de bambus*
Elif Shafak – *Bastarda Istanbulului*
Roy Lewis – *Cum l-am mâncat pe tata sau Omul evoluției*
Christine Angot – *O iubire imposibilă*
María Dueñas – *Cumpătarea*
Burhan Sönmez – *Istanbul Istanbul*
Florian Illies – *1913: Vara secolului*
Yann Martel – *Munții Înalți ai Portugaliei*
Philippa Gregory – *Îmblânzirea reginei*
Ngũgĩ wa Thiong'o – *Un bob de grâu*
Jonathan Franzen – *Puritate*
Susan Abulhawa – *Albastrul dintre cer și ape*
Patti Smith – *Trenul M*
Michele Mari – *Roderick Duddle*
Simon Liberati – *Eva*
Philippe Besson – *Rătăcitori prin Lisabona*
Irina Teodorescu – *Blestemul tâlharului mustăcios*
Jón Kalman Stefánsson – *Tristețea îngerilor*
David Duchovny – *Bucky F*cking Dent*
Charles Bukowski – *Dragoste la 17,50 $*
Ian McEwan – *Coajă de nucă*
Anna Gavalda – *O viață mai bună*
Eowyn Ivey – *Spre marginea luminoasă a lumii*
Geraldine Brooks – *Poporul cărții*
Dorit Rabinyan – *Viața dincolo de graniță*
Clara Usón – *Fiica Estului*
Asko Sahlberg – *Irod*
Andreï Makine – *Arhipelagul altei vieți*
Philippa Gregory – *Trei surori, trei regine*

Ian McGuire – *Apele Nordului*
Lily King – *Euforia*
Paolo Cognetti – *Cei opt munți*
Philippe Besson – *Încetează cu minciunile tale*
Andreï Makine – *Pe vremea fluviului Amur*
Attila Bartis – *Sfârșitul*
Don DeLillo – *Arta corpului*
Benedict Wells – *Sfârșitul singurătății*
Mia Couto – *Confesiunile leoaicei*
Ngũgĩ wa Thiong'o – *Petale de sânge*
Gao Xingjian – *O undiță pentru bunicul meu*
Kazuo Ishiguro – *Să nu mă părăsești*
Kazuo Ishiguro – *Rămășițele zilei*
Kazuo Ishiguro – *Amintirea palidă a munților*
Kazuo Ishiguro – *Nocturne. Cinci povești despre muzică și amurg*
Kazuo Ishiguro – *Pe când eram orfani*
Serge Joncour – *Contează pe mine*
Elif Shafak – *Cele trei fiice ale Evei*

în pregătire:

Bandi – *Acuzația*

www.polirom.ro

Redactor: Alina Aviana
Coperta: Radu Răileanu
Tehnoredactor: Radu Căpraru

Bun de tipar: noiembrie 2017. Apărut: 2017
Editura Polirom, B-dul Carol I nr. 4 • P.O. BOX 266
700506, Iași, Tel. & Fax: (0232) 21.41.00; (0232) 21.41.11;
(0232) 21.74.40 (difuzare); E-mail: office@polirom.ro
București, Splaiul Unirii nr. 6, bl. B3A,
sc. 1, et. 1, sector 4, 040031, O.P. 53
Tel.: (021) 313.89.78; E-mail: office.bucuresti@polirom.ro

Tiparul executat la GANESHA PUBLISHING HOUSE – București
tel.: 021 423.20.58, tel./fax: 021 424.98.13,
e-mail: contact@ganesa.ro, web: ganesa.ro

Contravaloarea timbrului literar se depune în contul
Uniunii Scriitorilor din România
Nr. RO44RNCB5101000001710001 BCR UNIREA

Redactor: [illegible] Ana
[illegible]
Tehnoredactor: [illegible]

Bun de tipar: noiembrie 201[illegible]. Apărut 201[illegible]
[illegible]
[illegible]
[illegible]
Bucureşti [illegible]
[illegible]
Tel.: (021) [illegible]

[illegible]
[illegible]
[illegible]

[illegible]
[illegible]
[illegible]